Romain
GARY
1914 — 1980

Ромен ГАРИ

Обещание на заре

Роман

Санкт-Петербург
Издательство «Азбука-классика»
2005

УДК 82/89
ББК 84.4 Фр
  Г 20

        Перевод с французского Леонида Ефимова

    Гари Р.
 Г 20   Обещание на заре: Роман / Пер. с фр.
    Л. Ефимова. — СПб.: Азбука-классика, 2005. —
    352 с.
      ISBN 5-352-01213-1
      Пронзительно нежная проза, одна из самых увлека-
    тельных литературных биографий знаменитого француз-
    ского писателя, лауреата Гонкуровской премии Р. Гари.

*Посвящается
Рене и Сильвии Ажид*

ПЕРВАЯ ЧАСТЬ

Глава I

Вот и все. Пляж Биг Сура опустел, а я по-прежнему лежу на песке, там же, где упал. Все мягко окутано морской дымкой; ни одной мачты на горизонте; на скале передо мной тысячи птиц; на другой — тюленье семейство: папаша, самоотверженный и лоснящийся, неустанно выныривает из волн с рыбой в зубах. Крачки садятся порой так близко, что я задерживаю дыхание, и во мне снова оживает и теплится давняя надежда: вот-вот они опустятся мне на лицо, прильнут к шее и рукам, укроют с головы до пят... Дожив до сорока четырех, я еще мечтаю о какой-то всепоглощающей нежности. Я так давно и неподвижно лежу на пляже, что пеликаны и бакланы совсем обступили меня и к моим ногам волной принесло тюленя. Он долго на меня глядел, привстав на плавниках, а потом вернулся в Океан. Я улыбнулся ему, но он оставался серьезен и немного грустен, словно знал.

Когда объявили мобилизацию, моя мать, чтобы попрощаться со мной, пять часов добиралась на такси до Салон-де-Прованса, где я был сержантом-инструктором в летной школе.

Когда-то это старенькое такси, развалюха «рено», частично принадлежало нам: мы получали сначала пятьдесят, потом двадцать пять процентов от коммерческого использования машины. С тех пор такси уже несколько лет как стало исключительной собственностью бывшего совладельца, шофера Ринальди, но моя мать, тем не менее, продолжала считать, будто по-прежнему имеет некоторое моральное право на машину; а поскольку Ринальди был существом кротким, робким и впечатлительным, то она слегка злоупотребляла его добротой. Так она и вынудила его отвезти себя из Ниццы в Салон-де-Прованс — триста километров — даром, разумеется, и после войны милейший Ринальди, почесывая свою совсем поседевшую голову, долго с каким-то восхищенным негодованием вспоминал, как моя мать его «мобилизовала».

«Села в такси, а потом заявила попросту: „В Салон-де-Прованс, попрощаемся с моим сыном". Я попытался было возражать: это же целых десять часов туда и обратно. А она меня тут же обозвала дурным французом и грозилась кликнуть полицию, чтобы меня арестовали, потому как идет мобилизация, а я, дескать, пытаюсь уклониться. Расселась в моем такси со всеми этими пакетами для вас — колбаса, ветчина, банки с вареньем — и все твердила, что ее сын герой и она хочет только обнять его еще разок, так что нечего перечить. А потом заплакала. Ведь ваша матушка, хоть дама и пожилая, всегда плакала как ребенок, так что, когда после стольких лет знакомства я вдруг увидел, как она там плачет, в моем такси, тихонько, будто побитая собачонка, — уж вы простите, господин Ромен, но сами знаете, какая она была, — не смог я ей отказать. Детей у меня не было, да и вообще все тогда летело к чертям, одна поездка, пусть даже в пятьсот километров, ничего бы не изменила. Ну, я и сказал: „Ладно, едем, но бензин за ваш счет", — из принципа. Она всегда считала, что имеет какое-то право на такси, потому что семь лет назад мы были компаньонами. Но это все ерунда, зато можете не сомневаться: она по-настоящему вас любила и сделала бы ради вас что угодно...»

Я увидел, как она вылезла из такси перед столовой — с палкой в руке, с сигаретой «голуаз» в губах — и под насмешливыми взглядами солдат театральным жестом распахнула мне объятия, ожидая, что сын бросится в них согласно лучшим традициям.

Я же двинулся к ней небрежно, вразвалочку, фуражка набекрень и руки в карманах кожаной куртки, так способствовавшей набору юнцов в авиацию, раздраженный и смущенный этим недопустимым вторжением матери в сугубо мужской мир, где я пользовался с трудом завоеванной репутацией «крутого, стоящего и бывалого».

Я обнял ее со всей рассеянной холодностью, на которую был способен, и попытался затащить за такси, чтобы убрать с чужих глаз подальше, но она просто отступила на шаг, чтобы лучше налюбоваться мной, и, сияющая, восхищенная, прижав руку к сердцу и шумно сопя, что всегда было у нее признаком глубочайшего удовлетворения, прокричала во всеуслышанье и с сильным русским акцентом:

— Гинемер! Ты будешь вторым Гинемером! Сам увидишь, твоя мать всегда права!

Я почувствовал, как горит мое лицо, услышал смех за спиной, но она, угрожающе ткнув палкой в сторону гогочущей солдатни, толпившейся перед кафе, вдохновенно провозгласила:

— Ты будешь героем, будешь генералом, Габриэлем д'Аннунцио, французским посланником, — вся эта шпана и понятия не имеет, кто ты такой!

Думаю, ни один сын не ненавидел свою мать так, как я в тот миг. Но пока я пытался втолковать ей яростным шепотом, что она непоправимо позорит меня в глазах военно-воздушных сил, и сделал новую попытку загнать ее за такси, ее лицо приняло растерянное выражение, губы задрожали, и я снова услышал эту ее невыносимую формулу, давно ставшую классикой в наших отношениях:

— Так ты стыдишься своей старой матери?

И тут же вся мишура напускной мужественности, надменности, суровости, в которую я так старательно рядился, упала к моим ногам. Одной рукой я обнял ее за плечи, а другой, свободной, сделал своим товарищам выразительный жест — вверх-вниз средним пальцем, подперев его большим; смысл этого жеста, как я потом узнал, известен солдатам всего мира, с той лишь разницей, что в Англии требуются два пальца там, где в латинских странах довольно одного, — вопрос темперамента.

Я больше не слышал хохота, не видел насмешливых взглядов, я обнимал ее плечи и думал обо всех битвах, в которые ввяжусь ради нее, об обещании, которое дал себе на заре жизни, — воздать ей по справедливости, придать смысл ее жертве и вернуться однажды домой, победоносно отбив власть над миром у тех, чью силу и жестокость так хорошо научился распознавать с первых своих шагов.

Еще и сегодня, через двадцать с лишним лет, когда уже все сказано и я лежу на своей скале у Биг Сура, на берегу Океана, где в великом безлюдье морском слышны лишь крики тюленей да изредка проплывают киты со своими фонтанчиками — такими крохотными и смешными среди этой необъятности, — еще и сегодня, когда все кажется пустым, мне стоит только поднять глаза, чтобы увидеть вражью рать, склонившуюся надо мной в поисках какого-нибудь знака поражения или покорности.

Я был ребенком, когда мать впервые сообщила об их существовании — еще до Белоснежки, до Кота в сапогах, до семи гномов и Бабы-яги; они предстали передо мной и уже не покидали никогда; мать показывала их одного за другим и шептала имя каждого, прижимая меня к себе; я тогда еще не понимал, но уже предчувствовал, что однажды ради нее брошу им вызов; с каждым годом я все лучше различал их лица; с каждым ударом, который они наносили нам, я чувствовал, как растет мое призвание к непокорству; даже сегодня, немало пожив, в конце пути, я все еще ясно вижу их в сумерках Биг Сура и слышу их голоса, несмотря на рокот Океана; их имена сами собой приходят мне на язык, а мои стареющие глаза, чтобы выдержать их натиск, вновь обретают взгляд восьмилетнего мальчишки.

Первый из них — Тотош, бог глупости с красным обезьяньим задом, с физиономией узколобого интеллектуала, с неудержимой склонностью к абстракциям; в 1940 году он был любимчиком немцев, их теоретиком; сегодня все чаще находит прибежище в чистой науке, и его нередко можно видеть склонившимся к плечу наших ученых; при каждом атомном взрыве его тень чуть выше вырастает над землей, а его любимая каверза состоит в том, чтобы придать глупости вид гениальности и перетянуть на свою сторону кого-нибудь из наших великих, чтобы вернее обеспечить нам самоуничтожение.

Еще есть Мерзавка, бог абсолютных истин, что-то вроде казака, попирающего груды трупов, с плетью в руке, в меховой шапке набекрень и с радостным оскалом; это наш самый давний господин и хозяин; он так давно заправляет нашей судьбой, что стал богат и почитаем; всякий раз, когда он убивает, пытает и притесняет во имя абсолютных истин — религиозных, политических или нравственных, — половина человечества с умилением лижет ему сапоги; а он этим необычайно забавляется, ведь сам-то отлично знает, что нет никаких абсолютных истин, что они всего лишь средство поработить нас; вот и сейчас в опаловом воздухе Биг Сура надо мной издалека раскатывается эхо его торжествующего хохота, перекрывая тявканье тюленей и крики бакланов, и даже голос брата моего Океана не в силах его заглушить.

Есть также Филош, бог пошлости, предрассудков, прзрения, ненависти, выглядывающий из своей привратницкой у входа в обитаемый мир с криком: «Сволочь американская! Сволочь арабская! Сволочь еврейская! Сволочь русская! Сволочь китайская! Сволочь негритянская!» Это великолепный организатор массовых движений, войн, линчеваний, гонений, ловкий диалектик, прародитель всех идеологических формаций, великий инквизитор и любитель священных войн; несмотря на свою облезлую шкуру, гиенью морду и маленькие кривые ножки, это один из самых могущественных богов, к кому охотно прислушиваются, на кого можно наткнуться в любом лагере; он один из самых ревностных охранителей нашей земли, которую пытается оттягать у нас с величайшей хитростью и ловкостью.

Есть и другие боги, более таинственные и скрытные, более коварные и многоликие, — их трудно распознать; несметны их полчища, и столь же несметны их сообщники среди нас; моя мать хорошо их знала и часто заглядывала ко мне в детскую, чтобы рассказать о них, прижимая мою голову к своей груди и понизив голос; и мало-помалу эти оседлавшие мир сатрапы стали для меня более реальны и видимы, чем самые привычные предметы, а их огромные тени до сих пор нависают надо мной — стоит только поднять голову, и мне чудится, будто я вновь различаю блеск их брони и копий, нацеленных в меня с каждым небесным лучом.

Сегодня мы давние враги; о своей борьбе с ними я и хочу здесь рассказать. Моя мать была одной из их любимых игрушек, и с самого юного возраста я дал себе слово избавить ее от этого рабства; я рос в ожидании дня, когда смогу наконец сорвать завесу, омрачающую мир, и открыть лик мудрости и сострадания; я хотел отнять у вздорных и пьяных богов их силу и власть над миром и вернуть землю тем, кто наполняет ее своим мужеством и любовью.

Глава II

Думаю, что первое предчувствие своего призвания я ощутил в тринадцать лет.

Мы тогда жили в Ницце; я учился в четвертом классе лицея, а моя мать держала в отеле «Негреско» одну из «кулуарных» витрин, где выставляют свои вещи дорогие магазины. Каждый проданный шарфик, поясок или блузка приносили ей десять процентов комиссионных. Порой она самовольно завышала цену и разницу опускала в карман. Целыми днями, нервно куря бессчетные «голуаз», она подстерегала возможных покупателей, поскольку хлеб наш насущный полностью зависел от этого ненадежного промысла.

Уже тринадцать лет одна, без мужа, без любовника, она стойко боролась, чтобы заработать нам на жизнь: на масло, на обувь, на кров, на одежду, на бифштекс к обеду — тарелку с этим бифштексом она ставила передо мной каждый день, чуть торжественно, словно символ своей победы над невзгодами. Я возвращался из лицея и садился за стол. Мать стояла рядом и смотрела умиротворенно — как собака, кормящая щенков молоком.

Сама она к нему даже не прикасалась и уверяла, что любит только овощи, а мясо и жиры ей, дескать, строго противопоказаны.

Однажды, выйдя из-за стола, я пошел на кухню выпить стакан воды.

Мать сидела на табуретке, со сковородой из-под моего бифштекса на коленях, тщательно вытирала жирное дно кусочками хлеба и жадно их глотала. И хотя она поспешила прикрыть сковороду салфеткой, до меня наконец вдруг дошла истинная причина ее вегетарианства.

Какое-то время я стоял, будто громом пораженный, с ужасом глядя на сковороду, едва прикрытую салфеткой, на встревоженную и виноватую улыбку матери, потом разрыдался и выбежал вон.

Улица Шекспира, где мы тогда жили, круто обрывалась железнодорожной насыпью, туда-то я и побежал прятаться. Сначала мне пришло в голову броситься под поезд, чтобы разом избавиться от стыда и бессилия, но почти сразу же мое сердце обожгла дикая решимость исправить мир и положить его к ногам моей матери — уже счастливым, справедливым, достойным ее — обожгла мое сердце, и этот жар до сих пор горячит мою кровь. Уткнувшись лицом в ладони, я отдался своему горю, но слезы, столь благотворные порой, не принесли мне в тот раз никакого утешения. Мной овладело нестерпимое чувство собственной неполноценности, утраты мужественности, почти увечья; по мере того как я рос, моя детская неудовлетворенность собой и смутная надежда не только не угасали, но росли вместе со мной, постепенно превращаясь в потребность, которую не суждено было утолить ни женщине, ни искусству.

Я плакал в траве, когда увидел мать на верху откоса. Не знаю, как она нашла это место: никто сюда никогда не заглядывал. Я видел, как она наклонилась, пролезая под проволокой, потом стала спускаться ко мне; ее седые волосы наполнились светом и небом. Она села рядом со мной, со своей вечной «голуаз» в руке.

— Не плачь.

— Отстань от меня.

— Не плачь. Я прошу у тебя прощения. Ты теперь мужчина. Я сделала тебе больно.

— Я же сказал — отстань!

Мимо прошел поезд. Мне вдруг показалось, что это грохочет мое горе.

— Ладно, больше не буду.

Я немного успокоился. Мы оба сидели на насыпи, положив руки на колени, не глядя друг на друга. Неподалеку паслась коза, привязанная к стволу мимозы. Мимоза была в цвету, небо синело, и солнце сияло изо всех сил. Я вдруг подумал, что мир определенно сбивает с толку. Это была первая взрослая мысль, которую я помню.

Мать протянула мне пачку «голуаз».

— Сигарету хочешь?

— Нет.

Она пыталась относиться ко мне как к мужчине. Может, спешила. Ей был уже пятьдесят один год. Трудный возраст, если для опоры в жизни есть только ребенок.

— Писал сегодня?

Уже больше года я «писал». Измарал своими стихами не одну школьную тетрадь. А чтобы они казались опубликованными, я их слово в слово переписывал печатными буквами.

— Да. Начал большую философскую поэму о перевоплощении и переселении душ.

Она одобрительно кивнула.

— А в лицее?

— Ноль по математике.

Мать поразмыслила.

— Они тебя не понимают, — сказала она.

Я был того же мнения. Упорство, с каким преподаватели естественных наук ставили мне нули, наводило меня на мысль об их крайнем невежестве.

— Они еще пожалеют, — сказала мать. — Еще изумятся. Когда-нибудь твое имя будет начертано на стенах лицея золотыми буквами. Завтра же пойду к ним и скажу...

Я содрогнулся:

— Мама, не смей! Ты меня опять выставишь на посмешище.

— Я им почитаю твои последние стихи. Я была великая актриса, я умею читать стихи. Ты станешь Габриэлем д'Аннунцио! Виктором Гюго, нобелевским лауреатом!

— Мама, я тебе запрещаю ходить туда и говорить с ними.

Она меня уже не слушала. Ее взгляд устремился куда-то вдаль, а на губах появилась счастливая улыбка, наивная и доверчивая одновременно, словно ее глаза сквозь туманы будущего вдруг разглядели повзрослевшего сына, важно поднимающегося по ступеням Пантеона[1], в парадном мундире, осыпанного славой, успехом и почестями.

— Все женщины будут у твоих ног, — категорично заключила она, махнув по небу своей сигаретой.

В облаке дыма прошел поезд — 12.50 из Вентимильи. Пассажиры у окон, должно быть, удивлялись, что эта седовласая дама и грустный, еще вытирающий слезы ребенок могли высматривать в небе с таким вниманием.

---

[1] Да, знаю (*прим. автора*).

Мать вдруг показалась озабоченной.

— Надо придумать тебе псевдоним, — сказала она твердо. — Великий французский писатель не может носить русскую фамилию. Будь ты скрипачом-виртуозом, еще куда ни шло, но для титана французской литературы такое не годится...

«Титан французской литературы» на этот раз был полностью согласен. Вот уже шесть месяцев я ежедневно часами напролет «примерял» псевдонимы. У меня была даже особая тетрадка, куда я старательно вписывал их красными чернилами. В то утро я остановил свой выбор на «Юбере де ла Валле», но через полчаса уступил ностальгическому обаянию «Ромена де Ронсево». Мое собственное имя, Ромен, казалось мне вполне приличным. К несчастью, уже имелся Ромен Роллан, а я не собирался делить свою славу ни с кем. Все это было очень непросто. Самое досадное с этими псевдонимами, что они никогда не могут выразить все, что вы в себе ощущаете. Я почти дошел до мысли, что одного псевдонима как средства литературного самовыражения маловато и что надо бы еще писать книги.

— Будь ты скрипачом-виртуозом, фамилия Касев вполне бы сгодилась,— повторила мать со вздохом.

Эта история про «скрипача-виртуоза» была величайшим разочарованием ее жизни, и я все еще чувствовал свою вину. Просто у нас с судьбой вышло какое-то недоразумение, которое мать так и не поняла. Считая меня способным ко всему и ища кратчайшего пути, который привел бы нас обоих «к славе и преклонению толпы», она всегда без колебаний прибегала к штампам, что объясняется не ограниченностью ее словаря, а скорее подчинением обществу своего времени, его ценностям, его золотым эталонам, ведь в этих штампах есть и готовые формулы, и принятый общественный уклад — все те пути конформизма, что выходят за рамки языка. В общем, сначала она питала надежду, что я стану вундеркиндом, чем-то вроде Яши Хейфеца и Иегуди Менухина, которые тогда блистали в апогее своей юной славы. Мать и сама всегда мечтала стать великой актрисой; едва мне исполнилось семь лет, как в Вильно, в Восточной Польше, где мы оказались проездом, для меня была куплена подержанная скрипка и я был торжественно препровожден к некоему усталому длинноволосому человеку в черных одеждах, которого моя мать почтительным шепотом величала «маэстро». Потом я мужественно ходил туда сам, два раза в неделю, со скрипкой в желтом футляре, обтянутом внутри фиолетовым бархатом. Помню лишь, как «маэстро» глубоко изумлялся всякий раз, как я брал свой смычок, и вскрикивал «Ай! Ай! Ай!», затыкая уши, — картинка до сих пор стоит у меня перед глазами. Думаю, это существо бесконечно страдало от отсутствия вселенской гармонии в нашем дольнем мире, чему я наверняка немало поспособствовал в те три недели, что длились мои уроки. На исходе третьей недели он проворно выхватил из моих рук смычок и скрипку, сказал, что переговорит с моей матерью, и выпроводил вон. Что он ей сказал, так и осталось для меня тайной, но она потом многие дни вздыхала и глядела на меня с упреком, а порой прижимала к себе в порыве сострадания.

Великая мечта испарилась.

Глава III

Моя мать тогда делала шляпки на заказ для клиентуры, которую сперва вербовала по почте. В каждом написанном от руки проспекте объявлялось, что «ради приятного проведения досуга бывшая директриса известного парижского ателье мод согласна изготавливать на дому шляпки для узкого и избранного круга». Несколько лет спустя, вскоре после нашего переезда в Ниццу в 1928 году, она попыталась снова взяться за это занятие в двухкомнатной квартирке на улице Шекспира, но, поскольку делу требовалось время, чтобы сдвинуться с места (сказать по правде, оно так никуда и не сдвинулось), мать стала наводить красоту на посетительниц дамской парикмахерской, а во второй половине дня оказывала те же услуги породистым четвероногим в собачьем пансионате на улице Виктуар. Потом настал черед витрин в гостиницах, потом была торговля драгоценностями вразнос по шикарным отелям за комиссионные, совладение овощным лотком на рынке Буффа, торговля недвижимостью, гостиничное дело — короче, я ни в чем никогда не нуждался, в полдень бифштекс всегда был на своем месте, и никто в Ницце никогда не видел меня плохо обутым или одетым. Я ужасно злился на себя за то, что обманул надежды матери своим полным отсутствием музыкальных способностей, и даже сегодня не могу слышать имени Менухина или Хейфеца без того, чтобы в моем сердце не закопошились угрызения совести. Каких-нибудь тридцать лет спустя, когда я был генеральным консулом Франции в Лос-Анджелесе, судьба захотела, чтобы именно мне довелось награждать орденом Почетного легиона Яшу Хейфеца, проживавшего в моем округе. Приколов крест на грудь скрипача и произнеся полагающуюся формулу: «Господин Яша Хейфец, от имени Президента Республики и в силу предоставленных нам полномочий награждаем вас Большим крестом Почетного легиона», я услышал вдруг, как громко и внятно говорю, возведя очи к небесам:

— Ну, не вышло, что тут поделаешь!

Маэстро, казалось, слегка удивился.

— Простите, господин генеральный консул?

Я поспешил расцеловать его в обе щеки согласно обычаю, чтобы довершить церемонию.

Я знал, что мать ужасно разочарована отсутствием у меня музыкальных способностей, потому что она никогда не упоминала при мне об этом; а поскольку как раз такта ей, признаться, частенько недоставало, подобная сдержанность была верным знаком тайного и глубокого огорчения. Ее собственные артистические амбиции так и не осуществились, и она рассчитывала реализовать их через меня. Я же со своей стороны решил сделать все, что в моих силах, чтобы добыть ей артистическую славу и всеобщее признание, и после долгих колебаний между живописью, сценой, пением и танцем в конце концов вынужден был выбрать литературу, которая казалась мне последним прибежищем для тех, кто не знает, куда себя деть на этой земле.

Так что эпизод со скрипкой никогда меж нами не упоминался, и мы стали искать новый путь к славе.

Три раза в неделю я брал свои атласные тапочки и позволял отвести себя за руку в студию Саши Жиглова, где в течение двух часов добросовестно задирал ногу у станка, в то время как мать, сидя в уголке, временами молитвенно складывала руки и с восхищенной улыбкой восклицала:

— Нижинский! Нижинский! Ты будешь Нижинским! Я знаю, что говорю!

Потом она сопровождала меня в раздевалку и бдительно охраняла, пока я переодевался, так как, по ее словам, у Саши Жиглова были «дурные наклонности». Что вскоре и подтвердилось. Когда я принимал душ, Саша Жиглов на цыпочках прокрался в мой закуток и, как я счел в своей невинной простоте, попытался меня укусить. Я дико заорал. До сих пор вижу, как несчастный Жиглов улепетывал через гимнастический зал и как за ним гналась моя разъяренная мать с палкой в руке — на том карьера великого танцовщика и закончилось. Были тогда в Вильно и две другие балетные школы, но мать, наученная горьким опытом, решила больше не рисковать. Мысль о том, что из ее сына может вырасти нечто иное, нежели мужчина, любящий женщин, была для нее нестерпима. Должно быть, мне не исполнилось еще и восьми лет, когда она впервые заговорила со мной про мои будущие «успехи», начала расписывать вздохи и взгляды, любовные записочки и клятвы: рука, украдкой пожатая на террасе в лунном свете, мой белый мундир гвардейского офицера и вальс вдалеке, шепоты и мольбы... Она привлекала меня к себе, опустив глаза с чуть виноватой и удивительно молодой улыбкой, и одаривала всеми изъявлениями обожания и восторга, которых наверняка удостаивалась когда-то ее собственная замечательная красота; быть может, потребность в этом или воспоминание еще не совсем ее покинули. А я, небрежно прислонившись к ней, слушал с самым непринужденным видом, рассеянно слизывая варенье со своей тартинки, хоть и не упускал ни слова; я был слишком мал, чтобы понять, что таким образом она пыталась избавиться от женского одиночества, от потребности в нежности и знаках внимания.

Итак, поскольку скрипка и балет отпали, а стать «новым Эйнштейном» мне препятствовала полная бездарность в математике, я решил самостоятельно обнаружить в себе какой-нибудь скрытый талант, который позволил бы осуществиться артистическим чаяниям моей матери.

Несколько месяцев подряд я забавлялся с красками, составляющими часть моего школьного снаряжения.

Я проводил долгие часы с кисточкой в руке и упивался цветом — красным, желтым, зеленым и синим. Как-то раз — мне было тогда десять лет — мой учитель рисования пришел к матери и поделился с ней своим мнением: «У вашего сына, сударыня, талант к живописи, которым нельзя пренебрегать».

Это открытие подействовало на мою мать совершенно неожиданным образом. Разумеется, бедняжка была слишком напичкана мещанскими россказнями и предрассудками начала века, во всяком случае живопись и загубленная жизнь в ее мозгу сливались воедино. О трагических судьбах Ван-Гога, Гогена она знала ровно столько, чтобы прийти в ужас. Помню, с каким испуганным лицом она вошла ко мне в комнату, как сокрушенно села напротив и посмотрела на меня с тревогой и немой мольбой. Должно быть, в этот миг в ее мозгу крутились образы «Богемы» и все эти слухи о горемыках художниках, обреченных на пьянство, нищету и чахотку. Наконец она подвела итог всего одной, но потрясающей, если вдуматься, фразой:

— Может, ты и гений, но тогда они уморят тебя голодом.

Не знаю, кого, собственно, она подразумевала под этим «они». Наверняка и сама не знала. Но с того дня мне было практически запрещено касаться красок. Ее восторженное воображение не могло допустить, что у меня простенький детский талант (как, скорее всего, и было), и сразу же кидалось в крайность; отказываясь видеть меня иначе, нежели героем, в этом случае она видела меня героем прóклятым. Моя коробка с акварелью приобрела досадную склонность куда-то пропадать, а когда мне все же удавалось ее выследить и я принимался за рисование, мать выходила из комнаты, потом тотчас же возвращалась, бродила вокруг меня как встревоженное животное, глядя на мою кисточку с мучительной тоской, пока, совершенно пав духом, я не оставил краски в покое — раз и навсегда.

Я долго на нее злился, да и сегодня еще меня посещает чувство, что я упустил свое призвание.

Вот так, терзаемый, несмотря ни на что, какой-то смутной, непонятной, но властной потребностью, я и начал писать с двенадцати лет, забрасывая литературные журналы своими поэмами, повестями и пятиактными трагедиями, писанными александрийским стихом.

Насчет литературы у матери не было ни одного из тех почти суеверных предрассудков, какие внушала ей живопись; даже наоборот, она смотрела на нее вполне благосклонно, как на весьма важную даму, принятую в лучших домах. Ведь Гёте осыпали почестями, Толстой был графом, Виктор Гюго президентом Республики — не знаю, откуда она это взяла, но стояла на своем. И вдруг ее лицо омрачилось:

— Но со здоровьем надо быть поосторожнее — из-за венерических болезней. Ги де Мопассан умер безумным, Гейне — паралитиком...

Она казалась озабоченной и какое-то время молча курила, сидя на откосе. В литературе явно имелись свои опасности.

— Все начинается с прыщика, — сказала она.

— Знаю.

— Обещай, что будешь беречься.

— Обещаю.

Моя любовная жизнь в ту пору не заходила дальше дерзких взглядов, которые я бросал под юбки Мариетты, нашей приходящей прислуги, когда та взбиралась на приставную лесенку.

— Может, тебе лучше жениться пораньше? — предположила мать с явным отвращением. — На какой-нибудь приличной, милой девушке?

Но мы оба прекрасно знали, что мне суждено не это. Прекраснейшие в мире женщины, великие балерины, примадонны, всякие там Рашели, Дузе и Гарбо — вот что, по ее мысли, меня ожидало. Я и сам был не прочь. Только бы эта чертова лесенка была повыше, а еще лучше, если бы Мариетта уразумела наконец, как важно мне начать свою карьеру прямо сейчас... Мне было уже тринадцать с половиной, а дел впереди — невпроворот.

Так, отбросив поочередно музыку, балет и живопись, мы смирились с литературой, несмотря на венерическую опасность. А чтобы наши мечты начали осуществляться, оставалось лишь найти псевдоним, достойный шедевра, которого ждал от нас мир. Я целыми днями просиживал в своей комнате и марал бумагу, покрывая ее невероятными именами. Порой в приоткрытую дверь заглядывала мать и осведомлялась, как там с моим вдохновением. Мысль о том, что часы этого тяжкого труда можно было потратить с большей пользой на создание самого шедевра, никогда не приходила нам в голову.

— Ну?

Я брал листок бумаги и поверял ей дневной итог своих литературных усилий. Впрочем, я никогда не был им удовлетворен. Ни одно имя, сколь угодно красивое и звучное, не казалось мне достойным того, что я хотел свершить ради нее.

— Александр Наталь. Арман де ла Торр. Терраль. Васко де ла Фернэ...

И так страница за страницей. После каждой серии имен мы переглядывались и оба качали головами. Все было не то — совсем не то. Собственно, мы оба прекрасно знали, какие имена нам нужны —

к несчастью, все они уже были разобраны. «Гёте» занято, «Шекспир» тоже, и «Виктор Гюго» тоже. Хотя именно таким я хотел стать для нее, именно этим хотел одарить. Иногда, сидя за столом, в своих коротких штанишках, я поднимал на нее глаза, и мне казалось, что мир недостаточно велик, чтобы вместить мою любовь.

— Надо бы что-нибудь вроде Габриэля д'Аннунцио, — сказала моя мать. — Дузе из-за него ужасно страдала.

Это было сказано с оттенком уважения и восхищения. Моей матери казалось совершенно естественным, что великие люди заставляют женщин страдать, и она весьма надеялась, что я в этом смысле тоже покажу себя с лучшей стороны. Она необычайно твердо рассчитывала на мои успехи у женщин. Очевидно, в этом ей виделся один из главных признаков земного преуспеяния, нечто под стать официальным почестям, наградам, парадным мундирам, шампанскому, приемам в посольстве, и, рассказывая о Вронском и об Анне Карениной, она смотрела на меня с гордостью, гладила по волосам и шумно вздыхала с улыбкой наивного предвкушения. Быть может, в подсознании этой женщины, некогда такой красивой, но так давно жившей без мужчины, таилась жажда физического и чувственного реванша, взять который предстояло ее сыну. Как бы там ни было, промаявшись весь день в хождениях с чемоданчиком в руке по дорогим отелям, где она отыскивала богатых англичан и выдавала себя за обедневшую русскую аристократку, вынужденную продавать свои последние «фамильные драгоценности» — драгоценности эти предоставляли владельцы ювелирных лавок, а ей полагались десять процентов комиссионных, — после дня хождений тем более тяжких и унизительных, что ей редко удавалось заключить больше одной сделки в месяц, она, едва успев снять свою шляпку, серое пальто и закурить сигарету, сразу же садилась со счастливой улыбкой напротив мальчугана в коротких штанишках, подавленного ужасом, что ничего не может для нее сделать, а потому дни напролет ломавшего голову в поисках достаточно красивого, достаточно звучного, достаточно многообещающего имени, чтобы оно смогло выразить все, что творилось в его сердце, чтобы оно громко и чисто зазвенело в ушах его матери, раскатываясь убедительным эхом той грядущей славы, которую он предполагал сложить к ее ногам:

— Ролан де Шантеклер, Ромен де Мизор...

— Может, лучше обойтись без дворянской частицы, а то вдруг опять революция, — говорила мать.

Я продолжал декламировать ей из длинного списка один за другим звучные, выспренние псевдонимы, в которых пытался выразить все, что чувствовал, что хотел ей даровать. Она слушала внимательно, немного озабоченно, и я вполне догадывался, что ни одно из этих имен ее не устраивало, ни одно не было достаточно прекрасным для меня. Быть может, она просто пыталась вдохнуть в меня мужество и веру в собственную судьбу. Ведь наверняка знала, как я мучаюсь из-за того, что все еще ребенок и ничем не могу ей помочь, а быть может, перехватывала мой встревоженный взгляд, когда я смотрел с нашего балкона, как она удаляется каждое утро по улице Шекспира со своей палкой, сигаретой и чемоданчиком, полным «фамильных драгоценностей», насчет которых мы оба задавались одним и тем же вопросом: найдут ли в этот раз брошь, часы или золотая табакерка своего покупателя.

— Ролан Кампеадор, Ален Бризар, Юбер де Лонпре, Ромен Кортес.

Я прекрасно видел по ее глазам, что это все еще не то, и уже всерьез опасался, смогу ли вообще когда-нибудь ей угодить. Гораздо позже, впервые услышав по радио имя генерала де Голля, в тот памятный день, когда он воззвал к нации, я первым делом разозлился на самого себя — за то, что пятнадцать лет назад не додумался до такого прекрасного имени: Шарль де Голль. Вот оно бы наверняка понравилось моей матери, особенно если бы я его написал с одним «л» [1]. Жизнь вымощена упущенными случаями.

Глава IV

Материнская нежность, которой я был окружен, возымела тогда одно неожиданное, но крайне счастливое последствие.

Когда дела шли хорошо и продажа какой-нибудь «фамильной драгоценности» позволяла матери рассчитывать на месяц относительного достатка, ее первой заботой было сходить к парикмахеру; затем она отправлялась послушать цыганский оркестр на террасе отеля «Руаяль» и нанимала приходящую прислугу для поддержания чистоты в квартире — ей самой мытье полов всегда внушало ужас — и, когда однажды в ее отсутствие я попытался отчистить паркет и она застала меня на четвереньках с тряпкой в руке, ее губы задрожали, слезы хлынули из глаз, и мне пришлось битый час утешать ее, объясняя, что в демократической стране эти мелкие домашние работы рассматриваются как вполне почтенные и что им вполне можно предаваться, не роняя достоинства.

---

[1] Т.е. не *de Gaulle*, как правильно пишется имя генерала, а *de Gaule*, что значит Галльский.

Мариетта была девица пышнобедрая, крепконогая, большеглазая. И одарена, помимо озорного взгляда, еще и потрясающим задом, который я постоянно видел в классе вместо лица учителя математики. Это дивное наваждение и было той простой причиной, из-за которой я таращился на его физиономию с глубочайшей сосредоточенностью. Раскрыв рот, я не отводил от него глаз на протяжении всего урока, не слыша, разумеется, ни слова из его поучений, а когда славный учитель поворачивался к нам спиной и принимался писать алгебраические символы на доске, я с усилием переводил свой завороженный взгляд на нее, и предмет моих грез тотчас же четко вырисовывался на черном фоне — черное с тех пор всегда производило на меня самое благотворное воздействие. Когда же учитель, польщенный таким неотступным вниманием, задавал мне какой-нибудь вопрос, я, встрепенувшись, сперва очумело вращал глазами, а потом посылал Мариеттиной заднице взгляд, исполненный кроткого упрека. И только голос г-на Валю вынуждал меня наконец вернуться на землю.

— Непостижимо! — восклицал учитель.— Из всех моих учеников вы кажетесь самым внимательным, порой можно даже подумать, что вы буквально глядите мне в рот. И при этом витаете где-то на луне!

Так оно и было.

Однако не мог же я объяснить этому превосходному человеку, чтó именно видел вместо его лица во всех подробностях.

Короче, значение Мариетты в моей жизни стало возрастать — начиная с пробуждения и более-менее весь день. Стоило этой средиземноморской богине появиться на горизонте, как мое сердце галопом скакало ей навстречу, а сам я продолжал неподвижно лежать в постели в ужаснейшем затруднении. Наконец я осознал, что и Мариетта наблюдает за мной с определенным любопытством. Порой она оборачивалась ко мне и, подбоченясь, пристально смотрела с чуть мечтательной улыбкой, потом качала головой и говорила:

— Да уж... Слов нет, как вас матушка любит. Только о вас и говорит, когда вас тут нету. И всякие-то вас прекрасные приключения ждут, и всякие-то вас красивые дамы любить будут, и тебе такое, и тебе сякое... В конце концов меня и то проняло.

Я был изрядно раздосадован. В ту минуту мне меньше всего хотелось думать о матери. Лежа поперек кровати в очень неудобной позе — согнув колени, придерживая ступнями одеяло и упираясь затылком в стену, — я боялся пошевелиться.

— Говорит о вас, будто вы прекрасный принц какой... Мой Ромен то, мой Ромен се... Я понимаю, конечно, это все потому, что вы ее сынок, но в конце концов даже как-то не по себе становится...

Голос Мариетты производил на меня необычайное впечатление. Он был не такой, как другие. Прежде всего, казалось, что он исходит совсем не из горла. Я вообще не знаю, откуда он исходил. И попадал он тоже не туда, куда обычно попадают голоса. Не в мои уши, во всяком случае. Это было очень любопытно.

— Даже как-то раздражает. Все думаешь, что же в вас такого особенного.

Она помедлила немного, потом вздохнула и вернулась к натиранию паркета. Я совершенно одеревенел, превратившись с головы до ног в какое-то бревно. Мы больше не говорили. Иногда Мариетта поворачивала голову в мою сторону, вздыхала и вновь принималась тереть паркет. Столь ужасная и напрасная трата сил надрывала мне сердце. Я прекрасно сознавал, что надо что-то сделать, но не мог, будучи буквально прикован к месту. Мариетта закончила свою работу и ушла. Я глядел ей вслед с ощущением, будто целый фунт плоти вырвался из моих чресел и покинул меня навсегда. Мне казалось, будто я только что загубил свою жизнь. Ролан де Шантеклер, Артемис Кохинор и Юбер де ла Рош ревели в голос и терли кулаками глаза. Но тогда я еще не знал известной пословицы: чего хочет женщина, того хочет Бог. Мариетта продолжала бросать на меня странные взгляды: видимо, моя мать своей песнью нежности и лубочными картинками моего триумфального будущего возбудила ее женское любопытство и какую-то смутную ревность. Наконец чудо свершилось. Помню это склоненное ко мне лукавое лицо и чуть хрипловатый голос, ворковавший, лаская мне щеку, пока я витал где-то в лучшем мире, совершенно невесомый:

— Знаешь, не надо ей говорить. Это я не удержалась. Знаю, она тебе мать, но до чего все-таки здорово, когда такая вот любовь. В конце концов начинаешь завидовать... Ни одна другая женщина не будет тебя так любить, как она. Уж это точно.

Так точно оно и было. Но тогда я этого не знал. Только лет под сорок начал понимать. Нехорошо, когда тебя так любят, так рано, таким юным. Это прививает дурные привычки. Думаешь, вот оно, случилось. Думаешь, что сможешь найти это снова, где-то еще. Рассчитываешь на это. Высматриваешь, надеешься, ждешь. Вместе с материнской любовью жизнь дает вам на заре обещание, которое никогда не исполняет. И вы потом вынуждены довольствоваться сухомяткой до конца своих дней. И если потом любая другая женщина заключает вас в объятия и прижимает к сердцу, это всего лишь выражение соболезнования. Вы вечно возвращаетесь на могилу матери, повыть, точно брошенная собака.

Прелестные руки обвивают вашу шею, и нежнейшие губы лепечут о любви, но вы-то знаете. Вы припали к источнику слишком рано и выпили все до капли. И когда вас вновь охватывает жажда, что толку метаться — колодца больше нет, остались одни миражи. С первыми лучами зари вы приобрели полнейший опыт любви и сохранили ее свидетельства. Куда бы вы ни пошли, вы несете в себе яд сравнений и тратите время, ожидая то, что уже получили.

Я не говорю, что надо помешать матерям любить своих детей. Я говорю лишь, что лучше бы у матерей был еще кто-то для любви. Будь у моей матери любовник, я не прожил бы жизнь, умирая от жажды возле каждого родника. На свою беду, я знаю толк в настоящих алмазах.

Глава V

Эпизод с Мариеттой завершился самым неожиданным образом. Как-то утром, демонстративно отправившись в лицей с портфелем под мышкой, я прискакал обратно, чтобы встретиться со своей прелестницей, приходившей к нам около половины девятого. Мать со своим чемоданчиком в руке тоже ушла, чтобы съездить в Канны, где рассчитывала сбыть свои «фамильные драгоценности» англичанам из отеля «Мартинес». Вроде бы нам нечего было опасаться, но судьба, со свойственной ей подлостью, подбила водителей автобусов на забастовку и мать повернула назад. Едва отворив дверь квартиры, она услышала крики и, в полной уверенности, что я умираю от приступа аппендицита (приступ аппендицита всегда был ее навязчивой идеей, последним, хоть убогим и немощным отголоском греческой трагедии), она бросилась ко мне на помощь. Я же, едва переведя дух, был погружен в такое состояние блаженства и почти полного бесчувствия, какое только можно достичь в этом мире. В свои тринадцать с половиной лет я испытывал ощущение, что полностью преуспел в жизни, исполнил свое предназначение и теперь, пребывая в кругу богов, отстраненно созерцал пальцы на своих ногах, единственное напоминание о местах земных, которые посетил когда-то. Это было как раз одно из тех мгновений возвышенной философской отрешенности, к которой во дни мечтательной юности часто стремила свои порывы моя благородная и самоотверженная душа; одно из тех мгновений, когда все пессимистические и безотрадные теории о несовершенстве человека и о горечи удела его рушатся, как карточный домик, пред очевидностью красоты бытия, сияющей полнотой, мудростью и наивысшим блаженством. В этой эйфории внезапное появление моей матери было воспринято мною как любое другое проявление разбушевавшихся стихий: со снисхождением. Я милостиво улыбнулся. Реакция Мариетты была несколько иной. Пронзительно взвизгнув, она выскочила из постели. Последовавшая сцена была довольно удивительна, и с высот своего Олимпа я наблюдал за ней с рассеянным интересом. Моя мать все еще держала палку в руке; окинув взором размах катастрофы, она немедленно перешла к действию и вскинула руку. С поразительной меткостью палка обрушилась прямо на лицо учителя математики. Мариетта завопила и попыталась уберечь эту дивную часть своей особы. Маленькая комнатка наполнилась ужасающим гамом, а над схваткой реяло старинное русское слово *курва*, гремя всей трагической мощью материнского голоса.

Должен сказать, что к ругани у моей матери был подлинный дар: всего в нескольких удачно подобранных словах ее поэтически-ностальгической натуре удавалось воссоздать атмосферу горьковского «На дне» или, на худой конец, «Бурлаков на Волге». Любого пустяка хватало, чтобы эта благообразная седовласая дама, внушавшая такое доверие покупателям «фамильных драгоценностей», вдруг начинала воскрешать перед ошарашенной публикой всю Святую Русь с ее пьяными конюхами, мужиками и фельдфебелями; она, несомненно, обладала великим талантом исторически точно воссоздавать былое голосом и жестом, и эти сцены, похоже, вполне подтверждали, что она и впрямь была в молодости великой драматической актрисой, как сама утверждала.

Тем не менее мне так и не удалось до конца прояснить этот последний пункт. Разумеется, я всегда знал, что моя мать была «драматической актрисой», — с какой гордостью она всю жизнь произносила эти слова! — и я до сих пор помню себя рядом с ней, в возрасте пяти-шести лет, в какой-то заснеженной глуши, где мы плутали по случаю ее театральных выездов, в санях с тоскливыми колокольчиками, которые везли нас с промерзшего завода, где она только что «играла Чехова» перед рабочими местных Советов, или из казармы, где «читала стихи» перед революционными солдатами и матросами. Помню себя также в Москве, в ее крохотной театральной гримерной; я сидел на полу и играл с разноцветными лоскутками, пытаясь подобрать гармоничное сочетание, — моя первая попытка выразить себя в творчестве. Помню даже название пьесы, в которой она тогда играла: «Собака на сене». Мои первые детские воспоминания — это театральные декорации, восхитительный запах дерева и краски, пустая сцена с бутафорским лесом, по которому я опасливо крадусь и вдруг застываю от ужаса перед необъятным, зияющим и черным залом; я опять вижу загримированные лица странного бежевого оттенка, с обведенными белым и черным глазами, которые склоняются надо мной с улыбкой; какие-то причудливо одетые мужчины и женщины держат меня на коленях, пока моя мать на сцене; помню еще советского матроса, который поднимает меня и сажает себе на плечи, чтобы я мог увидеть мать, играющую Розу в «Крушении надежд». Помню даже ее театральный псевдоним, это были первые русские слова, которые я научился читать сам, они были написаны на двери ее гримерной: Нина Борисовская. Вполне похоже, что ее положение в тесном мирке русского театра 1919—1920 годов было довольно прочным. Хотя Иван Мозжухин, великий киноактер, знавший мою мать с первых ее шагов на сцене, всегда высказывался на этот счет довольно туманно. Пристально глядя на меня своими бледно-голубыми глазами из-под калиостровых бровей, он говаривал мне на террасе «Гран Блё», куда приглашал порой во время своих съемок в Ницце, желая взглянуть, «что из меня вышло»: «Вашей матушке надо было пойти в Консерваторию; к несчастью, обстоятельства не позволили ей развить свой талант. К тому же, после вашего рождения, молодой человек, ее уже ничто кроме вас по-настоящему не интересовало». Я знал также, что она была дочерью часовщика-еврея откуда-то из русских степей, из Курска, если уж быть точным, что в шестнадцать лет она оставила свою семью и вышла замуж, развелась, опять вышла замуж, опять развелась, а все остальное для меня — щека, прильнувшая к моей щеке, да мелодичный голос, который шептал, говорил, пел, смеялся беззаботным, удивительно веселым смехом, который я с тех пор напрасно ловлю, жду, ищу вокруг себя аромат ландыша, темные волосы, волнами ниспадающие на мое лицо, и шепотом, в самое ухо — странные истории о некоей стране, которая однажды станет моей. Не знаю, как там насчет Консерватории, но талант у нее, наверное, все-таки был, потому что она расписывала мне Францию со всем искусством восточных сказочников и с такой силой убеждения, что я до сих пор все никак не опомнюсь. Даже сегодня меня порой влечет во Францию, в эту удивительную страну, о которой я столько наслышан, но в которой никогда не бывал и уже не буду никогда, потому что Франция из лирических и вдохновенных рассказов моей матери, знакомых мне с самого раннего детства, в конце концов превратилась для меня в чарующий миф, надежно защищенный от всякой реальности, в некий поэтический шедевр, непостижимый и недостижимый для любого человеческого опыта. Она прекрасно говорила по-французски, правда, с сильным русским акцентом, отзвук которого до сих пор слышен в моем собственном произношении, — она так и не захотела мне объяснить, где, как, когда и с чьей помощью выучила его. «Я была в Ницце и Париже» — вот и все, чего я от нее добился. В гримерной промерзшего театра, в квартире, которую мы делили с тремя другими актерскими семьями и где у меня появилась няня, молоденькая Анеля, и позже, в товарных вагонах, увозивших нас на Запад с тифом за компанию, мать опускалась передо мной на колени, растирала мои закоченевшие пальцы и продолжала говорить о далекой земле, где самые прекрасные сказки становятся явью, где все люди равны и свободны, где артисты приняты в лучших домах, а Виктор Гюго был президентом Республики; запах камфарной повязки вокруг шеи, вернейшего, как говорили, средства от тифозных вшей, бил мне в нос; я стану великим скрипачом, великим артистом, великим поэтом; французским Габриэлем д'Аннунцио, Нижинским, Эмилем Золя; нас держали в карантине в Лиде, на польской границе; я шел по снегу вдоль железнодорожного полотна, одной рукой цепляясь за руку матери, другой — за ночной горшок, с которым отказался расставаться еще в Москве и который стал мне другом: я очень легко привязываюсь; мне обрили голову; лежа на соломенном тюфяке и глядя куда-то вдаль, она продолжала расписывать мое лучезарное будущее; я боролся со сном и таращил глаза, пытаясь разглядеть то, что видит она; рыцарь Баярд, Дама с камелиями; там масло и сахар во всех магазинах; Наполеон Бонапарт; Сара Бернар ...Я засыпал наконец, припав головой к ее плечу и сжимая в руках ночной горшок. Позже, гораздо позже, после пятнадцати лет соприкосновения с французской действительностью, в Ницце, где мы наконец обосновались, теперь уже морщинистая и совсем седая, постаревшая — приходится все-таки сказать это слово, — но так ничему и не научившаяся, ничего не заметившая, она все с той же доверчивой улыбкой продолжала живописать эту чудесную страну, которую принесла с собой в узелке с пожитками. Что же до меня самого, взращенного в этом воображаемом музее всяческих благородств и добродетелей, но не наделенного исключительным даром моей матери видеть вокруг лишь многоцветье собственного сердца, то я сперва долго озирался и ошеломленно тер глаза, а потом, повзрослев, вступил в гомерическую и безнадежную битву с действительностью, дабы исправить мир и заставить его совпасть с наивной мечтой, которая жила та, кого я так нежно любил.

Да, у моей матери был талант — и я от этого так и не оправился.

С другой стороны, мерзавец Агров, ничем не брезговавший ростовщик с бульвара Гамбетта, белесый, жирный, обрюзгший одессит, сказал мне однажды, поняв, что не получит десяти процентов месячной лихвы, которую заломил за ссуду для покупки нашей доли в такси: «Твоя мамаша корчит из себя важную барыню, а когда я ее раньше знал, она пела по кафешантанчикам да кабакам для солдатни. Потому и выражается. Так что я не в обиде. Такая женщина не может оскорбить почтенного коммерсанта». Мне в ту пору было всего четырнадцать лет, и я еще ничем не мог помочь матери, хотя желал этого больше всего не свете, поэтому я утешился, влепив почтенному коммерсанту прекрасную пару оплеух — она стала первой в моей долгой и блестящей карьере расточителя оплеух, прославившей меня на весь квартал. В самом деле, с того дня моя мать, восхищенная этим подвигом, взяла за привычку жаловаться мне всякий раз, когда, справедливо или нет, чувствовала себя оскорбленной, заключая свою не всегда точную версию событий неизменным припевом: «Он думает, что меня некому защитить, что меня можно оскорблять безнаказанно. Как он ошибается! Дай-ка ему пару пощечин». Я знал, что в девяти из десяти случаев оскорбление было воображаемым, что моя мать усматривала оскорбления повсюду и сама подчас из-за своих истрепанных нервов первой оскорбляла людей без причины. Но я никогда не уклонялся. Эти сцены, эти непрекращающиеся скандалы были мне отвратительны, нестерпимы, внушали ужас, но я подчинялся. Уже четырнадцать лет моя мать жила и боролась одна, и ничто не чаровало ее сильнее, чем возможность ощутить себя «защищенной», почувствовать рядом с собой мужское присутствие. Так что я собирал все свое мужество в кулак, душил в себе стыд и отправлялся на поиски какого-либо ювелира, мясника, табачника, антиквара, которого мне указали. Далее заинтересованное лицо наблюдало, как в его лавку входил трепещущий мальчишка, становился напротив него, стиснув кулаки, и говорил ему дрожащим от негодования голосом (негодование было скорее проявлением дурного вкуса, но мне казалось, что сыновний долг к нему просто обязывает): «Сударь, вы оскорбили мою мать, так вот вам!» И давал бедняге пощечину. Вскоре я приобрел в окрестностях бульвара Гамбетта репутацию хулигана, но никто даже не представлял себе, какой ужас я сам испытывал от этих сцен, как я мучился и как они меня унижали. Раз или два, зная, что обвинения матери совершенно необоснованны, я пытался было возражать, но тут пожилая дама падала предо мною на стул, словно у нее от такой неблагодарности подкосились ноги, глаза наполнялись слезами, и она, ошеломленно уставившись на меня, замирала, являя собой полную потерю сил и мужества.

Тогда я молча вставал и шел драться. Никогда не мог спокойно видеть живое существо в состоянии, которое не могу обозначить иначе как ясное непонимание своего положения. Никогда не мог спокойно видеть тоски брошенного существа, будь то человек или животное, а у моей матери был невыносимый дар воплощать весь немой трагизм и того, и другого. Поэтому, едва Агров кончил свою речь, как получил оплеуху, на что ответил просто: «Шпана. Чего еще ждать от такого отродья — мать фиглярка, папаша проходимец». Так вдруг открылась тайна моего интересного происхождения, что, впрочем, ничуть меня не смутило, поскольку я не придавал никакого значения тому, чем мог быть или не быть до поры, всему временному и преходящему, ведь мне были твердо обещаны головокружительные высоты, откуда я осыплю мать своими лаврами в качестве возмещения. Ибо я всегда знал, что у меня нет другой миссии, что я в некотором смысле существую лишь по уговору и что таинственная, но справедливая сила, правящая людскими судьбами, бросила меня на чашу весов, чтобы уравновесить другую жизнь — полную жертв и самоотречения. Я верил в тайную и благожелательную логику, сокрытую даже в самых темных закоулках жизни. Я верил в честность мира. Стоило мне увидеть растерянное лицо матери, и я чувствовал, как необычайная вера в собственное предназначение еще больше вырастала в моей груди. В самые тяжкие минуты войны я всегда встречал опасность с чувством неуязвимости. Ничто не могло со мной случиться, потому что я был ее *happy end*[1]. В системе мер и весов, которую человек безнадежно пытается навязать вселенной, я всегда рассматривал себя как *ее* победу.

Эта убежденность возникла у меня не сама по себе. Конечно же, она была лишь отражением той веры, которую мать вложила в ребенка, с самого своего рождения ставшего единственным смыслом ее существования и надежды. Мне было восемь лет, когда ее грандиозные виды на мое будущее вылились в сцену, комизм и ужас которой я никогда не забуду.

Глава VI

Мы тогда временно остановились в Вильно, в Польше — «проездом», как любила подчеркивать

---

[1] Счастливый конец (*англ.*).

моя мать, прежде чем окончательно перебраться во Францию, где мне предстояло «вырасти, выучиться, стать кем-нибудь». Она зарабатывала нам на жизнь, изготавливая с помощью одной работницы дамские шляпки в нашей квартире, превращенной по такому случаю в «большой салон парижских мод». Ловкая выдумка с поддельными этикетками убеждала клиенток, что шляпки были произведением известного в ту пору парижского модельера Поля Пуаре. Она неутомимо ходила из дома в дом со своими картонками — еще молодая женщина с большими зелеными глазами на бледном лице, озаренном несокрушимой материнской волей, которую никакое сомнение не могло ни задеть, ни поколебать. Я оставался дома с Анелей, которая вот уже год всюду следовала за нами, с самого нашего отъезда из Москвы. Материальное наше положение было тогда самым плачевным, последние «фамильные драгоценности» — в тот раз настоящие — были уже давно проданы, а в Вильно стояли жуткие холода и сугробы вдоль грязных, серых стен росли все выше и выше. Шляпки продавались довольно плохо. Когда мать возвращалась из своих хождений, домовладелец не раз поджидал ее на лестнице, дабы объявить, что вышвырнет нас на улицу, если за квартиру не будет уплачено в двадцать четыре часа. И обычно в эти двадцать четыре часа за нее было уплачено. Как — я никогда не узнаю. Знаю только, что плата всегда вносилась, и печка была натоплена, и мать целовала меня с тем пламенем гордости и торжества в глазах, которые я так хорошо помню. На самом же деле мы были тогда на дне ямы — я не говорю «пропасти», потому что с тех пор узнал, что у пропасти нет дна и каждый из нас может побить там любой рекорд глубины падения, так и не исчерпав всех возможностей этого интересного устройства. Мать возвращалась из своих странствий по заснеженному городу, ставила шляпные картонки в угол, садилась, закуривала сигарету и смотрела на меня с сияющей улыбкой.

— Мама, что случилось?

— Ничего. Поди поцелуй меня.

Я подходил, целовал. Ее щеки пахли холодом. Она прижимала меня к себе, зачарованно глядя поверх моего плеча куда-то вдаль. Потом говорила:

— Ты будешь французским посланником.

Я понятия не имел, что это такое, но соглашался. Мне было только восемь лет, но я уже решил, что дам ей все, чего бы она ни пожелала.

— Ладно, — говорил я небрежно.

Сидевшая у печки Анеля смотрела на меня с уважением. Мать утирала счастливые слезы и сжимала меня в объятиях.

— У тебя будет автомобильный экипаж.

Она только что обошла город пешком при десяти градусах мороза.

— Надо только немножко потерпеть, вот и все.

Дрова трещали в изразцовой печке. Мир за окном был укутан плотной снежной пеленой, и сквозь его глубокое безмолвие лишь изредка пробивался колокольчик чьих-то саней. Анеля, склонив голову, пришивала ярлычок «Поль Пуаре, Париж» на последнюю за день шляпку. Лицо матери в эту минуту было счастливым и умиротворенным. Следы забот и усталости исчезали сами собой; взгляд блуждал по волшебной стране, и я помимо своей воли тоже поворачивал голову в ту сторону, пытаясь высмотреть эту землю торжествующей справедливости и вознагражденных матерей. Мать рассказывала мне о Франции, как другие матери о Белоснежке или Коте в сапогах, и я, несмотря на все свои усилия, так никогда и не смог отделаться до конца от этого феерического образа Франции — обители героев и примерных добродетелей. Возможно, я один из редких людей на свете, кто остался верен детской сказке.

К несчастью, не такая женщина была моя мать, чтобы хранить про себя свою утешительную мечту. Все у нее немедленно вырывалось наружу, провозглашалось, трубилось и трезвонилось, обычно в сопровождении лавы и пепла.

У нас имелись соседи, и эти соседи не любили мою мать. Хотя виленскому мещанству не в чем было завидовать этой чужачке, но ее хождения туда-сюда с чемоданами и шляпными картонками показались таинственными и подозрительными, о чем и было сообщено польской полиции, очень недоверчивой в то время к беженцам из России. Мать обвинили в скупке краденого. Ей не составило труда посрамить клеветников, но стыд, огорчение, негодование вылились у нее, как и всегда, во вспышку гнева. Прорыдав несколько часов среди своих разбросанных шляпок (до сих пор тайно ненавижу эти дамские головные уборы), она схватила меня за руку и, объявив, что «они не знают, с кем имеют дело», потащила меня вон из квартиры, на лестницу. Последовавшее за этим стало одним из самых мучительных моментов в моей жизни — а я их познал немало.

Мать стала звонить и барабанить во все двери подряд, созывая всех жильцов на лестничную площадку. Едва обменявшись с ними первыми ругательствами — тут моя мать всегда и неоспоримо одерживала верх, — она притянула меня к себе и, предъявив присутствующим, гордо объявила громовым голосом, который все еще отдается у меня в ушах:

— Подлые, мелкие людишки! Мещанские клопы! Вы даже не знаете, с кем имеете честь говорить! Мой сын будет французским посланником, кавалером Почетного легиона, великим драматургом, Ибсеном, Габриэлем д'Аннунцио! Он...

Она запнулась, подыскивая что-нибудь совершенно убийственное, какой-нибудь наивысший и окончательный знак жизненного успеха:

— Он будет одеваться в Лондоне!

До сих пор явственно слышу грубый хохот «мещанских клопов». И краснею, когда пишу эти строки. Вижу глумливые, злобные, презрительные лица — вижу без ненависти: это всего лишь человеческие лица, обычное дело. Может, лучше сразу же сказать для ясности, что сегодня я генеральный консул Франции, участник Освобождения, кавалер ордена Почетного легиона, а если не стал ни Ибсеном, ни д'Аннунцио, то не потому, что не старался.

И можете не сомневаться: я одеваюсь в Лондоне. Терпеть не могу английский покрой, но у меня нет выбора.

Думаю, ни одно событие не сыграло более важную роль в моей жизни, чем этот хохот, окативший меня на лестнице виленского дома 16 по улице Большая Погулянка. Ему я обязан всем, что во мне есть — как лучшего, так и худшего; мы с ним единое целое.

Моя мать стояла под этим шквалом насмешек, высоко вскинув голову, прижимая меня к себе. И не было в ней ни тени смущения, ни униженности. Она *знала*.

Моя жизнь в последующие несколько недель не была приятной. Несмотря на свои восемь лет, я остро чувствовал, когда становлюсь смешон, — и без моей матери тут, конечно, не обошлось. Но мало-помалу привык. Медленно, но верно научился терять штаны на публике без всякого стеснения. Только так в человеке и воспитывается благожелательность. Я уже давно не боюсь казаться смешным; сегодня я знаю, что человека осмеять невозможно.

Но в течение тех нескольких минут, что мы стояли на лестнице под шуточками, сарказмами и оскорблениями, моя грудь превратилась в клетку, откуда отчаянно пытался вырваться охваченный стыдом и паникой зверь.

Тогда во дворе нашего дома хранились запасы дров, и мое любимое убежище было в самом центре этой огромной поленницы; там я чувствовал себя в полнейшей безопасности — стоило только изловчиться и проскользнуть сквозь толщу дров, возвышавшихся аж до второго этажа, и я был со всех сторон защищен стенами из сырого, пахучего дерева. Я там отсиживался часами, вместе со своими любимыми игрушками, совершенно счастливый и недосягаемый. Другим детям родители запрещали даже близко подходить к этому шаткому и опасному сооружению: одно сдвинутое полено, нечаянный толчок — и вся груда могла рухнуть, погребая под собой ослушника. Я приобрел большую сноровку, протискиваясь по узким коридорам этой вселенной, где малейший неверный шаг грозил вызвать обвал, но где я царствовал словно абсолютный властитель и чувствовал себя как дома. Перекладывая поленья со знанием дела, я устроил себе галереи, тайные ходы и логовища, целый мир — надежный и дружественный, так непохожий на тот, другой; я проскальзывал туда, будто хорек, и сидел, забившись в этой норе, несмотря на сырость, от которой намокали штанишки и мерзла спина. Я точно знал, какие поленья надо вынуть, чтобы открылся проход, и потом всегда вставлял их обратно ради ощущения большей неприступности.

Вот к этим-то своим владениям я и побежал в тот день, как только счел, что приличия соблюдены, то есть чтобы это не выглядело так, будто я бросаю мать одну пред лицом противника, — мы выстояли на поле боя до конца и покинули его последними.

Проворно открывая и вновь закрывая за собой поленьями свои тайные ходы, я оказался в самом сердце сооружения, под пятью-шестью метрами спасительной дровяной толщи, и там, окруженный этой могучей скорлупой, уверенный наконец, что никто меня не видит, разрыдался. Я плакал долго. После чего внимательно обследовал поленья над головой и вокруг себя, выбирая те, которые требовалось вытащить, чтобы покончить со всем раз и навсегда, чтобы моя крепость из мертвого дерева обрушилась на меня и избавила от жизни. Я трогал их одно за другим с благодарностью. До сих пор помню это дружеское и успокаивающее прикосновение, и свой мокрый нос, и спокойствие, вдруг воцарившееся во мне при мысли, что я никогда больше не буду ни унижен, ни несчастен. Всего-то надо толкнуть поленья — одновременно ногами и спиной.

Я приготовился.

Потом вспомнил, что у меня в кармане остался кусок пирога с маком, который я стянул утром из кладовки кондитерской, располагавшейся в нашем же доме, пока хозяин отвлекся, обслуживая покупателей. Я доел пирог. Потом сел поудобнее и, глубоко вздохнув, приготовился толкнуть.

Спас меня кот.

Его морда внезапно высунулась из-за поленьев прямо передо мной, и мы какое-то время изумленно глядели друг на друга. Он был невероятно облезлый и шелудивый, цвета апельсинового мармелада, с драными ушами и той усатой, продувной, разбойничьей рожей, какую приобретают в итоге долгого и разнообразного опыта старые помоечные коты.

Он внимательно меня изучил, после чего, уже не колеблясь, принялся лизать мне лицо.

У меня не было никаких иллюзий насчет этой внезапной любви — просто на моих щеках и подбородке остались крошки пирога с маком, прилипшие из-за слез. Так что нежности оказались вполне корыстными. Но мне было все равно. Прикосновения этого шершавого и горячего языка к лицу заставило меня улыбнуться от удовольствия — я закрыл глаза и отдался ласке. Позже, как и в тот момент, я никогда не пытался выяснять, что на самом деле стояло за проявлениями любви, которые мне доставались. Значение имели лишь эта дружелюбная мордочка да горячий язык, старательно двигавшийся туда-сюда по моему лицу со всеми признаками нежности и сочувствия. Для счастья мне большего и не нужно.

Когда кот закончил свои излияния, я почувствовал себя гораздо лучше. Мир еще предлагал кое-какие возможности и дружбу, чем не стоило пренебрегать. Теперь кот, мурлыча, терся о мое лицо. Я попробовал ему подражать, и мы довольно долго мурлыкали наперебой. Я выгреб крошки пирога из кармана и предложил ему. Он проявил заинтересованность и ткнулся в мой нос, вздернув хвост. Куснул за ухо. В общем, жизнь снова стоила того, чтобы ее прожить. Через пять минут я выбрался из своего дровяного убежища и направился домой, сунув руки в карманы и насвистывая. Кот шел следом.

С тех пор я всегда полагал, что в жизни лучше иметь при себе несколько крошек пирога, если хочешь, чтобы тебя любили по-настоящему бескорыстно.

Само собой, слова *французский посланник* преследовали меня повсюду не один месяц; а когда

кондитер Мишка наконец застукал меня удираю-
щим на цыпочках со здоровенным куском макового
пирога в руке, весь двор был приглашен в свидетели того, что дипломатическая неприкосновенность
на некую весьма известную часть моей особы не
распространяется.

Глава VII

Драматическое раскрытие моего будущего величия, сделанное моей матерью жильцам дома 16 по
улице Большая Погулянка, насмешило отнюдь не
всех.

Был среди них некий г-н Пекельны — что по-
польски означает «Адский». Не знаю, как предки
этого превосходного человека сподобились приобрести столь необычное прозвание, но никогда еще
фамилия меньше не подходила тому, кто ее носил.
Г-н Пекельны был похож на тихую, педантично оп-
рятную и озабоченную мышку. Вид у него был такой неприметный, бесцветный и даже отсутствующий, какой может быть у человека, лишь силой
обстоятельств вынужденного отделиться от земли,
да и то с трудом. Это была натура впечатлительная,
и совершеннейшая убежденность, с какой моя мать
изрекла свое пророчество, возложив руку мне на
голову в самом что ни на есть библейском стиле,
глубоко его взволновала. Теперь всякий раз, стал-
киваясь со мной на лестнице, он останавливался и
взирал на меня серьезно и уважительно. Пару раз
даже отважился потрепать по щеке. Потом подарил
дюжину оловянных солдатиков и картонную крепость. Он даже пригласил меня в свою квартиру
и щедро оделил конфетами и рахат-лукумом. Пока я
объедался — никогда ведь не знаешь, что ждет завт-

ра, — маленький человечек сидел напротив, поглаживая порыжевшую от табака бородку. И вдруг изложил наконец свою патетическую просьбу – крик души, признание в непомерном, ненасытном, всепожирающем честолюбии, которое этот безобидный мышонок таил под жилетом:

— Когда ты будешь...

Он огляделся в некотором замешательстве, очевидно сознавая собственную наивность, но не в силах совладать с собой.

— Когда ты будешь... ну... всем тем, что сказала твоя мать...

Я внимательно за ним наблюдал. Коробка с рахат-лукумом была едва начата. Я инстинктивно догадывался, что имею на нее право лишь по причине ослепительного будущего, которое предрекла мне мать.

— Я буду французским посланником, — заявил я самонадеянно.

— Возьми еще рахат-лукума,— предложил г-н Пекельны, подвинув коробку в мою сторону.

Я угостился. Он слегка кашлянул.

— Матери такие вещи чувствуют,— сказал он.— Может, ты и в самом деле станешь кем-нибудь... значительным. Может, даже будешь в газетах писать или книжки...

Он наклонился ко мне и положил мне руку на колено. Понизил голос.

— Ну так вот! Когда будешь встречаться с какими-нибудь важными, значительными людьми, обещай сказать им...

Вдруг пламя безумного честолюбия засверкало в его мышиных глазках.

— Обещай сказать им, что в доме шестнадцать на улице Большая Погулянка, в Вильно, жил господин Пекельны...

Его взгляд устремился ко мне с немой мольбой. Его рука лежала на моем колене. Я поедал рахат-лукум, серьезно на него глядя.

В конце войны, в Англии, через четыре года после того, как я прибыл туда, чтобы продолжить борьбу, ее величество королева Елизавета, мать ныне царствующей, присутствовала на смотру моей эскадрильи в Хартфорд-Бридже. Я вместе с экипажем застыл по стойке «смирно» возле своего самолета. Королева остановилась предо мной и с доброй улыбкой, столь заслуженно снискавшей ей популярность, спросила меня, из какой области Франции я родом. Я тактично ответствовал, что из Ниццы, дабы не усложнять дело для ее всемилостивейшего величества. А потом... Это было сильнее меня. Я почти наяву увидел, как мечется маленький человечек, машет ручками, топает ножками и выдирает волосы из своей бороденки, пытаясь привлечь мое внимание, напомнить о себе. Я попытался было сдержаться, но слова сами собой полезли на язык, и я, решившись осуществить безумную мышкину мечту, объявил королеве громко и внятно:

— В доме шестнадцать на улице Большая Погулянка, в Вильно, жил некий господин Пекельны...

Ее величество благосклонно кивнула и продолжила смотр. Командир эскадрильи «Лотарингия», миляга Анри де Ранкур, проходя за ней следом, бросил на меня злющий взгляд.

Но чего уж там: я отработал свой рахат-лукум.

Безобидного мышонка из Вильно давно уже нет в живых — он закончил свое незаметное существование в печах нацистских крематориев, вместе с несколькими миллионами других евреев Европы.

Тем не менее я продолжаю педантично выполнять данное обещание по мере своих встреч с великими мира сего. И с трибуны ООН, и в нашем посольстве в Лондоне, и во Дворце Конфедерации в Берне, и в Елисейском дворце, и перед Шарлем де Голлем, и перед Вышинским — перед высокими сановниками и строителями тысячелетних держав — я никогда не упускал случая помянуть маленького человечка, и очень рад, сумев не раз объявить по широковещательному американскому телевидению десяткам миллионов зрителей, что в доме 16 по улице Большая Погулянка в Вильно жил некий г-н Пекельны, упокой, Господи, его душу.

В конце концов, что сделано, то сделано, и кости маленького человечка, превращенные по выходе из печи в мыло, давно послужили удовлетворению нацистской тяги к чистоплотности.

Я все так же люблю рахат-лукум. Но поскольку моя мать всегда видела во мне этакую смесь из лорда Байрона, Гарибальди, д'Аннунцио, д'Артаньяна, Робин Гуда и Ричарда Львиное Сердце, то сейчас я вынужден очень следить за собой. Мне не удалось совершить все подвиги, которые она ждала от меня, но я все-таки сумел не слишком растолстеть. Каждый день делаю зарядку и бегаю два раза в неделю. Бегаю, бегаю, о, как я бегаю! Еще я занимаюсь фехтованием, стрельбой из лука и пистолета, гирями и гантелями, прыжками в высоту — и обычным способом, и «рыбкой», и все еще не разучился жонглировать тремя мячиками. Наверное, в сорок пять немного наивно верить всему, что сказала вам мать, но никак не могу удержаться. Мне не удалось исправить мир, победить глупость и злобу, дать людям достоинство и справедливость, но я все-таки выиграл турнир по пинг-понгу в Ницце в 1932 году и все еще делаю каждое утро дюжину отжиманий, так что пока рано отчаиваться.

Глава VIII

Примерно в то же время наши дела пошли в гору. «Парижские модели» приобрели большой успех, и, чтобы справляться с возросшим спросом, вскоре была нанята еще одна работница. Мать уже не тратила время на беготню по домам: клиентура теперь сама стекалась в наше ателье. Наконец пришел день, когда она смогла объявить через газеты, что отныне «по особому соглашению с г-ном Полем Пуаре и под его личным контролем» наш дом мод будет представлять эксклюзивные модели не только шляпок, но и платьев. На входе была прибита табличка со словами «Новый Дом Высокой Парижской Моды», начертанными по-французски золотыми буквами. Моя мать ничего не делала наполовину. Начало успеху было положено, но не хватало чего-то сверхнеобычного, чего-то запредельно чудесного, некоего *deus ex machina*, что превратило бы наш первый успех в полную и окончательную победу над злокозненной судьбой. Сидя скрестив ноги на розовом диванчике в гостиной с погасшей сигаретой в губах, она следовала вдохновенным взглядом за развитием своего дерзкого замысла, и ее лицо потихоньку принимало уже довольно знакомое мне выражение — смесь лукавства, торжества и наивности. Я сворачивался калачиком в кресле напротив, с куском макового пирога в руке, на сей раз законно приобретенного. Иногда я поворачивал голову и глядел туда же, куда и она, но ничего не видел. Само то, как моя мать строит планы, было чудесным и волнующим зрелищем. Я даже про свой пирог забывал и сидел разинув рот, переполненный гордостью и восхищением.

Должен сказать, что даже для такого городишки, как Вильно, этой ни литовской, ни польской, ни русской провинции, где еще не существовало даже газетной фотографии, придуманная моей матерью хитрость была довольно дерзкой и вполне могла снова отправить нас на большую дорогу вместе с пожитками.

В самом деле, очень скоро «элегантному обществу» города были разосланы приглашения на торжественное открытие «Нового Дома Высокой Моды» (улица Большая Погулянка, 16, в четыре часа пополудни), где говорилось между прочим, что его почтит своим присутствием сам г-н Поль Пуаре, специально прибывший из Парижа.

Как я уже сказал, моя мать, приняв решение, всегда шла до конца и даже чуть дальше. В назначенный день, когда толпа толстых, расфуфыренных дам уже теснилась в нашей квартире, она отнюдь не объявила, что «г-н Поль Пуаре задерживается в силу обстоятельств и просит его извинить». Такого рода мелкие уловки были не в ее характере. Решившись на большую игру, она сама сотворила г-на Поля Пуаре.

Во времена своей «театральной карьеры» в России она знавала одного актера — француза, бесталанного и безнадежного куплетиста, вечного провинциального гастролера по имени Алекс Гюбернатис. Он потом прозябал в Варшаве, мастеря парики для театра, после того как изрядно обуздал свои амбиции и скатился от бутылки коньяка к бутылке водки в день. Моя мать отправила ему железнодорожный билет, и восемь дней спустя в салоне «Нового Дома» Алекс Гюбернатис воплотился в великого мастера высокой парижской моды Поля Пуаре. По этому случаю он показал все, на что был способен. Облаченный в невообразимую шотландскую накидку и ужасно облегающие панталоны в мелкую клеточку, из которых торчала, когда он нагибался чмокнуть ручку какой-нибудь из дам, пара мелких, костлявых ягодиц, в галстуке пышным бантом под выпирающим кадыком, он развалился в кресле, вытянул непомерно длинные ноги на свеженатертый паркет и, с бокалом игристого вина в руке, принялся расписывать пискливым голосишком восторги и упоения парижской жизни, поминая имена знаменитостей, уж двадцать лет как сошедших со сцены, и время от времени пробегал вдохновенными пальцами по своей накладной шевелюре, как Паганини по струнам. К несчастью, ближе к вечеру, когда игристое сделало свое дело, он, потребовав тишины, затеял декламировать собравшимся второй акт «Орленка», после чего, не сумев совладать с собственной натурой, ужасно игриво и визгливо затянул что-то из своего кафешантанного репертуара (откуда мне запомнился один занимательный и несколько загадочный припевчик: «Ах! Ты этого хотела, хотела, хотела — так то и поимела, пампушечка моя!»), прищелкивая костистыми пальцами, притопывая и как-то особенно хитро подмигивая супруге капельмейстера муниципального оркестра. Тут моя мать сочла, что осмотрительнее будет отвести его в Анелину комнату, уложить на кровать и запереть на ключ, на два оборота. Тем же вечером его погрузили в варшавский поезд вместе с шотландской накидкой и оскорбленной артистической душой; он пылко протестовал против такой неблагодарности и нечуткости к дарованиям, которыми столь щедро осыпало его небо. Я присутствовал на торжестве в костюмчике из черного бархата и глаз не сводил с бесподобного г-на Гюбернатиса, а спустя какие-то двадцать пять лет вдохновлялся им, создавая образ Саши Дарлингтона для моего романа «Большая раздевалка».

Не думаю, что этот маленький подлог имел исключительно рекламные мотивы. Моя мать нуждалась в чудесах. Она всю жизнь мечтала о каком-то высшем и абсолютном доказательстве, о взмахе волшебной палочки, который посрамит маловеров и насмешников и утвердит повсюду справедливость для униженных и обездоленных. Теперь-то я знаю, что́ именно она видела за несколько недель до торжественного открытия нашего салона, когда вдохновенно и восхищенно витала взглядом где-то в пространстве: она видела, как сам г-н Поль Пуаре появляется перед толпой заказчиц, воздымает руку, требует тишины и, указав собравшимся на мою мать, долго превозносит вкус, талант и творческую изобретательность своего единственного полномочного представителя в Вильно. Но при этом она все-таки сознавала, что чудеса случаются редко и что у неба есть другие заботы. Вот тогда-то, с этой своей чуть виноватой улыбкой, она и сфабриковала целиком это чудо, слегка подтолкнув руку судьбы, — признаем все же, что судьба тут более повинна, чем моя мать, у которой гораздо больше смягчающих обстоятельств.

В любом случае обман, насколько я знаю, так никогда и не был разоблачен, и открытие «Нового Дома Высокой Парижской Моды» прошло с блеском. Уже через несколько месяцев вся богатая клиентура города стала одеваться у нас. Деньги хлынули потоком. Квартира была обставлена заново; паркет покрыли мягкие ковры, а я до отвала объедался рахат-лукумом, чинно сидя в кресле и глазея на раздевающихся передо мной красивых дам. Моя мать настаивала, чтобы я присутствовал там постоянно, разодетый в бархат и шелк: меня демонстрировали заказчицам, подводили к окну, просили поднять глаза к небу, чтобы полюбоваться, до чего мне к лицу их синева, гладили по головке, спрашивали, сколько мне лет, и восторгались, а я тем временем слизывал сахар с рахат-лукума и с любопытством разглядывал новые для меня подробности женского телосложения.

Помню еще певицу виленской оперы, некую мадемуазель Ларар (то ли это псевдоним, то ли собственное имя). Мне тогда, наверное, было чуть больше восьми лет.

Мать с закройщицей вышли из салона, унося с собой «парижскую модель», чтобы сделать последнюю подгонку. Я остался наедине с очень раздетой мадемуазель Ларар. Облизывая свой рахат-лукум, я изучал ее — по частям. Что-то в моем взгляде показалось мадемуазель Ларар знакомым, потому что она вдруг схватила свое платье и прикрылась. А поскольку я продолжал ее разглядывать, она обежала туалетный столик и спряталась за зеркалом. Меня это взбесило. Я решительно обошел столик и встал перед мадемуазель Ларар истуканом, расставив ноги, выпятив живот, и опять задумчиво взялся за свой лукум. Когда мать вернулась, мы так и стояли друг перед другом, застыв в ледяном молчании.

Помню также, как мать, выйдя со мной из салона, стиснула меня в объятиях и поцеловала с необычайной гордостью, словно я начал наконец оправдывать ее надежды.

Увы, вход в салон мне был отныне воспрещен. Я нередко думаю, что, будь у меня тогда побольше ловкости, а во взгляде поменьше откровенности, я вполне мог бы продержаться еще полгода.

Глава IX

Плоды нашего процветания посыпались и на меня. Мне завели гувернантку-француженку, стали наряжать в сшитые по мерке элегантные бархатные костюмчики с кружевными и шелковыми жабо, а в случае холодов я щеголял в удивительной беличьей шубе с сотней серых хвостиков наружу, что необычайно веселило прохожих. Мне давали уроки хорошего тона. Учили целовать ручку дамам, кланяться, делая что-то вроде нырка вперед и щелкая при этом каблуками, а еще дарить им цветы: на этих двух пунктах, на целовании руки и цветах, мать особенно настаивала.

— Без этого ничего не добьешься, — говорила она мне довольно загадочно.

Раз или два в неделю, когда наш салон посещали особо видные заказчицы, гувернантка, причесав и напомадив мне волосы, подтянув носки и тщательно завязав под подбородком огромное шелковое жабо, выводила меня в свет.

Я шел от дамы к даме, раскланиваясь, расшаркиваясь, целуя ручки и поднимая глаза как можно выше к свету, как меня учила мать. Дамы вежливо восторгались, а те, что умели проявить больше воодушевления, получали, как правило, значительную скидку на «последние парижские модели». Что касается меня, то, не имея других амбиций, кроме как доставить удовольствие той, кого так любил, я поминутно задирал глаза к свету, даже не дожидаясь, чтобы меня об этом попросили, и еще позволял себе, уже для собственного удовольствия, шевелить ушами — скромный талант, тайну которого я недавно выведал у дворовых приятелей. После чего, опять перецеловав ручки дамам, раскланявшись, расшаркавшись, весело бежал к своей поленнице, где, надев бумажную треуголку и вооружившись палкой, защищал Эльзас-Лотарингию, шел походом на Берлин и вообще завоевывал мир вплоть до самого полдника.

Часто перед сном я видел, как мать входила в мою комнату и склонялась надо мной с печальной улыбкой. Потом говорила:

— Подними глазки...

Я поднимал. Она надолго умолкала, все так же склонившись надо мной. Потом целовала и прижимала к себе. Я чувствовал ее слезы на своих щеках. В конце концов я стал предполагать, что тут кроется какая-то тайна и что причина этих смущавших меня слез отнюдь не я сам. Однажды я спросил об этом Анелю. С наступлением нашего материального благополучия та была возведена в ранг «заведующей персоналом» и получила щедрое жалованье. Она терпеть не могла гувернантку, разлучившую ее со мной, и делала все что могла, чтобы испортить жизнь «мамзели», как она ее называла. Так что при случае я бросился в ее объятия и спросил:

— Анеля, а почему мама плачет, когда глядит мне в глаза?

Казалось, вопрос привел Анелю в замешательство. Она жила с нами с самого моего рождения, и мало было такого, чего бы она не знала.

— Потому что цвет у них такой.

— Какой такой? Что в нем особенного?

Анеля глубоко вздохнула.

— Наводит на всякие мысли, — сказала она туманно.

У меня много лет ушло на то, чтобы разобраться в этом ответе. Однажды я понял. Моей матери было уже шестьдесят лет, а мне двадцать четыре, но порой она с бесконечной грустью смотрела в мои глаза, и я хорошо знал, что вздыхает она вовсе не обо мне. Я ей не мешал. Прости Господи, бывало, я даже в зрелом возрасте нарочно поднимал глаза к свету, да так и замирал, чтобы ей легче вспоминалось: я всегда делал для нее все что мог.

Ничто не было упущено, чтобы воспитать из меня светского человека. Мать лично взялась обучить меня польке и вальсу, единственным танцам, которые знала сама.

И вот заказчицы ушли, салон весело освещен, ковер свернут, граммофон поставлен на стол; мать усаживается в недавно приобретенное кресло в стиле Людовика XVI. Я подходил к ней, кланялся, брал за руку, и — раз-два-три! раз-два-три! — мы начинали скользить по паркету под неодобрительным Анелиным взглядом.

— Держись прямо! Не сбивайся с такта! Подними немного подбородок и гордо смотри на даму с восхищенной улыбкой!

Я гордо задирал подбородок, восхищенно улыбался и — раз! два-три, раз! — подскакивал на сверкающем паркете. Затем провожал мать к ее креслу, целовал руку и кланялся, а она благодарила меня милостивым кивком, обмахиваясь веером и пытаясь отдышаться.

— Ты будешь брать призы на конных состязаниях.

Наверняка она представляла себе, как я в белом мундире гвардейского офицера перескакиваю через какие-то препятствия под обезумевшим от любви взглядом Анны Карениной. Было в порывах ее воображения что-то удивительно обветшалое и романтически-старомодное; думаю, она пыталась таким образом воссоздать вокруг себя «свет», известный ей самой лишь из русских романов до 1900 года, на котором приличная литература для нее закончилась.

Три раза в неделю мать брала меня за руку и отводила в манеж поручика Свердловского, где сам поручик приобщал меня к таинствам верховой езды, фехтования и стрельбы из пистолета. Это был высокий, сухопарый, молодцеватого вида мужчина с костистым лицом и огромными седыми усищами на манер Лиотэ. В свои восемь лет я был, несомненно, самым юным его учеником, а потому лишь с превеликим трудом мог поднять громадный пистолет, который он вкладывал мне в руку. Полчаса рапиры, полчаса стрельбы, полчаса езды, потом — гимнастика и дыхательные упражнения. Мать сидела в уголке, куря сигарету, и с удовлетворением наблюдала за моими успехами.

Поручик Свердловский, говоривший замогильным голосом и, казалось, не знавший другой страсти в жизни, кроме как «брать на мушку» и «бить в яблочко», как он выражался, питал к моей матери безграничное восхищение. В тире нас всегда встречала дружелюбная обстановка. Я вставал к барьеру вместе с прочими стрелками — офицерами запаса, отставными генералами, элегантными и досужими молодыми людьми, клал руку на бедро, опирал тяжеленный пистолет о руку поручика, делал вдох и, затаив дыхание, стрелял. Затем мишень предъявлялась моей матери для осмотра. Она глядела на маленькую дырочку, сравнивала с результатом предыдущего урока и удовлетворенно сопела. После особенно удачной стрельбы засовывала мишень в сумочку и уносила домой. Часто она мне говорила:

— Ты ведь будешь мне защитником? Еще несколько лет и...

Она делала неопределенный, широкий, такой русский жест. Что касается поручика Свердловского, то он поглаживал свои длинные негнущиеся усы, целовал матери руку, щелкал каблуками и говорил:

— Сделаем из него кавалера.

Он самолично давал мне уроки фехтования и водил в дальние походы с рюкзаком за плечами. Меня учили также латыни, немецкому — английский тогда еще не существовал или, по крайней мере, оценивался моей матерью лишь как коммерческий жаргон всяких пошлых людишек. Я теперь изучал также с некоей мадемуазель Глэдис шимми и фокстрот, а когда у матери случались приемы, меня часто выдергивали из постели, наряжали и тащили в гостиную, где побуждали прочесть какую-нибудь басню Лафонтена, после чего, воздев надлежащим образом глаза к люстре, перецеловав всем дамам ручки и шаркнув ножкой, я получал дозволение удалиться. С подобной программой у меня не оставалось времени ходить в школу, каковая, впрочем, была лишена в наших глазах всякого интереса, поскольку преподавали там не на французском, а на польском. Но я брал уроки счета, истории, географии и литературы у целой вереницы учителей, чьи имена и лица оставили в моей памяти не больше следов, чем их предметы.

Случалось, мать объявляла:

— Сегодня вечером идем в кино.

И вечером, облаченный в свою беличью шубу или, если позволяло время года, в белый плащ и матросскую бескозырку, я чинно вышагивал по деревянным тротуарам города, ведя мать под руку. Она строжайше следила за моими манерами. Я должен был всегда забегать вперед, распахивать перед ней дверь и держать настежь, пока она проходила. Как-то раз, уже в Варшаве, вспомнив, что дам всегда надлежит пропускать вперед, я, выходя из трамвая, галантно посторонился. И она немедленно закатила мне сцену в присутствии человек двадцати, толпившихся на остановке, внушая, что кавалер должен выйти первым и подать даме руку, дабы та могла на нее опереться. Что касается целования ручки, то я до сих пор не сумел от этого избавиться, из-за чего в Соединенных Штатах вечно попадаю впросак. В девяти случаях из десяти, когда после недолгой мускульной борьбы мне удается поднести руку американки к своим губам, она удивленно бросает мне *Thank you!*, или же, приняв это за какой-то очень личный знак внимания, обеспокоенно вырывает руку, или, что еще мучительнее, особенно когда дама уже в возрасте, адресует мне шаловливую улыбочку. Поди объясни им, что я всего лишь делаю то, чему меня учила мать!

Не знаю, что оставило столь странное и неизгладимое воспоминание: то ли фильм, который мы вместе смотрели, то ли поведение матери после сеанса. Как сейчас вижу главного героя в черной черкеске с погонами и меховой шапке, вперившего в меня с экрана взгляд своих светлых глаз из-под бровей вразлет, в то время как пианист, спотыкаясь, бренчал какой-то ностальгический мотивчик. Выйдя из кинозала, мы шли через пустынный город, держась за руки. Временами мать сжимала мне пальцы почти до боли. Повернувшись к ней, я увидел, что она плачет. Дома она помогла мне раздеться и, укутав одеялом, попросила:

— Подними глазки.

Я поднял глаза к лампе. Она долго молчала, склонившись надо мной, потом со странной улыбкой — торжества, победы и обладания — привлекла к себе и сжала в объятиях. Но вот через какое-то время после нашего похода в кино случился костюмированный бал для детей из приличного городского общества. Разумеется, я был приглашен: моя мать тогда безраздельно царила в местной моде и с нами очень считались. Как только пришло приглашение, все силы ателье были брошены на изготовление моего костюма.

Надо ли говорить, что я отправился на маскарад в офицерской черкеске и меховой шапке, с кинжалом, газырями и всем прочим.

Глава X

Однажды я получил неожиданный, явно свалившийся с неба подарок. Это был велосипед — детский, как раз по моему росту. Имя таинственного дарителя держалось в тайне, и все мои вопросы «откуда?» остались без ответа. Анеля, долго и неприязненно разглядывавшая машину, ограничилась простым:

— Издалека.

Они с матерью долго спорили: принять подарок или отправить обратно. Мне при обсуждении присутствовать не разрешили, но я, с замирающим от страха сердцем и обливаясь потом при мысли, что дивный снаряд может от меня ускользнуть, приоткрыл дверь гостиной и уловил обрывки загадочного диалога:

— И без него обойдемся.

Это было сказано Анелей, сурово. Мать плакала в уголке. Анеля подлила масла в огонь:

— Поздновато он о нас вспомнил.

Потом голос моей матери, странно умоляющий, ибо не в ее обычае было умолять, произнес почти робко:

— Все-таки мило с его стороны.

На что Анеля возразила:

— Мог бы и пораньше о нас вспомнить.

Единственное, что меня в тот миг интересовало, это смогу ли я оставить себе велосипед. В конце концов мать разрешила. И со своей привычкой заваливать меня «преподавателями» — преподаватель красноречия, преподаватель каллиграфии (смилуйся над ним, Боже! Если бы только бедняга взглянул на мой почерк, перевернулся бы в гробу), преподаватель манер (тут я тоже не слишком отличился, усвоив из его наставлений только то, что нельзя оттопыривать мизинец, держа чашку чаю), преподаватель фехтования, стрельбы, верховой езды, гимнастики... Вместо всего этого я предпочел бы просто отца. Короче, заодно с велосипедом я тотчас же приобрел преподавателя езды на велосипеде и после нескольких падений и неизбежных неудач вскоре гордо колесил на своем миниатюрном велосипедике по неровной брусчатке Вильно, следуя за длинным и печальным молодым человеком в соломенной шляпе — знаменитым местным «спортсменом». Раскатывать по улицам без сопровождения мне было недвусмысленно запрещено.

Одним прекрасным утром, возвращаясь после прогулки вместе с инструктором, я обнаружил у входа в наш дом небольшую толпу, млевшую от восторга перед огромным желтым автомобилем с открытым верхом, стоявшим у ворот. За рулем сидел водитель в ливрее. Рот мой распахнулся, глаза выпучились, и я застыл на месте при виде этакого чуда. Автомобили на улицах Вильно были тогда довольно редки, а те, что попадались, имели самое отдаленное сходство с этим дивным творением человеческого гения, представшим моему взору. Один мой маленький приятель, сынишка сапожника, шепнул мне почтительно: «Это к вам». Бросив велосипед, я помчался узнавать, в чем дело.

Дверь мне открыла Анеля. Без единого слова она схватила меня за руку, потащила в мою комнату и крайне энергично взялась наводить на меня чистоту. Вся швейная мастерская сбежалась на подмогу, и девушки под Анелиным руководством стали меня тереть, скрести, намыливать, мыть, душить, одевать, раздевать, снова одевать, обувать, причесывать и напомаживать с усердием, какого я более не встречал, хотя и жду его постоянно от тех, кто живет со мной рядом. Часто, возвращаясь со службы, я закуриваю сигару, сажусь в кресло и жду, чтобы кто-нибудь мной занялся. Жду напрасно. И хотя я утешаю себя мыслью, что в нынешние времена ни один престол не надежен, маленький принц во мне продолжает удивляться. В итоге встаю и иду принимать ванну. Мне приходится самому разуваться и раздеваться, и некому даже потереть мне спину. Увы, я никем не понят.

В течение добрых получаса Анеля, Мария, Стефка и Галинка хлопотали вокруг меня. Затем, с пунцовыми и онемевшими от мочалки ушами, с огромным белым шелковым бантом на шее, в белой сорочке, синих штанишках и туфлях с бело-голубыми лентами, я был введен в гостиную.

Визитер сидел в кресле, вытянув ноги. Меня поразили его странные глаза, такие светлые и неподвижные, что становилось слегка не по себе, будто какой-то зверь пристально глядел из-под крылатых бровей. Чуть ироничная улыбка блуждала на его сжатых губах. Я видел его раза два-три в кино и сразу же узнал. Он изучал меня долго и холодно, с каким-то отстраненным любопытством. Я был очень встревожен, уши гудели и пылали, а от окутывавшего меня запаха одеколона хотелось чихать. Я смутно чувствовал, что происходит что-то важное, но не понимал, что именно. Мне не хватало светскости. Короче, совершенно ошалевший и сбитый с толку недавними приготовлениями, растерявшись от пристального взгляда и загадочной улыбки гостя, а еще более от встретившего меня молчания и странного поведения матери, которую я никогда не видел такой бледной и напряженной, с застывшим, похожим на маску лицом, я допустил непоправимую оплошность. Словно передрессированный пес, который уже не может удержаться, чтобы не сделать свой номер, я подошел к даме, сопровождавшей незнакомца, отвесил поклон, шаркнул ножкой, поцеловал ручку, а затем, приблизившись к самому гостю и окончательно слетев с катушек, облобызал руку заодно и ему.

Моя выходка обернулось довольно удачно. Натянутость, царившая в гостиной, тотчас же разрядилась. Мать схватила меня в объятия. Красивая рыжеволосая дама в платье абрикосового цвета тоже меня расцеловала. А гость взял меня на колени и, пока я рыдал, сознавая всю чудовищность своего промаха, предложил покатать в автомобиле, что мгновенно осушило мои слезы.

Я потом часто виделся с Иваном Мозжухиным на Лазурном берегу, в «Гран Блё», куда приходил выпить с ним кофе. Он был кинозвездой, пока на экране не появился звук. Тогда очень сильный русский акцент, от которого он, впрочем, никогда не пытался избавиться, весьма затруднил ему карьеру и в конце концов обрек на забвение. Он частенько помогал мне устроиться статистом в своих фильмах, последний раз в 1936 году, в какой-то истории про контрабандистов и подводников, он там в конце погибал в облаке дыма на своем тонущем корабле, подбитом выстрелами Гарри Бора. Фильм назывался «*Nitchevo*». Мне платили пятьдесят франков в день: целое состояние. Моя роль состояла в том, чтобы опираться о борт и смотреть в море. Самая прекрасная роль в моей жизни.

Мозжухин умер вскоре после войны, в бедности и забвении. Он до самого конца сохранил свой удивительный взгляд и столь присуще ему достоинство облика — молчаливое, немного надменное, ироничное и сдержанно-разочарованное.

Я порой договариваюсь с синематеками, чтобы пересмотреть его старые фильмы.

Он там всегда играет романтических героев и благородных авантюристов, спасает империи, одерживает победы на шпагах и пистолетах, гарцует в белом мундире гвардейского офицера, похищает на всем скаку прекрасных пленниц, глазом не моргнув терпит муку за царя, женщины вокруг мрут от любви к нему... Я выхожу из зала, содрогаясь. Как подумаешь, чего ожидала от меня мать... Впрочем, я продолжаю немного заниматься физкультурой, каждое утро, чтобы поддерживать форму.

Гость покинул нас в тот же вечер, но сделал нам напоследок шикарный жест. Целую неделю канареечно-желтый «паккард» вместе с ливрейным шофером оставался в нашем распоряжении. Стояла чудесная погода, и было бы так приятно сменить многолюдные мостовые города на литовские леса.

Но не такая женщина была моя мать, чтобы терять голову и упиваться весенними ароматами. Она умела выделить главное, жаждала реванша и твердо вознамерилась добить своих врагов. Так что автомобиль был использован с этой единственной и исключительной целью. Каждое утро около одиннадцати часов мать заставляла меня облачаться в самые красивые одежды — сама же одевалась с нарочитой скромностью, — шофер открывал дверцу, мы усаживались, и в продолжение двух часов машина с откинутым верхом медленно колесила по городу, подвозя нас к излюбленным местам «приличного общества» — в кафе Рудницкого, в ботанический сад, и моя мать ни разу не упустила случая поприветствовать со снисходительной улыбкой тех, кто плохо ее принял, обидел или отнесся свысока в ту пору, когда она еще ходила по домам со своими картонками.

Восьмилетним детям, дочитавшим мой рассказ до этого места и, подобно мне, преждевременно пе-

66

реживший свою самую большую любовь, я бы хотел дать здесь несколько практических советов. Предполагаю, что все они так же, как и я, страдают от холода и часами отогреваются на солнце, пытаясь вновь обрести хоть что-то от тепла, которое знавали когда-то. Долгое пребывание в тропиках также рекомендуется. Не стоит пренебрегать и добрым огнем в камине, да и алкоголь может отчасти помочь. Я рекомендую им также опыт другого восьмилетнего ребенка, из числа моих друзей, тоже единственного сына, ставшего посланником своей страны где-то в этом мире. Он заказал себе пижаму с электроподогревом и спит под таким же одеялом и на таком же матрасе. Стоит попробовать. Я не говорю, что это заставит вас забыть материнскую любовь, но лишним все же не будет.

Быть может, пора также откровенно объясниться по одному деликатному вопросу, хоть я рискую шокировать и разочаровать некоторых читателей, а кто-то из приверженцев новомодных психоаналитических учений и вовсе сочтет меня ненормальным сыном: я никогда не испытывал к своей матери кровосмесительного влечения. Знаю, что этот отказ смотреть фактам в лицо немедленно вызовет улыбку у людей искушенных — никто ведь не может ручаться за свое подсознание. Спешу также добавить, что даже такой тупица, как я, почтительно склоняется перед эдиповым комплексом, открытие и разработка которого делают честь Западу, несомненно являясь вместе с сахарской нефтью примером одного из самых плодоносных освоений наших природных, таящихся в недрах богатств. Скажу больше: сознавая свое немного азиатское происхождение и желая показать себя достойным развитого западного общества, столь великодушно приютившего меня, я часто силился взглянуть на образ моей матери с точки зрения собственного либидо, дабы высвободить свой комплекс, в наличии которого не позволял себе усомниться, дабы выставить его на яркий свет культуры, а главное, доказать, что я настроен решительно и что когда потребуется занять свое место среди наших духовных первопроходцев, атлантическая цивилизация может всецело на меня рассчитывать. Тщетно. И все же были ведь наверняка среди моих татарских предков лихие наездники, не отступавшие, если верить молве, ни перед изнасилованием, ни перед кровосмешением, ни перед любым другим из наших известных табу. Опять-таки, не ища себе оправдания, полагаю, что могу объясниться. Если я так и не сподобился физически возжелать свою мать, то не столько из-за связывавших нас кровных уз, но скорее потому, что она была женщиной пожилой, а для меня половой акт всегда подразумевает непременным условием молодость и телесную свежесть. Не скрою, моя восточная кровь сделала меня особо чувствительным к цветущей юности, и с возрастом эта склонность, как ни жаль в том сознаться, только усилилась — говорят, у азиатских сатрапов почти всегда так и бывает. В общем, вряд ли я испытывал к своей матери, которую никогда не знал по-настоящему молодой, что-либо кроме платонических чувств и привязанности. Я ведь не глупее других и знаю, что подобное утверждение обязательно будет истолковано как подобает, то есть совершенно наоборот, этими изворотливыми паразитами-душесосами, к каковым относятся три четверти наших практикующих психотерапевтов. Они-то мне и растолковали, эти ловкачи, что если вас, например, слишком влечет к женщинам, то потому, что на самом деле вы скрытый гомосексуалист; а если интимный контакт с мужским телом вас отвращает — посмею ли признаться, что это как раз мой случай? — то потому, что вам это все-таки чуточку нравится; следуя до конца их железной логике, если вам глубоко отвратителен контакт с трупом, это потому, что в своем подсознании вы заражены некрофилией и вас неодолимо привлекает, и как мужчину, и как женщину, вся эта прекрасная окоченелость. Психоанализ принимает сегодня, как и все наши идеи, какую-то изуверски-тоталитарную форму и пытается заковать нас в колодки собственных извращений. Он подменил собой суеверия, охотно прикрывается семантическим жаргоном, фабрикующим свои собственные элементы анализа, и привлекает пациентов с помощью психического запугивания и шантажа, вроде американских рэкетиров, которые навязывают вам свое покровительство. Так что я охотно оставляю шарлатанам и недоумкам, что помыкают нами в стольких областях, заботу объяснять мое чувство к матери какой-нибудь злокачественной опухолью: зная, чем стали свобода, братство и самые благородные устремления человека в их руках, не вижу, почему бы и простота моей сыновней любви не исказилась в их больных мозгах по примеру всего остального.

Я тем легче приму их диагноз, что никогда не смотрел на кровосмесительный грех с точки зрения загробных мук и вечного проклятия, как то умышленно делает фальшивая мораль с этой формой сексуальной невоздержанности, которая для меня занимает лишь крайне скромное место в монументальной шкале нашего упадка. Вся разнузданность кровосмешения кажется мне бесконечно более терпимой, чем кошмар Хиросимы, Бухенвальда, расстрельных команд, полицейского террора и пыток, в тысячу раз более безобидной, чем лейкемия и прочие милые генетические последствия усилий наших ученых. Никто и никогда не заставит меня видеть в сексуальном поведении людей критерий добра и зла. Зловещая физиономия некоего знаменитого физика, рекомендующего цивилизованному миру продолжить ядерные взрывы, мне несравненно более отвратительна, чем сын, возлегший со своей матерью. По сравнению с интеллектуальными, научными, идеологическими извращениями нашего века любое сексуальное отклонение пробуждает в моем сердце самую мягкую снисходительность. Девица, за плату раздвигающая ноги для публики, кажется мне просто сестрой милосердия и честной подательницей хлеба насущного, когда сравниваешь ее скромную продажность с проституцией ученых, предоставляющих свои мозги для разработки генетической отравы и атомного ужаса. Сравнительно с извращением души, ума и идеала, которому отдаются эти предатели рода человеческого, все наши сексуальные измышления (пусть даже продажные и кровосмесительные) с участием трех жалких сфинктеров, которыми располагает наш организм, просто ангельски невинный детский лепет.

Наконец, чтобы окончательно замкнуть порочный круг, скажу еще, что мне отнюдь небезызвестно, насколько подобное умаление кровосмесительства может быть легко истолковано как уловка подсознания, пытающегося приручить то, что его одновременно страшит и сладостно влечет; так что, раскланявшись, расшаркавшись и трижды покружив по залу под звуки этого милого старого венского вальса, я возвращаюсь к своей скромной любви.

Ибо даже говорить незачем, что причина, побудившая меня взяться за эту повесть, это как раз всеобщий, общечеловеческий и узнаваемый характер моей нежности: я любил свою мать ни больше, ни меньше и не иначе, чем большинство смертных.

Искренне думаю также, что мое юношеское стремление повергнуть мир к ее ногам было довольно безличным, но, каким бы оно ни было (каждый волен судить о нем по-своему, как сможет и как сердце подскажет), как бы просты или запутанны ни показались наши узы, сегодня, когда я в последний раз окидываю взглядом то, чем была моя жизнь, мне по крайней мере ясно одно: самое важное для меня во всем этом — отчаянное желание пролить торжествующий свет на удел человеческий, а не описать судьбу единственного, пусть и любимого существа.

Глава XI

Мне было уже около девяти лет, когда я впервые влюбился. Меня охватила неистовая, всепоглощающая страсть, которая совершенно отравила мне существование и едва не стоила жизни.

Ей было восемь лет, и звали ее Валентиной. Я мог бы долго, до потери дыхания описывать ее, а будь у меня голос, не переставал бы воспевать ее красоту и прелесть. Это была светлоглазая, восхитительно сложенная брюнеточка в белом платьице и с мячиком в руке. Она предстала предо мной возле поленницы, где начинались заросли крапивы, простиравшиеся вплоть до соседского сада. Не могу передать охватившее меня волнение: помню только, что ноги мои обмякли, а сердце запрыгало с такой силой, что в глазах помутилось. Решив обольстить ее во что бы то ни стало, раз и навсегда, чтобы в ее жизни не осталось места для другого мужчины, я сделал так, как учила меня мать: небрежно опершись о дрова, задрал глаза к свету. Это должно было ее покорить. Но Валентина была не из тех женщин, на кого легко произвести впечатление. Я стоял, пялясь на солнце, пока слезы не залили лицо, но жестокосердная все это время забавлялась со своим мячиком и, казалось, ничуть не была тронута. Глаза мои вылезали из орбит, все вокруг пылало и пламенело, но Валентина даже не удостоила меня взглядом. Совершенно сбитый с толку таким безразличием, тогда как столько красивых дам в ателье восторгалось синевой моих глаз, полуослепнув и, так сказать, с первого раза расстреляв все свои патроны, я вытер слезы и, безоговорочно капитулируя, протянул ей три зеленых яблока, которые только что украл в саду. Она приняла их и объявила, как бы между прочим:

— А Янек ради меня съел всю свою коллекцию марок.

Так начались мои муки. В течение последующих дней я съел ради Валентины не одну пригоршню земляных червей, большое количество бабочек, кило вишен с косточками, дохлую мышь и могу сказать напоследок, что в свои девять лет, то есть будучи гораздо младше Казановы, занял место среди величайших любовников всех времен, совершив любовный подвиг, на который никто, насколько мне известно, никогда не отваживался. Я съел ради своей возлюбленной резиновую калошу.

Здесь надо кое-что заметить в скобках.

Я отлично знаю, что, когда речь заходит о любовных подвигах, мужчины слишком уж склонны к бахвальству. Их послушать, так их геройство не знает границ, и они расписывают его, не жалея подробностей.

Так что никого не уговариваю верить мне на слово, утверждая, что ради своей возлюбленной я поглотил еще японский веер, десять метров хлопчатобумажной нити, кило вишневых косточек — Валентина облегчила мне труды, съедая мякоть и оставляя косточки, — и трех золотых рыбок, которых мы выловили в аквариуме ее учителя музыки.

Один Бог знает, чего только женщины не заставляли меня глотать в жизни, но более ненасытной натуры мне не попадалось. Это была прямо какая-то Мессалина вкупе с Феодорой Византийской. После такого опыта смело можно сказать, что в любви я познал все. Мое образование по этой части было закончено. С тех пор я лишь продолжал в том же духе.

Моей обожаемой Мессалине было всего-то восемь годков, но ее плотоядность превосходила все, что мне было дано познать в жизни. Она бежала передо мной, указывая пальчиком то на груду листьев, то песка, на одну-две пробки, и я безропотно подчинялся. Да еще и был чертовски счастлив, что смог на что-то сгодиться. Как-то раз она принялась рвать ромашки; я с дурным предчувствием смотрел, как растет букет в ее руке, но съел и ромашки под ее зорким взглядом (она уже знала, что мужчины всегда пытаются жульничать в подобных играх), в котором напрасно искал хоть искорку восхищения. Без намека на уважение или благодарность она вновь убежала вприпрыжку, чтобы через какое-то время вернуться с несколькими улитками, которых протянула мне на ладошке. Я покорно съел улиток вместе со скорлупой и всем прочим.

В то время детям еще ничего не говорили о тайнах пола, и я был убежден, что именно так и занимаются любовью. Не исключено, что я был прав.

Самое печальное состояло в том, что мне так и не удавалось произвести на нее впечатление. Едва я покончил с улитками, как она объявила небрежно:

— А Йосек ради меня съел двух пауков и остановился только потому, что мама нас позвала чай пить.

Я содрогнулся. Стоило повернуться к ней спиной, и она изменила мне с моим лучшим другом. Но я проглотил и это. Начал привыкать.

— Можно я тебя поцелую?

— Да. Только щеку не слюнявь, я этого не люблю.

Я ее целовал, стараясь не слюнявить щеку. Мы стояли на коленях за крапивой, и я целовал ее еще и еще. Она рассеянно крутила на пальце серсо. История моей жизни.

— Сколько уже раз?

— Восемьдесят семь. Можно до тысячи?

— А тысяча — это сколько?

— Не знаю. В плечо тоже можно поцеловать?

— Да.

Я целовал ее и в плечо.

Но все было не то. Я чувствовал, что должно быть еще что-то, что от меня ускользает, что-то главное. Мое сердце сильно колотилось, я ее целовал в нос, и в волосы, и в шею, но мне все больше и больше чего-то не хватало, я чувствовал, что этого мало, что надо идти дальше, гораздо дальше, и в конце концов ошалев от любви, на вершине эротического исступления, сел в траву и снял одну из своих резиновых калош.

— Хочешь, съем ради тебя?

Хотела ли она! Ха! Еще бы не хотела! Это же была настоящая маленькая женщина.

Она положила свое серсо на землю и присела на корточки. Мне показалось, что в ее глазах мелькнула искорка уважения. Большего я и не просил. Я взял свой перочинный ножик и начал кромсать резину. Она смотрела.

— Сырьем съешь?

— Да.

Я проглотил кусочек, потом другой. Наконец-то в ее взгляде появилось восхищение; я чувствовал, как становлюсь под ним настоящим мужчиной. И я был прав. Я только что прошел через ученичество. Я врезался в галошу все глубже и глубже, немного отдуваясь между проглоченными кусками, и продолжал так довольно долго, пока холодный пот не выступил на лбу. Я и после этого не остановился, стискивая зубы и борясь с тошнотой, собирая все силы, чтобы не сдаться, как мне с тех пор приходилось делать не раз, выполняя свой долг мужчины.

Мне стало очень худо, меня отвезли в больницу, мать рыдала, Анеля выла, девушки из ателье причитали, пока меня укладывали на носилки «скорой помощи». Я был очень горд собой.

Двадцать лет спустя эта детская любовь вдохновила мой первый роман «Европейское воспитание», а также некоторые пассажи из «Большой раздевалки».

Странствуя по свету, я долго возил с собой детскую резиновую калошу, изрезанную ножом. Мне исполнилось двадцать пять, потом тридцать, потом сорок, но калоша по-прежнему была под рукой. И я всегда был готов снова взяться за нее и показать, на что способен. Не довелось. В конце концов я оставил ее где-то позади. Жизнь не повторить дважды.

Моя связь с Валентиной длилась около года. Она преобразила меня полностью. Мне постоянно приходилось бороться с соперниками, утверждать и доказывать свое превосходство: ходить на руках, воровать в лавках, драться — в общем, обороняться по всем фронтам. Самой большой моей мукой был некий мальчишка, имя которого не припомню, но который умел жонглировать пятью яблоками, — и бывало, сидя на камне, среди рассыпанных яблок, понурившись после многочасовых бесплодных попыток, я чувствовал, что жить, в общем-то, не стоит. Тем не менее я не оставлял усилий и до сих пор не разучился жонглировать тремя яблоками; и часто, встав на холме Биг Сур лицом к Океану и бесконечности неба, я выставляю ногу вперед и совершаю этот подвиг, чтобы показать, что еще чего-то стою.

Зимой, когда мы катались с горок на санках, я вывихнул себе плечо, прыгнув в снег с пятиметровой высоты под взглядом Валентины, а все потому, что не мог спуститься по склону, стоя на салазках, как этот разбойник Ян. Как я ненавидел этого Яна и как все еще ненавижу! Никогда точно не знал, что там у них было с Валентиной, и даже сегодня предпочитаю об этом не думать, но он был почти на год старше меня и, учитывая его десять лет, гораздо опытнее с женщинами. Все, что я умел делать, он делал лучше меня. Этот сорванец с бандитской, как у помоечного кота, физиономией был ловок необычайно и мог плевком попасть в цель с пяти метров.

Он умел как-то особенно лихо свистеть, сунув два пальца в рот; этому способу я до сих пор так и не смог научиться; владеют им с той же пронзительной силой лишь мой друг посол Хаиме де Кастро да графиня Нелли де Вогюэ. Благодаря Валентине я понял, что любовь моей матери и нежность, которой я был окружен дома, не имели никакого отношения к тому, что ожидало меня вне дома, а еще, что ничто и никогда нельзя окончательно приобрести, завоевать, застраховать, сохранить. Ян, прирожденный похабник, прозвал меня «голубеньким», и, чтобы избавиться от этого прозвища, которое я считал очень обидным, хотя и не мог сказать почему, мне пришлось приумножить доказательства своей храбрости и мужественности, и скоро я стал грозой окрестных лавочников. Могу сказать без хвастовства, что разбил больше стекол, стянул больше коробок с финиками и халвой и дернул больше звонков, чем любой мальчишка с нашего двора; я научился также рисковать жизнью с легкостью, которая оказалась весьма полезной позже, во время войны, когда вещи такого рода официально допускались и поощрялись.

Особенно помню одну «смертельную» игру, которую мы с Яном затевали на карнизе пятого этажа, на глазах наших восхищенных товарищей.

И плевать нам было, что Валентины нет рядом, — поединок все равно шел из-за нее, и никто из нас на этот счет не заблуждался.

Игра была очень простая, но, думаю, в сравнении с ней пресловутая «русская рулетка» всего лишь детская забава.

Мы поднимались на последний этаж дома, открывали на лестничной площадке окно, выходившее во двор, и усаживались там как можно ближе к краю, ногами наружу. За окном был цинковый карниз, не шире двадцати сантиметров. Игра состояла в обмене резкими и точными толчками в спину, так, чтобы противник соскользнул с окна и уселся на этом узком внешнем подоконнике, свесив ноги в пустоту.

Мы играли в эту смертельную игру невероятное количество раз.

Стоило нам о чем-нибудь поспорить во дворе или даже без видимых причин, просто в приступе враждебности, мы без единого слова, лишь вызывающе переглянувшись, поднимались на пятый этаж, чтобы «сыграть в игру».

Странный это был поединок, отчаянный и вместе с тем какой-то доверительный: ведь нам приходилось полностью отдаваться на милость своего заклятого врага, потому что плохо рассчитанный или злонамеренный толчок неминуемо обрекал соперника на смерть пятью этажами ниже.

До сих пор отчетливо помню свои ноги, свисающие с металлического карниза в пустоту, и руки соперника на моей спине, готовые толкнуть.

Ян сегодня важное лицо в польской компартии. Я с ним встретился лет десять назад в Париже, в польском посольстве, на каком-то официальном приеме. Я его сразу же узнал. Даже удивительно, как мало изменился этот мальчишка. И в тридцать пять остался таким же тощим и болезненно бледным, сохранил все ту же кошачью походку и узкие, жесткие и насмешливые глазки. Оказавшись там как представители своих стран, мы были взаимно любезны и вежливы. Имя Валентины не упоминалось. Мы выпили водки. Он вспомнил Сопротивление, я ему сказал пару слов о своих воздушных боях. Мы выпили еще по стопке.

— Меня в гестапо пытали, — сказал он мне.

— А меня три раза ранили, — сказал я ему.

Мы переглянулись. Потом, не сговариваясь, поставили свои рюмки и направились к лестнице. Поднялись на третий этаж, и Ян открыл передо мной окно: в конце концов, мы ведь в польском посольстве, а я тут всего лишь гость. Я уже занес ногу через подоконник, как вдруг жена посла, дама очаровательная и достойная самых прекрасных любовных стихов своей страны, вышла из соседней гостиной. Я быстренько убрал ногу и поклонился с любезной улыбкой. Она взяла нас обоих под руку и повела к буфету.

Мне порой случается с некоторым любопытством размышлять, что сказала бы мировая пресса, если бы на тротуаре нашли польского сановника или французского дипломата, вывалившихся из окна польского посольства в Париже в самый разгар «холодной войны»?

Глава XII

Двор дома 16 по улице Большая Погулянка остался у меня в памяти как огромная гладиаторская арена, где я делал свои первые шаги, готовя себя к грядущим битвам. Попадали туда через старые ворота; посреди высилась огромная груда кирпича с завода боеприпасов, который партизаны взорвали во время патриотических боев между польскими и литовскими войсками; дальше уже упоминавшиеся поленницы; затем заросший крапивой пустырь, где я дал единственные в моей жизни по-настоящему победоносные сражения; в глубине высокая ограда соседних фруктовых садов. К этому двору были обращены спиной дома двух улиц. Справа тянулись сараи, куда я часто лазил через крышу, подняв несколько досок. В сараях, где жильцы хранили старую мебель, было полно чемоданов и сундуков, которые я осторожно открывал, сковырнув замок, и в запахе нафталина из них на землю вываливался целый ворох странных, устаревших и обветшалых предметов, которые я мог разбирать часами, словно чудесные сокровища, найденные после кораблекрушения; каждая шляпа, каждый башмак, каждая шкатулка с пуговицами и медалями говорили мне о таинственном и неведомом мире, мире других людей. Меховое боа, дешевая бижутерия, театральные костюмы — шапочка тореадора, цилиндр, пожелтевшая и потрепанная балетная пачка, выщербленные зеркала, откуда, казалось, на меня смотрели тысячи поглощенных ими когда-то взглядов, фрак, кружевные панталончики, рваные мантильи, мундир царской армии с красными, черными и белыми ленточками наград, альбомы с порыжевшими фотографиями, почтовые открытки, куклы, деревянные лошадки — весь этот мелкий хлам, который люди оставляют после себя на берегах жизни, уходя, умирая, — знаки своего краткого пребывания, убогие и несуразные следы тысяч исчезнувших стоянок. Я сидел замерзшим задом на голой земле и мечтал, разглядывая старые атласы, сломанные часы, черные полумаски, какие-то гигиенические предметы, букетики фиалок из тафты, вечерние наряды, старые перчатки, похожие на забытые руки.

Как-то днем, взобравшись на крышу и убрав доску, чтобы спуститься в свое королевство, я вдруг увидел среди своих сокровищ, между фраком, боа и деревянным манекеном, лежащую и чем-то очень занятую парочку. Я сразу же, ни секунды не колеблясь, распознал истинную природу наблюдаемого явления, хоть и впервые присутствовал при забавах подобного рода. Я целомудренно вернул доску на место, оставив лишь достаточную для обзора щель. Мужчина был кондитер Мишка, а девица — Антония, одна из служанок в нашем доме. Надобно сказать, что в результате я получил исчерпывающие сведения, но был при этом изрядно удивлен. То, что эти двое вместе выделывали, значительно превосходило несколько упрощенные представления, бытовавшие среди моих приятелей. Несколько раз я чуть не свалился с крыши, пытаясь разобрать, что же там происходит. Когда я позже рассказал об этом своим дружкам, те единогласно сочли меня лгуном, а самые доброжелательные объяснили, что, глядя сверху вниз, я наверняка все видел наоборот, отсюда и ошибка. Но я-то точно знал, что видел, поэтому защищал свою точку зрения энергично и убежденно. В конце концов на крыше сарая было установлено постоянное дежурство, а дозорные вооружены польским флагом, позаимствованным у привратника: мы условились, что они помашут им, как только любовники вернутся на место, и по этому сигналу мы все бросимся к нашему наблюдательному посту. Но когда наш дозорный в первый раз увидел, что там творилось — это был маленький Марек Лука, хромой мальчуган с пшеничными волосами, — его до такой степени захватило ошеломляющее зрелище, что он, ко всеобщему отчаянию, совершенно забыл про флаг. Зато пункт за пунктом подтвердил все описанное мною необычайное действо — и сделал это с такой красноречивой мимикой и так пылко желая поделиться своим опытом, что даже глубоко укусил себя за палец в избытке реализма, что серьезно повысило мой престиж во дворе. Мы долго размышляли, пытаясь уяснить себе причины столь странного поведения, и в конечном счете сам Марек сформулировал гипотезу, которая нам показалась наиболее правдоподобной:

— Может, они не знают, как за это взяться, вот и пробуют по-всякому?

На следующий день настал черед сынишки аптекаря стоять в дозоре. Было три часа дня, когда мальчишки, прижимавшиеся дома носом к стеклу или без большой охоты игравшие во дворе, вдруг увидели, как польское знамя развернулось и торжественно зареяло над крышей сарая. Через несколько секунд шесть-семь сорванцов уже мчались со всех ног к месту сбора. Доска была осторожно отодвинута, и все мы получили право на урок большой воспитательной ценности. Кондитер Мишка в тот день превзошел сам себя, словно его щедрая натура догадалась о присутствии шести ангельских головок, склонившихся над его трудами. Я всегда был падок на сласти, но с тех пор уже никогда не смотрел на них как прежде. Этот кондитер был большой артист. Понс, Румпельмайер и знаменитая Лурс из Варшавы могут снять перед ним шляпу. Конечно, в столь нежном возрасте нам еще не с чем было сравнивать, но сегодня, немало поездив по свету, многого насмотревшись и наслушавшись, всегда готовый внимать тем, кто сумел отведать лучшее американское мороженое, попробовать птифуры у прославленного Флориана в Венеции, насладиться добрыми венскими strudel и sachertorte, наконец, лично посетив лучшие чайные салоны обоих континентов, я остаюсь в убеждении, что это был, несомненно, выдающийся кондитер. В тот день он преподал урок высочайшего нравственного значения, сделав нас людьми скромными, которые никогда уже не посмеют притязать, будто выдумали порох. Если бы вместо того, чтобы обосноваться в маленьком, затерянном на востоке Европы городке, Мишка открыл свою кондитерскую в Париже, он был бы сегодня человеком богатым, знаменитым, удостоенным наград. Самые прекрасные дамы Парижа приходили бы отведать его сластей. В кондитерском деле соперников у него не было, и я нахожу крайне досадным, что его искусство не нашло более широкого рынка сбыта. Не знаю, жив ли он еще — что-то мне подсказывает, что ему было суждено умереть молодым, — но в любом случае да позволено мне будет склониться здесь пред памятью об этом великом художнике со всем почтением скромного писателя.

Зрелище, которому мы стали свидетелями, было настолько волнующим, а в некотором смысле даже пугающим, что самый юный из нас, Казик, малыш не больше шести лет, расплакался со страху. Признаю, было из-за чего, но еще больше мы все-таки боялись спугнуть кондитера и выдать ему свое присутствие, поэтому каждый из нас по очереди должен был тратить драгоценные мгновения, зажимая невинному младенцу рот, чтобы тот не ревел.

Когда вдохновение отпустило наконец Мишку, а на земле остались только сплющенный цилиндр, смятое боа из перьев да остолбеневший деревянный манекен, ватага весьма усталых и молчаливых мальчишек слезла с крыши. Нам в ту пору рассказывали историю про одного мальчугана по имени Стас, который улегся между рельсами под проходящим поездом и оказался после этого седым как лунь. Поскольку никто из нас после Мишкиного ухода не поседел, думаю, это выдумка. Спустившись с крыши, мы долго молчали, задумчиво и немного подавленно, без обычного кривляния, веселых кувырков и прочего скоморошества, что было нашим излюбленным средством самовыражения. Наши лица были серьезны; стоя кружком посреди двора, мы переглядывались в странном и благоговейном безмолвии, словно выйдя из какого-то святилища. Думаю, нас сковало почти сверхъестественное чувство сопричастности к таинству и откровению при виде вихря той чудесной силы, что сокрыта в мужских чреслах: сами того не сознавая, мы только что пережили свой первый религиозный опыт.

Маленького Казика эта тайна потрясла не меньше других.

На следующее утро я обнаружил его сидящим на корточках за кучей дров. Спустив штанишки, нахмурясь, он был поглощен созерцанием своего полового органа — с печатью глубокой задумчивости на лице. Время от времени он осторожно брал его двумя пальцами и тянул, оттопырив мизинец, в точности так, как мой учитель хороших манер запретил мне делать, держа чашку чаю. Подкравшись сзади, я гаркнул ему в ухо; он буквально взвился в воздух со штанами в руках. Так и вижу, как он стремглав улепетывал через двор, словно поднятый охотником кролик.

Образ великого виртуоза за работой навсегда врезался в мою память. Я частенько думаю о нем. Посмотрев недавно фильм о Пикассо, где показано, как кисть мастера летает по полотну в погоне за невозможным, я неизбежно вспомнил виленского кондитера. Трудно быть творцом, не растратить попусту свое вдохновение и верить, что шедевр достижим. Беспрестанное овладение миром, жажда подвига, поиски стиля, стремление к совершенству, желание достичь вершины и остаться там навсегда, полностью осуществившись, — я смотрел, как кисть мастера упорствовала в достижении абсолюта, и великая печаль снизошла на меня при виде торса этого вечного гладиатора, которому никакая новая победа не мешала снова чувствовать себя побежденным.

Но еще труднее смириться. Сколько раз с первых же шагов своей писательской карьеры я летел, брошенный сквозь пространство с пером в руке, согнувшись пополам и вцепившись в цирковую трапецию, вверх ногами, вниз головой, стиснув зубы и напрягая мускулы, в поту чела своего, на пределе воображения и воли, на пределе самого себя, и при этом еще надо было позаботиться о стиле, создать впечатление легкости, показаться отрешенным в момент наибольшей сосредоточенности, непринужденным в момент сильнейшего раздражения, приятно улыбаться, оттягивать развязку и неизбежное падение, продолжать полет, чтобы слово «конец» не пришло раньше времени, как нехватка дыхания, отваги и таланта, и вот когда вы наконец вернулись на землю целым и невредимым, вам снова бросают трапецию, страница опять становится белой и от вас требуется начать все сначала.

Тяга к искусству, эта навязчивая погоня за шедевром, несмотря на все музеи, в которых я побывал, несмотря на все прочитанные книги и мои собственные усилия на летающей трапеции, и по сей день остается для меня тайной, столь же темной, какой она была тридцать пять лет назад, когда я, склонившись, наблюдал с крыши над вдохновенным трудом величайшего кондитера земли.

Глава XIII

В то время, как сам я приобщался к искусству с черного хода, моя мать со стороны парадного систематически пыталась обнаружить во мне какой-нибудь самородок скрытого таланта. Отвергнув поочередно скрипку и балет и выведя живопись из игры, она решила давать мне уроки пения. Лучшие мастера местной оперы были призваны к моим голосовым связкам, дабы определить, нет ли во мне задатков будущего Шаляпина, обреченного на рукоплескания толпы в потоках света, среди золота и пурпура. К моему искреннему сожалению, вынужден признать сегодня, после тридцати лет сомнений, что между мной и моими голосовыми связками произошло какое-то совершеннейшее недоразумение. У меня нет ни слуха, ни голоса. Понятия не имею, как это произошло, но факт остается фактом. У меня нет как раз того баса, который был бы мне так к лицу: по неведомой причине предназначавшийся мне голос достался вчерашнему Шаляпину и нынешнему Борису Христову. Это не единственное недоразумение в моей жизни, но весьма значительное. Не могу сказать, когда именно, из-за каких зловредных махинаций произошла подмена, но что случилось, то случилось, а желающих услышать мой подлинный голос призываю купить пластинку Шаляпина. Стоит ее только послушать, особенно «Блоху» Мусоргского, чтобы убедиться: это и есть я.

Остается только представить меня на сцене, рычащим «ха! ха! ха! блоха!» *моим басом*, и я уверен, что каждый признает мою правоту. Увы, когда я, положив руку на грудь, выставив вперед ногу и высоко вскинув голову, даю волю своей вокальной мощи, исходящее из моей глотки неизменно повергает меня в изумление и грусть. Опять же, это было бы совершенно не важно, не будь у меня к тому призвания. А ведь оно у меня есть. Я этого никогда никому не говорил, даже моей матери, но к чему дольше скрывать? Подлинный Шаляпин — это я. Я великий трагический непризнанный бас и останусь таковым до конца своих дней. Помню, как во время представления «Фауста» в Метрополитен-опера в Нью-Йорке я сидел рядом с Рудольфом Бингом в его директорской ложе, скрестив руки, по-мефистофельски выгнув бровь, с загадочной улыбкой на устах, пока дублер на сцене делал с моей ролью что мог, и я даже находил определенную пикантность в том, что вот тут, рядом со мной, один из крупнейших оперных импресарио мира, и *он не знает*. Если Бинга в тот вечер удивил мой диаволический и таинственный вид, пусть соблаговолит поискать разгадку здесь.

Моя мать была страстной поклонницей оперы и на Шаляпина молиться была готова, так что мне нет прощения. Сколько раз в свои восемь-девять лет, верно истолковав нежный и мечтательный взгляд, который она устремляла на меня, я убегал прятаться от него в свою поленницу и там, набрав побольше воздуха в грудь и приняв надлежащую позу, испускал из глубины своих недр «ха! ха! ха! блоха!», способное потрясти мир. Увы! Мой голос предпочел мне другого.

Ни одно дитя не взывало к гению вокала с большим пылом и пролив больше горючих слез, чем я.

Если бы мне дали хоть один-единственный раз предстать перед матерью, с торжеством занявшей свою ложу в парижской Опере (или, поскромнее, в миланской Ла Скала), перед восхищенным партером в главной роли «Бориса Годунова», думаю, это придало бы смысл и ее жертве, и ее жизни. Не довелось. Единственный подвиг, который я смог совершить для нее, это победа на чемпионате Ниццы по пинг-понгу в 1932 году. Я выиграл чемпионат всего один раз, а потом регулярно проигрывал.

Так что уроки пения были вскоре оставлены. Один из учителей даже обозвал меня довольно коварно «вундеркиндом» — он, дескать, за всю свою карьеру ни разу не встречал ребенка, настолько лишенного слуха и таланта.

Я часто ставлю пластинку Шаляпина и с волнением слушаю свой истинный голос.

Вынужденная, таким образом, признать, что я не проявляю никакой особой расположенности к чему бы то ни было и никакого потаенного таланта, моя мать в конце концов заключила, как и столько других матерей до нее, что мне остается лишь одно: дипломатия. Едва эта мысль укоренилась в ее голове, она значительно повеселела. Тем не менее, поскольку мне всегда полагалось все самое распрекрасное в мире, я должен был стать послом Франции — меньшее ее не устраивало.

Надо сказать, что восторженная любовь моей матери к Франции меня всегда изрядно удивляла. Пусть меня правильно поймут. Я и сам всегда был большой франкофил. Но моей заслуги тут нет — я так воспитан. Попробуйте-ка послушать ребенком французские легенды среди литовских лесов; попытайтесь рассмотреть неведомую вам страну в глазах своей матери, научитесь узнавать ее в материнской улыбке и восхищенном голосе; послушайте вечером у камелька, под пенье дров и снежную тишину за окном, о Франции, про которую вам рассказывают, как про Кота в сапогах; раскройте пошире глаза перед каждой пастушкой и услышьте голоса; объявите вашим оловянным солдатикам, что с высоты пирамид на них глядят сорок веков; наденьте бумажную треуголку и возьмите Бастилию, дайте миру свободу, рубя деревянной саблей чертополох и крапиву; научитесь читать по басням Лафонтена — и попытайтесь затем в зрелом возрасте от этого избавиться. Даже долгое пребывание во Франции вам не поможет.

Само собой разумеется, пришел день, когда этот возвышенно-теоретический образ Франции, увиденной из литовских лесов, больно столкнулся с бестолковой и противоречивой реальностью страны, ставшей моей; но было уже поздно, даже слишком поздно: я родился.

За всю мою жизнь я встретил лишь двух людей, говоривших о Франции с такой интонацией, — это моя мать и генерал де Голль. Они были очень непохожи, и внешне, и во всем остальном. Но услышав призыв 18 июня, я без колебаний откликнулся на оба голоса — и Генерала, и пожилой дамы, продававшей шляпки в доме 16 по улице Большая Погулянка в Вильно.

Когда мне было восемь лет, особенно когда дела пошли плохо (а они очень скоро пошли плохо), мать с уставшим лицом, затравленными глазами подолгу смотрела на меня с восхищением и безграничной гордостью, потом брала мою голову в руки, словно чтобы лучше рассмотреть каждую черточку моего лица, и говорила:

— Ты будешь французским посланником, это мать тебе говорит.

Все-таки кое-что меня немного интригует. Почему она не сделала меня президентом Республики, пока была здесь? Быть может, несмотря ни на что, в ней было больше сдержанности, больше скромности, чем мне казалось? А может, она полагала, что в мире Анны Карениной и гвардейских офицеров президент до «великосветскости» не дотягивает и посол в парадном мундире куда элегантнее?

Порой я прятался в своем убежище из пахучих поленьев и, размышляя о том, чего ожидала от меня мать, принимался долго, беззвучно плакать: я никак не мог взять в толк, как со всем этим справлюсь.

Затем возвращался домой с исполненным щедрости сердцем и опять учил какую-нибудь басню Лафонтена: это было все, что я мог для нее сделать.

Не знаю, какое представление у моей матери было о дипломатическом поприще и дипломатах, но однажды она вошла в мою комнату крайне озабоченная, села напротив и вдруг завела долгий разговор о том, что я могу обозначить лишь как «искусство делать подарки женщинам».

— Помни, гораздо трогательнее прийти самому с маленьким букетиком в руке, чем отправить посыльного с большим. Остерегайся женщин, у которых много меховых манто, эти всегда ждут еще большего, встречайся с ними, только если без этого нельзя обойтись. Подарки выбирай всегда с толком, учитывая вкусы той, кому даришь. Если она не слишком образованна и не склонна к литературе, подари ей хорошую книгу. А если имеешь дело с женщиной скромной, культурной, серьезной, подари что-нибудь шикарное — духи, шаль. Прежде чем подарить то, что она будет носить, не забудь присмотреться как следует к цвету ее волос и глаз. Маленькие вещицы — брошки, кольца, серьги — подбирай под цвет глаз, а платья, манто, шарфы — под цвет волос. Женщин, у которых волосы и глаза одного цвета, проще одевать, и обходится это дешевле. Но главное, главное...

Она смотрела на меня с беспокойством и умоляюще складывала руки:

— Главное, малыш, помни об одном: никогда не принимай денег от женщин. Никогда. Иначе я умру. Поклянись. Поклянись головой твоей матери...

Я клялся. Этот пункт ее крайне заботил, и она постоянно к нему возвращалась.

— Ты можешь принимать подарки, всякие вещицы, авторучки, например, или бумажники, даже «роллс-ройс» можешь принять, но деньги — никогда!

Не пренебрегала мать и моей общей культурой, необходимой для светского человека. Она читала мне вслух «Даму с камелиями», и порой ее глаза увлажнялись, голос пресекался, и она была вынуждена умолкать — сегодня-то я вполне понимаю, кем был Арман в ее представлении. Среди прочего назидательного чтения с неизменно прекрасным русским акцентом мне особенно запомнились гг. Дерулед, Беранже и Виктор Гюго; она не просто читала стихи, но, верная своему прошлому «драматической актрисы», декламировала, стоя в гостиной под сверкающей люстрой, с жестом и чувством; помню, в частности, какое-то «Ватерлоо, Ватерлоо, поле ужаса былого...», которое меня и впрямь ужаснуло: сидя на краешке стула, я слушал, как декламирует моя мать, стоя передо мной с книгой стихов в одной руке, воздев кверху другую; у меня холодок бежал по спине от такой силы воплощения; вытаращив глаза и сжав коленки, я вглядывался в ужасное поле, и уверен, что даже самого Наполеона проняло бы, окажись он рядом.

Другой важной частью моего французского воспитания была, естественно, «Марсельеза». Мы пели ее вместе, глядя друг другу в глаза: мать, сидя за пианино, я, стоя перед ней, положив одну руку на сердце, другую простирая к баррикадам; добравшись до «к оружью, граждане!», мать яростно обрушивала пальцы на клавиатуру, а я грозно потрясал кулаком; после «пусть кровь врагов нам пашни напоит» мать, нанеся последний удар по клавишам, замирала с руками, повисшими в воздухе, а я, топнув ногой, непреклонный и решительный, вторил ее жесту, стиснув кулаки и откинув голову назад, — и так мы застывали на какое-то время, пока последние аккорды еще гудели в гостиной.

Глава XIV

Мой отец бросил мою мать вскоре после моего рождения, и всякий раз, как я упоминал его имя, что случалось крайне редко, мать с Анелей быстро переглядывались и тотчас заговаривали о чем-то другом. Тем не менее я хорошо знал из обрывков их бесед, случайно подслушанных то тут, то там, что эта тема для них тягостна и даже немного мучительна, поэтому быстро сообразил, что лучше ее избегать.

Я знал также, что человек, давший мне свою фамилию, имел жену и детей, много разъезжал, бывал в Америке; мы с ним не раз встречались. У него была приятная внешность, большие, добрые глаза и очень ухоженные руки; со мной он всегда был несколько скован, но очень мил, а когда смотрел на меня — грустно и, как мне казалось, немного с упреком, — я всегда опускал глаза, потому что возникало непонятное мне самому впечатление, будто я сыграл с ним какую-то дурную шутку.

По-настоящему он вошел в мою жизнь только после смерти моей матери, причем так, что я этого пикогда не забуду. Я точно знал, что он погиб во время войны в газовой камере, казненный как еврей вместе с женой и обоими детьми, которым тогда было, думаю, лет около пятнадцати-шестнадцати. Но только в 1956 году я узнал о его трагическом конце то, что потрясло меня до глубины души. Вернувшись из Боливии, где был поверенным в делах, я приехал в Париж, чтобы получить Гонкуровскую премию за свой недавно опубликованный роман «Корни неба». Среди писем, присланных по этому случаю, оказалось одно, которое и сообщило мне подробности о смерти человека, которого я так мало знал.

Он умер вовсе не в газовой камере, как мне говорили. Он умер от страха, по пути к месту казни, за несколько шагов до входа.

Написавший мне письмо был тогда приставлен к двери приемщиком — не знаю, как это еще назвать и какую должность он официально исполнял.

В своем письме, очевидно чтобы утешить меня, он писал, что мой отец до газовой камеры не дошел и упал замертво от страха перед самым входом.

Я долго стоял с письмом в руке; затем вышел на лестницу издательства Н. Р. Ф., оперся о перила и пробыл там не знаю сколько времени — в своем сшитом в Лондоне костюме, со своим званием поверенного в делах, с крестом «За Освобождение», орденской ленточкой Почетного легиона и Гонкуровской премией.

Мне повезло — в тот момент мимо проходил Альбер Камю и, видя, что я не в себе, отвел в свой кабинет.

Человек, умерший такой смертью, был мне прежде чужим, но в тот день он раз и навсегда стал моим отцом.

Я продолжал декламировать басни Лафонтена, стихотворения Деруледа и Беранже и читать произведение, озаглавленное «Назидательные сцены из жизни выдающихся людей», толстенный том в синей обложке с тисненной золотом гравюрой, изображавшей кораблекрушение из «Поля и Виргинии». Моя мать обожала повесть о Поле и Виргинии, которую находила особенно поучительной. Она мне частенько перечитывала один волнующий пассаж, где Виргиния предпочитает скорее утонуть, нежели снять с себя платье. Она всегда удовлетворенно сопела, читая его. Я внимательно слушал, но был уже слишком скептичен на сей счет. Я полагал, что Поль просто не сумел как следует взяться за дело, вот и все.

Дабы я знал, как занять достойное место в обществе, мне пришлось изучить еще один толстенный том под названием «Жизнь прославленных французов»; мать сама читала его мне вслух. Поведав об очередном великолепном деянии Пастера, Жанны д'Арк или Роланда Ронсевальского, она опускала книгу на колени и устремляла на меня долгий, исполненный надежды и нежности взгляд. Взбунтовалась она всего один раз, когда ее русская душа не стерпела неожиданной поправки, которую авторы внесли в Историю. Они описывали Бородинское сражение как французскую победу, и моя мать, прочитав этот параграф, некоторое время пребывала в замешательстве, затем, захлопнув том, сказала негодующе:

— Неправда. Бородино было великой русской победой. Нечего палку перегибать.

Зато ничто не мешало мне восхищаться Жанной д'Арк и Пастером, Виктором Гюго и Людовиком Святым, Королем-Солнцем и Революцией — должен сказать, что в этой вселенной, целиком и полностью достойной похвал, ею одобрялось равным образом все, и, преспокойно уложив в одну корзину голову Марии-Антуанетты и Робеспьера, Шарлотты Корде и Марата, Наполеона и герцога Энгиенского, она преподносила их мне со счастливой улыбкой.

Я потратил немало времени, чтобы отделаться от этих лубочных представлений и выбрать из сотен ликов Франции тот, который казался мне наиболее достойным любви; неприятие любой дискриминации, отсутствие ненависти, гнева, злопамятства долго были во мне наиболее типично нефранцузскими; мне пришлось дожидаться взрослого возраста, прежде чем я смог наконец избавиться от своей франкофилии; это случилось лишь году в 1935-м, во время Мюнхенского сговора, только тогда я почувствовал, как во мне нарастают бешенство, ожесточение, отвращение, вера, цинизм, уверенность и желание все разнести к чертям, и я наконец оставил позади, уже навсегда, детскую сказку, чтобы встретить лицом к лицу непростую, но ставшую мне близкой действительность.

Помимо этой возвышенной нравственной и духовной подготовки, от которой я потом с таким трудом избавлялся, ничто из того, что могло бы расширить мой светский опыт, не было упущено.

Как только из Варшавы в нашу провинцию прибывала с гастролями театральная труппа, мать заказывала фиакр и, сразу похорошев, улыбаясь из-под новехонькой шляпы с широченными полями, отвозила меня на представление «Веселой вдовы», «Дамы от Максима» или еще какого-нибудь «парижского канкана», где я, в шелковой сорочке, в черном бархатном костюмчике, прижав к носу театральный бинокль, блаженно любовался сценами своей будущей жизни, когда, став блестящим дипломатом, я буду пить шампанское из туфелек прекрасных дам в отдельных кабинетах на берегу Дуная или, если правительство доверит мне эту миссию, соблазнять жену какого-либо владетельного князя, дабы воспрепятствовать военному союзу, замышляющемуся против нас.

Чтобы я легче свыкся со своим будущим, мать часто приносила из своих походов к антикварам старые почтовые открытки с изображением этих поджидающих меня достопамятных мест.

Так, я довольно рано ознакомился с внутренним убранством ресторана «Максим», и мы условились, что я свожу ее туда при первой же возможности. Мать на это очень рассчитывала. Как она сама не раз мне поясняла, ей довелось там отужинать — все как полагается, честь честью — во время своей поездки в Париж перед войной четырнадцатого года.

Моя мать выбирала по преимуществу открытки с изображением военных парадов, где красивые офицеры с саблями наголо проезжают верхом на смотру; с портретами известных послов в роскошных мундирах или знаменитых женщин того времени, Клео де Мерод, Сары Бернар, Иветты Жильбер; помню, как, глядя на открытку, где был представлен какой-то увенчанный митрой и облаченный в фиолетовое епископ, она одобрительно заметила: «Умеют эти люди одеваться»; и конечно, все карточки с портретами «прославленных французов» — кроме тех, разумеется, кто хоть и достиг посмертной славы, но не совсем преуспел при жизни. Так, почтовая карточка с портретом Орленка, неизвестным путем попавшая в альбом, была быстро оттуда изъята по тем простым соображениям, что «он был чахоточный», — не знаю, может, мать боялась, что я от него заражусь, или же судьба короля Римского не казалась ей достойным примером. Гениальные,

95

но познавшие нищету художники, «про́клятые» по-
эты — Бодлер, в частности — и музыканты с трагической судьбой заботливо удалялись из коллек-
ции, ибо, согласно известному английскому выражению, моя мать *would stand no nonsense*: успех
для нее был чем-то, что должно случиться при жизни. Открытки, которые она чаще всего приносила
домой и на которые я натыкался повсюду, были
с Виктором Гюго. Разумеется, она вполне соглашалась, что Пушкин тоже великий поэт, но Пушкин
был убит на дуэли в тридцать шесть лет, тогда как
Виктор Гюго дожил до глубокой старости и был
окружен почетом. В квартире, куда бы я ни сунулся, на меня отовсюду взирала физиономия Виктора
Гюго, и, когда я говорю «отовсюду», это надо понимать буквально: великий человек был везде и,
где бы и чем я ни занимался, устремлял на мои
усилия свой многозначительный, хоть и привык-
ший к другим горизонтам взгляд. Из нашего маленького пантеона она категорически выбросила Мо-
царта — «он умер молодым», Бодлера — «сам позже поймешь почему», Берлиоза, Бизе, Шопена —
«им не везло», но, странное дело, несмотря на свой
жуткий страх, как бы я чем-нибудь таким не зара-
зился, туберкулезом или сифилисом, Ги де Мопассан, казалось, находил в ее глазах некоторое оправ-
дание и был допущен в альбом, с натяжкой, правда,
после недолгих колебаний. Моя мать питала к нему
довольно заметную нежность, и я всегда радовался,
что она не встретила Ги де Мопассана до моего
рождения — порой у меня возникает чувство, что
я еще дешево отделался.

Так что открытка, изображающая красавца Ги в
белой сорочке, с лихо подкрученными усами, была
допущена в мою коллекцию, где заняла видное место между молодым Бонапартом и г-жой Рекамье.

Когда я перелистывал альбом, мать часто наклонялась через мое плечо и, коснувшись рукой портрета Мопассана, погружалась в его созерцание. Слегка вздыхала:

— Женщины очень его любили.

Потом добавляла, совсем не к месту и с некоторым сожалением:

— Но тебе, быть может, лучше жениться на какой-нибудь порядочной девушке, из хорошей семьи.

Вероятно, именно созерцая образ злополучного Ги в нашем альбоме, моя мать пришла к выводу, что настала пора официально предостеречь меня против ловушек, подстерегающих светского человека на его пути. Как-то днем меня посадили в фиакр и отвезли в одно гнусное место, называемое «Паноптикум», своего рода музей медицинских ужасов, где восковые муляжи предостерегали школьников от последствий некоторых грешков. Должен сказать, что это произвело на меня должное впечатление. Все эти провалившиеся, сожранные недугом носы, выставленные в мертвенном свете для назидания школьной молодежи, перепугали меня до полусмерти. Похоже, именно нос всегда отдувается за эти пагубные утехи.

Суровое предостережение, обращенное ко мне таким образом в этом зловещем месте, оказало на мою впечатлительную натуру спасительное воздействие: всю жизнь я очень пекся о своем носе. Я понял, что бокс — это спорт, занятия которым церковная иерархия города Вильно настоятельно мне отсоветовала, чем и объясняется, почему ринг — одно из тех редких мест, куда я ни разу не сунулся за время своей чемпионской карьеры. Я всегда старался избегать драк и мордобоя и могу сказать, что по крайней мере в этом отношении мои воспитатели могут быть мной довольны.

Хотя мой нос уже не тот, что был когда-то. Во время войны его пришлось заново переделать в госпитале королевских ВВС, из-за одной досадной авиакатастрофы, ну и пусть, зато он все еще при мне, — республики сменяли одна другую, а я все дышал им и дышал; да и сейчас еще, лежа меж небом и землей, когда на меня снова накатывает былая потребность в дружбе и я вспоминаю своего кота Мортимера, погребенного в саду, в Челси, своих котов Николаса, Хэмфри, Гаучо и беспородного пса Гастона, которые все давно меня покинули, мне довольно поднять руку и коснуться кончика собственного носа, чтобы вообразить, будто у меня еще остался кто-то для компании.

Глава XV

Помимо назидательного чтения, рекомендованного матерью, я глотал все, что подворачивалось мне под руку из книг или, точнее, на что тайком налагал руку у местных букинистов. Я приносил свою добычу в сарай и там, сидя на земле, погружался в сказочный мир Вальтера Скотта, Карла Мая, Майн Рида и Арсена Люпена. Этот последний приводил меня в особый восторг, и я изо всех сил старался придать своей физиономии язвительную, грозную и надменную мину, которой художник наделил лицо героя на книжной обложке. Со свойственным детям даром подражания мне это удавалось довольно неплохо, да еще и сегодня я порой вновь обнаруживаю в выражении своего лица, в своих чертах смутный отпечаток того рисунка, который третьесортный иллюстратор некогда начертал на обложке дешевой книжонки. Мне очень нравился Вальтер Скотт, бывает, я и сейчас вытягиваюсь на постели и устремляюсь вослед за каким-нибудь благородным идеалом, защищать вдов и спасать сирот — вдовы всегда замечательно красивы и готовы засвидетельствовать мне свою признательность, после того как запрут сирот в соседней комнате. Другим из моих любимых произведений был «Остров сокровищ» Р. Л. Стивенсона, еще одна книга, от которой я так никогда и не оправился. Образ деревянного сундука, набитого дублонами, рубинами, изумрудами и бирюзой (не знаю почему, алмазы меня никогда не соблазняли),— мое постоянное наваждение, моя пытка. Я убежден, что он где-то существует, стоит только хорошенько поискать. Я все еще надеюсь, жду, томлюсь в уверенности, что он где-то там, достаточно лишь узнать заклинание, место, путь. Сколько разочарований и горечи может доставить подобная иллюзия, способны понять по-настоящему одни лишь старые мечтатели-звездогляды. Меня никогда не покидало предчувствие чудесной тайны, и я всегда ступал по земле с ощущением, что прохожу мимо зарытого сокровища. Когда я брожу порой по холмам Сан-Франциско — Ноб Хилл, Рашен Хилл, Телеграф Хилл,— мало кто подозревает, что этот седоватый господин ищет некий «Сезам, откройся», что за его искушенной улыбкой кроется тоска по *волшебному слову*, что он верит в тайну, в сокровенный смысл, в заклинание, в ключ; я подолгу обшариваю взглядом небо и землю, вопрошаю, зову и жду. Разумеется, я умею скрывать все это за учтивым и сдержанным видом: я стал осторожен, притворяюсь взрослым, но втайне я все еще выслеживаю золотого скарабея и жду, что птица сядет мне на плечо, чтобы заговорить со мной человеческим голосом и открыть мне наконец, что, как и почему.

Однако не могу утверждать, что мое первое знакомство с магией было обнадеживающим.

Меня приобщил к ней во дворе один из мальчишек, младше меня, прозванный нами Арбузом из-за своей привычки глядеть на мир поверх ломтя красного арбуза, в который он вонзался и носом, и зубами, так что виднелись одни лишь задумчивые глаза. Его родители держали фруктово-овощную лавку в нашем доме, и он никогда не вылезал из полуподвала, где они жили, без изрядной порции своего излюбленного лакомства. Он так зарывался лицом в сочную мякоть, что мы пускали слюнки от зависти, пока его большие внимательные глаза с интересом наблюдали за нами поверх предмета наших вожделений. Арбуз в тех краях самый распространенный фрукт, но каждое лето в городе бывало несколько случаев холеры, и родители строжайше запрещали нам к ним прикасаться. Я уверен, обделенность чем-либо, испытанная в детстве, оставляет глубокий, неизгладимый след, ее уже никогда не удастся возместить; в свои сорок четыре года всякий раз, вонзая зубы в арбуз, я испытываю крайне приятное чувство реванша и торжества, а мои глаза, кажется, все еще ищут поверх надкушенного душистого ломтя лицо моего маленького приятеля, чтобы дать ему понять, что мы наконец квиты и я тоже кое-чего достиг в жизни. Впрочем, напрасно я объедаюсь моим любимым фруктом, что толку отрицать — я всегда буду чувствовать укол сожаления в своем сердце и все арбузы мира не заставят меня забыть о тех, которые я не съел в восемь лет, когда мне этого больше всего хотелось, и некий абсолютный арбуз будет дразнить меня до конца дней — вечно зримый, предвкушаемый и вечно недоступный.

Но и помимо этого способа дразнить нас, смакуя свою власть над миром, Арбуз оказывал на меня значительное влияние. Он был, наверное, года на два-три младше меня, но я всегда очень поддавался влиянию тех, кто младше. Люди более старшего возраста никогда не оказывали на меня особого воздействия, они для меня всегда вне игры, а их мудрые советы кажутся мне сухими листьями, облетающими с вершины величественного, конечно, но уже лишенного жизненных соков дерева. Истина умирает молодой. Все, что познала старость, на самом деле является тем, что она забыла, и возвышенная безмятежность седобородых старцев со снисходительным взглядом кажется мне столь же малоубедительной, как и кротость холощеных котов, и теперь, когда возраст наваливается на меня со своими морщинами и слабосилием, я не жульничаю сам с собой и знаю, что по большей части я уже *был* и никогда больше не *буду*.

Так что именно маленький Арбуз приобщил меня к магии. Помню свое удивление, когда он сообщил мне, что все мои желания могут исполниться, если я с толком за это возьмусь. Достаточно раздобыть бутылку, помочиться туда для начала, а затем засунуть по порядку: кошачьи усы, крысиные хвосты, живых муравьев, уши летучей мыши, равно как и двадцать других редких составляющих, которые я сегодня напрочь забыл, отчего опасаюсь, что мои желания никогда не исполнятся. Я сразу же пустился на поиски необходимых магических элементов. Мухи были повсюду, кошек и дохлых крыс во дворе тоже хватало, летучие мыши гнездились в сараях, а помочиться в бутылку вообще не составило труда. Но вот напихать в нее живых муравьев! Их нельзя ни ухватить, ни удержать, они ускользают, едва давшись в руки, добавляясь к числу тех, которых еще предстоит поймать, а когда один из них наконец любезно выбирает дорогу к горлышку и ты пытаешься принудить к этому другого, предыдущий уже удрал, и все приходится начинать сначала. Занятие как раз для Дон Жуана в аду. Тем не менее настал момент, когда Арбуз, наскучив зрелищем моих усилий, поскольку ему не терпелось отведать пирога, обещанного мной в обмен на магическую формулу, объявил наконец, что талисман готов и может действовать.

Оставалось лишь точно сформулировать свое желание.

Я стал размышлять.

Сидя на земле с бутылкой между ног, я осыпал свою мать драгоценностями, дарил ей желтые «паккарды» с ливрейными шоферами, строил для нее мраморные дворцы, где все приличное общество Вильно преклоняло бы пред ней колени. Но все было не то. Чего-то все время недоставало. Между этими жалкими крохами и пробудившейся во мне жаждой чего-то грандиозного не было общей меры. Смутная и назойливая, тиранически властная и невыразимая, странная мечта зашевелилась во мне, мечта еще без образа, без содержания, без очертаний, первый трепет того стремления к безраздельному обладанию, которым род людской питал и свои величайшие преступления, и свои музеи, свою поэзию и свои империи и источник которого заключен, быть может, в наших генах как сохраненная сиюминутностью биологическая ностальгия и память о вечном потоке времени и жизни, от которого оторвалась. Так я и познакомился с абсолютом, отчего в моей душе, конечно, до конца дней останется глубокий болезненный след, словно от разлуки. Мне было всего девять лет, я и не догадывался, что впервые ощутил хватку того, что тридцать с лишним лет спустя назову «корнями неба» в романе с тем же названием. Абсолют вдруг явил мне свое недостижимое присутствие, и, уже почувствовав эту повелительную жажду, я не знал, из какого источника ее утолить. Именно в тот день, конечно, я родился как художник, пережив эту возвышенную неудачу, которой всегда является искусство, хотя человек, вечно склонный плутовать сам с собой, и пытается выдать за ответ то, что обречено оставаться трагическим вопросом.

Мне кажется, что я все еще там, сижу в своих коротких штанишках среди крапивы, с магической бутылкой в руке. Я почти панически напрягал воображение, поскольку уже предчувствовал, что отпущенное мне время строго сочтено, но не находил ничего, что было бы под стать моей странной потребности, ничего, что было бы достойно моей матери, моей любви, всего того, что я хотел бы ей дать. Меня только что посетило стремление к шедевру, и ему уже не суждено было меня покинуть. Мало-помалу губы у меня задрожали, лицо раздосадованно скривилось, и я заревел — от гнева, страха и удивления.

С тех пор я свыкся с этой мыслью и, вместо того чтобы реветь, пишу книги.

Впрочем, порой мне случается желать чего-то конкретного и вполне земного, но, поскольку у меня в любом случае нет больше бутылки, не стоит об этом даже говорить.

Я закопал свой талисман в сарае и положил сверху цилиндр, чтобы приметить место, но мной овладело своего рода разочарование, и я никогда не пытался его оттуда достать.

Глава XVI

Однако обстоятельства сложились так, что нам с матерью вскоре понадобились все магические силы, какие можно было найти вокруг нас.

Прежде всего, я заболел. Едва отступила скарлатина, как ее сменил нефрит, и медицинские светила, сбежавшиеся к моему изголовью, объявили меня безнадежным. За время моей жизни меня не раз объявляли безнадежным, а как-то раз даже, отсоборовав, дошли до того, что выставили почетный караул у моего тела — в парадных мундирах, при кортиках и в белых перчатках.

Приходя в сознание, я чувствовал себя очень неловко.

У меня остро развито чувство ответственности, и мысль о том, что я оставлю свою мать в этом мире одну, без всякой поддержки, была мне нестерпима. Я знал обо всем, чего она ожидала от меня, и, лежа пластом, исходя черной кровавой рвотой, думал о том, что увиливаю от своего долга, и это терзало меня еще сильнее, чем пораженная болезнью почка. Мне шел уже десятый год, и я мучительно сознавал, что я всего лишь неудачник. Я не стал Яшей Хейфецем, не стал послом, у меня ни слуха, ни голоса, и вдобавок вот-вот по-дурацки умру, не познав ни малейшего успеха у женщин и даже не став французом. Еще и сегодня я содрогаюсь при мысли, что мог тогда умереть, не выиграв чемпионат по пинг-понгу в Ницце в 1932 году.

Думаю, что именно отказ увиливать от своих обязательств по отношению к матери сыграл значительную роль в моей борьбе за выживание. Всякий раз, видя склоненное надо мной исстрадавшееся, постаревшее, осунувшееся лицо, я силился улыбнуться и сказать что-нибудь связное, чтобы показать, что я еще держусь и все не так уж плохо.

Я старался как мог. Призывал на помощь д'Артаньяна и Арсена Люпена, говорил с врачом по-французски, бормотал басни Лафонтена и, с воображаемой шпагой в руке, прорубался вперед — бей,

руби, коли! — как меня учил поручик Свердловский. Поручик Свердловский и сам пришел меня
навестить и долго сидел у изголовья, положив на
мою ладонь свою огромную ручищу и яростно кру-
тя усы; и это военное присутствие чувствительно
ободрило меня в борьбе. Я пытался поднять руку
с пистолетом и прицелиться, напевал «Марсельезу» и довольно точно называл дату рождения Ко-
роля-Солнца, побеждал в конных состязаниях и даже имел наглость увидеть себя на сцене, в бархатном костюме с огромным белым шелковым жабо
под подбородком, играющим на скрипке перед восхищенной публикой, в то время как моя мать, плача от благодарности в своей ложе, принимала цветы. С моноклем в глазу и с цилиндром на голове,
хотя, признаюсь, не без помощи Рультабия, я спа-
сал Францию от дьявольских козней кайзера, потом
тотчас же устремлялся в Лондон, выручать драгоценности королевы, и поспевал как раз вовремя,
чтобы спеть «Бориса Годунова» в виленской опере.

Все знают историю про подопытного хамелеона.
Его пускают на зеленый коврик, он становится зеленым. Пускают на красный, он становится красным. Пускают на белый — становится белым. На
желтый — становится желтым. Тогда его пускают
на коврик из шотландки — и бедняга хамелеон взры-
вается. Я хоть и не взорвался, но все ж таки серьезно заболел.

Тем не менее я храбро дрался, как подобает французу, и выиграл сражение.

Я в своей жизни выиграл много сражений, но
далеко не сразу уразумел, что можно выигрывать
сколько угодно битв, но нельзя выиграть войну. Чтобы человек однажды смог добиться этого, нам нужна посторонняя помощь, а ее что то пока не видно
на горизонте.

105

Так что могу сказать: я дрался согласно лучшим традициям своей страны, совершенно самоотверженно, не думая о себе, но единственно ради спасения вдовы и сироты.

Хотя я чуть не умер, оставив другим заботу представлять Францию за границей.

Самое тягостное мое воспоминание относится к тому моменту, когда под надзором трех врачей я был завернут в ледяное одеяло — маленький опыт, которому мне пришлось подвергнуться снова в Дамаске в 1941 году, когда я умирал от кишечного кровотечения, вызванного каким-то особо гнусным тифом, и медики, объединившись, решили, что вполне можно доставить мне это удовольствие еще разок.

Поскольку этот занимательный опыт не дал никаких результатов, было единогласно решено «вскрыть» мою почку, что бы это ни значило. Но тут реакция моей матери оказалась достойна всего того, чего она сама от меня ожидала. Она отказалась от операции. Воспротивилась этому категорически и яростно, несмотря на мнение крупного немецкого специалиста по почкам, которого за немалую плату пригласила из самого Берлина. Я узнал потом, что в ее представлении имелась непосредственная связь между почками и сексуальной активностью. И напрасно врачи ей растолковывали, что вполне можно подвергнуться операции и вести потом нормальную сексуальную жизнь, я уверен, что именно слово «нормальная» вконец ее доконало и укрепило в принятом решении. «Нормальная» сексуальная активность была вовсе не тем, что она мне прочила. Бедная мама! У меня нет ощущения, что я был хорошим сыном.

Но почка осталась при мне, а немецкий специалист сел в обратный поезд, приговорив меня к неминуемой смерти. Я все-таки не умер, вопреки всем немецким специалистам, с которыми впоследствии имел дело.

Почка выздоровела. Как только жар сошел на нет, меня положили на носилки и доставили в отдельном купе в Бордигеру, в Италию, где предоставили щедрым заботам солнца и Средиземного моря.

Первая встреча с морем произвела на меня потрясающее впечатление. Я мирно спал на полке, когда почувствовал на лице дуновение какой-то душистой свежести. Поезд только что остановился в Алассио, и мать открыла окно. Я приподнялся на локтях, и мать с улыбкой проследила мой взгляд. Я выглянул наружу и вдруг ясно понял, что *приехал*. Увидел синее море, галечный пляж и рыбачьи лодки, лежащие на боку. Я смотрел на море. И что-то во мне произошло. Не знаю, что именно: нахлынуло какое-то беспредельное спокойствие, впечатление, что я вернулся. Море с тех пор навсегда стало моей простой, но вполне достаточной метафизикой. Я не умею говорить о море. Знаю только, что оно разом избавляет меня от всех моих обязательств. Всякий раз, глядя на него, я становлюсь блаженным утопающим.

Пока я выздоравливал под лимонными деревьями и мимозами Бордигеры, моя мать быстренько съездила в Ниццу. Она задумала продать свой виленский дом мод и открыть другой, в Ницце. Практическое чутье все же подсказывало ей, что у меня весьма мало шансов стать французским посланником, оставаясь в маленьком городке Восточной Польши.

Но когда шесть недель спустя мы вернулись в Вильно, стало очевидно, что «Дом Высокой Парижской Моды» — *Новый Дом* — нельзя уже не только продать, но даже спасти. Моя болезнь нас разорила. На протяжении двух-трех месяцев ко мне приглашали лучших специалистов Европы, и теперь мать была по уши в долгах. Еще перед моей болезнью, хотя ее фирма, бесспорно, целых два года была первой в городе, ее торговый оборот был далеко не так блестящ, как престиж, а наш образ жизни обгонял доходы; предприятие существовало лишь в инфернальном кругу переводных векселей, и это русское слово *вексель* я слышал постоянно, словно какой-то припев. Стоит упомянуть и необычайные причуды моей матери, когда речь шла обо мне, удивительную команду преподавателей, которыми я был окружен, и особенно ее решимость поддерживать, чего бы это ни стоило, видимость процветания, не позволять распространяться слухам, что дело хиреет, поскольку при капризном снобизме, который толкает клиентуру отдавать свое предпочтение тому или иному дому мод, успех играет главную роль: при малейшем признаке материальных затруднений эти дамы надувают губки и обращаются в другое место или стараются сбивать цену все ниже и ниже, тем самым ускоряя окончательное падение. Моя мать прекрасно это знала и боролась до самого конца, сохраняя видимость успеха. Она умела восхитительно создавать перед заказчицами впечатление, что их всего лишь «допускают» или даже «терпят», но что *на самом-то деле* в них не нуждаются, что им оказывают милость, принимая от них заказы. Эти дамы оспаривали друг у друга ее внимание, но цены — никогда, трепетали при мысли, что новое платье может оказаться не готово к какому-нибудь балу, премьере, празднеству, — и это при том, что каждый месяц матери приставляли нож к горлу со сроками платежей, и приходилось занимать деньги у ростовщиков, и подписывать новые переводные векселя, чтобы погасить предыдущие, в то время как надо было заниматься текущей модой и не позволять себе отстать от конкурентов, ломать комедию перед покупательницами, делать бесконечные примерки, никогда не подавая вида своей распрекрасной клиентуре, что вы в ее власти, и сопровождать «купить — не купить?» этих дам снисходительной улыбкой, не позволяя им догадаться, что исход этого вальса-качания для вас вопрос жизни и смерти.

Я часто видел, как мать, выйдя из салона во время какой-нибудь особенно капризной примерки, заходила в мою комнату, садилась напротив и молча смотрела на меня с улыбкой, словно набираясь сил из источника своего мужества и жизни. Она ничего мне не говорила, выкуривала сигарету, вставала и снова шла в бой.

Так что нечего удивляться, что моя болезнь и два месяца отсутствия, когда дело было оставлено на Анелино попечение, нанесли «Новому Дому» последний удар, от которого он уже не оправился. Вскоре после нашего возвращения в Вильно, после отчаянных усилий снять с мели предприятие, битва была проиграна окончательно и нас объявили банкротами — к радости конкурентов. Имущество описали, и я помню, как один жирный, плешивый поляк с тараканьими усами сновал туда-сюда по салону с портфелем под мышкой и двумя своими приспешниками, сошедшими, казалось, с гоголевских страниц; они долго ощупывали платья в шкафах, кресла, оглаживали швейные машинки, ткани и плетеные манекены. Мать все-таки сумела заранее утаить от кредиторов и оценщиков свое драгоценное сокровище — полный набор старинного императорского столового серебра, вывезенный из России, редкие коллекционные вещи весьма значительной, по ее словам, стоимости; она всегда отказывалась притронуться к этому кладу, поскольку он был в некотором роде залогом моего будущего; ведь надо было обеспечить на многие годы вперед нашу жизнь во Франции, когда мы наконец соберемся обосноваться там, чтобы я мог «вырасти, выучиться, кем-нибудь стать».

Впервые с тех пор, как я у нее появился, моя мать проявила признаки отчаяния и обратила ко мне свою побежденную и обезоруженную женственность, прося помощи и защиты. Мне тогда было уже около десяти, так что я вполне был готов взять на себя эту роль. Я понял, что мой первый долг — показать себя невозмутимым, спокойным, сильным, уверенным в себе, мужественным и отрешенным. Пора проявить себя настоящим *кавалером,* к чему поручик Свердловский так тщательно меня готовил. Судебные исполнители захватили мой хлыстик и брюки-галифе для верховой езды, поэтому пришлось противостоять им в коротких штанишках и с голыми руками. Я надменно прохаживался у них под носом по пустеющей квартире, из которой постепенно исчезали привычные вещи, вставал столбом перед шкафом или комодом, который поднимали, чтобы вынести, эти бессовестные держиморды, засовывал руки в карманы, выпячивал живот и презрительно насвистывал, насмешливо наблюдая их неуклюжие потуги, вызывающе мерил взглядом, как настоящий удалец, твердый как скала, способный позаботиться о своей матери и плюнуть на кого угодно при малейшей провокации. Это представление предназначалось вовсе не приставам, но моей матери, чтобы она поняла, что незачем предаваться мрачным думам, что она под надежной защитой и что я верну ей все это сторицей — и ковер, и консоль в стиле Людовика XVI, и люстру, и трюмо красного дерева. Похоже, мать приободрилась, сидя в последнем оставшемся кресле и следя за мной восхищенным взглядом. Когда забрали ко-вер, я стал насвистывать танго и на оголившемся паркете исполнил с воображаемой партнершей не-сколько па этого затейливого танца, которому меня обучила мадемуазель Глэдис. Я скользил по парке-ту, крепко обнимая талию своей незримой партнер-ши, насвистывая «Танго Милонга, танго моих див-ных грез», а мать, с сигаретой в руке, покачивала головой из стороны в сторону и отбивала такт, а когда пришлось покинуть кресло, уступая его груз-чикам, она сделала это почти весело и не сводя с меня глаз, а я тем временем продолжал выписывать мудреные фигуры на запыленном паркете, демон-стрируя, что я-то все еще здесь, стало быть, ее са-мое главное сокровище уцелело.

Потом мы долго совещались вполголоса, стоя в опустевшем салоне, — решали, что делать дальше и куда податься. Мы говорили по-французски, чтобы нас не поняли мерзавцы, снимавшие люстру с по-толка.

И речи не могло идти о том, чтобы остаться в Вильно, где лучшие заказчицы моей матери, те, что некогда обхаживали ее и умоляли обслужить их в первую очередь, теперь задирали нос и отворачи-вались при встрече на улице — поведение тем бо-лее удобное и понятное, что они частенько остава-лись нам должны деньги: это позволяло им в итоге одним выстрелом убить двух зайцев.

Уже не помню имен этих благородных созданий, но надеюсь, что они не успели спасти свои шкуры от коммунистического режима и он хоть немного на-учил их гуманности. Я не злопамятен и большего не прошу.

Мне случается иногда заходить в крупные сало-ны парижской моды, садиться в уголке и смотреть на проход манекенщиц, демонстрирующих модели;

все мои друзья полагают, что я таскаюсь в эти приятные места как зевака, потакающий своему грешку — глазеть на хорошеньких девушек. Они ошибаются.

Я хожу туда как паломник, чтобы вспоминать о директрисе «Нового Дома».

Чтобы перебраться на жительство в Ниццу, нам не хватало денег, а мать наотрез отказывалась продать драгоценное серебро, на котором зиждилась моя будущность. Так что с несколькими сотнями злотых, которые удалось спасти от катастрофы, мы решили для начала переехать в Варшаву, что всетаки было шагом в верном направлении. У моей матери там оставались родственники и друзья, но главный довод она приберегала напоследок.

— В Варшаве есть французский лицей, — объявила она мне, удовлетворенно засопев носом.

Спорить было больше не о чем. Оставалось только упаковать чемоданы, хотя это всего лишь так говорится, поскольку чемоданы тоже были описаны, поэтому, прихватив спасенное серебро, мы увязали прочие пожитки в узел, в соответствии с лучшими традициями.

Анеля с нами не поехала. Она перебралась к своему жениху, железнодорожнику, обитавшему в вагоне без колес рядом с вокзалом; там-то мы ее и оставили после душераздирающей сцены, когда мы исступленно рыдали, бросаясь друг другу в объятия, уходили и вновь возвращались, чтобы поцеловаться еще разок; с тех пор я никогда уже так не ревел.

Я не раз пытался разузнать что-нибудь о ней, но вагон без колес — не слишком надежный адрес в мире, где все перевернулось вверх дном. Я бы очень хотел ее успокоить, сказать ей, что сумел-таки не подхватить чахотку, чего она больше всего опасалась. Это была миловидная молодая женщина с пышным телом, с большими темными глазами, с длинными черными волосами, но с тех пор минуло уже тридцать три года.

Мы покинули Вильно без сожаления. Я увозил в своем узелке басни Лафонтена, томик Арсена Люпена и «Жизнь прославленных французов». Анеле удалось спасти от катастрофы черкеску, в которую я был когда-то наряжен на костюмированном балу, — ее я тоже взял с собой. Она стала слишком мала, и с тех пор мне уже никогда не доводилось надевать черкеску.

Глава XVII

В Варшаве, где мы жили в меблированных комнатах, нам пришлось туго. Кто-то из-за границы пришел на помощь моей матери, посылая крайне нерегулярно кое-какие деньги, на которые мы и смогли существовать. Я ходил в школу, куда каждое утро к десятичасовой перемене мать приносила мне горячий шоколад в термосе и тартинки с маслом. Чем она только не занималась, чтобы удержать нас на плаву! Была комиссионером у ювелиров, покупала и перепродавала меха и антиквариат и первой, полагаю, додумалась до одной идейки, приносившей скромный доход: давала объявления, что скупает зубы, которые, за неимением другого определения, могу обозначить лишь как «поношенные»; в них попадались пломбы из золота или платины, и моя мать с выгодой их перепродавала. Она изучала зубы в лупу, окунала в особую кислоту, чтобы удостовериться, что действительно речь идет о благородном металле. А еще заведовала содержанием зданий, была агентом по размещению рекламных объявлсший и брала на себя тысячи других хлопот, которые сегодня уже не упомню; но каждое утро в десять часов была у школы с термосом шоколада и намасленными тартинками.

Тем не менее в Варшаве нам опять пришлось пережить мучительную неудачу: я не смог поступить во французский лицей. Обучение там стоило дорого и превосходило наши средства. Так что я в течение двух лет ходил в польскую школу и еще сегодня бегло говорю и пишу по-польски. Это очень красивый язык. Мицкевич остается одним из моих любимых поэтов, и я очень люблю Польшу — как все французы.

Пять раз в неделю я ездил на трамвае к одному замечательному человеку по имени Люсьен Дьелеве-Колек, который преподавал мне мой родной, то есть французский язык.

Здесь я должен сделать небольшое признание. Я довольно редко лгу, поскольку чувствую во лжи сладковатый привкус бессилия: она только отдаляет меня от цели. Но когда меня спрашивают, где я учился в Варшаве, я всегда отвечаю: во французском лицее. Это вопрос принципа. Моя мать сделала все что могла, и я не вижу, с какой стати мне лишать ее плода тяжких трудов.

Все же не думайте, что я оставался в стороне от этой борьбы, не пытаясь прийти ей на помощь. После стольких неудач в разных областях мне казалось, что я наконец-то нашел свое подлинное призвание. Я начал жонглировать еще в Вильно, во времена Валентины и ради ее прекрасных глаз. И с тех пор не оставлял усилий, думая в основном о своей матери и желая заслужить ее прощение за отсутствие иных талантов. В школьных коридорах, на глазах у своих восхищенных товарищей, я теперь жонглировал пятью-шестью апельсинами, и где-то в глубине души лелеял безумную амбицию дойти до семи, а быть может, и до восьми, как великий Растелли, и даже, как знать, до девяти, чтобы стать в итоге величайшим жонглером всех времен. Моя мать была этого достойна, и я все свои досуги посвящал тренировкам.

Я жонглировал апельсинами, тарелками, бутылками, щетками, всем, что попадало под руку; моя тяга к искусству, к совершенству, мое стремление к чудесному и исключительному подвигу, короче, моя жажда мастерства находила в этом скромное, но усердное воплощение. Я чувствовал, что приближаюсь к некоей дивной области, которой всем сердцем надеялся достичь: области, где сбывается невозможное. Это был мой первый сознательный опыт творческого самовыражения, мое первое предчувствие возможного совершенства, и я бросился в него очертя голову. Я жонглировал в школе, на улицах, поднимаясь по лестнице, входил, жонглируя, в нашу комнату и вставал перед матерью с шестью апельсинами, порхающими в воздухе, без передышки подбрасывая и подхватывая их на лету. К несчастью, и тут, когда я уже думал, что блестящая судьба мне обеспечена и что моя мать будет жить в роскоши благодаря моему таланту, передо мной встал грубый факт: мне никак не удавалось пойти дальше шестого мяча. Хотя я старался, одному Богу ведомо, как я старался. Мне в то время случалось жонглировать по семь, по восемь часов в день. Я смутно чувствовал, что ставка высока, даже слишком, что на кону вся моя жизнь, все мои мечты, вся глубина моей натуры, что речь идет как раз обо всем возможном или невозможном совершенстве. Но сколько бы я ни тратил усилий, седьмой мяч мне так и не давался. Шедевр оставался недостижимым — вечно ждущим осуществления, вечно предчувствуемым, но всегда вне досягаемости. Совершенство все время ускользало. Я напрягал всю свою волю, призывал всю свою ловкость, все свое проворство, подброшенные в воздух мячи точно следовали один за другим, но стоило подбросить седьмой мяч, и все построение рушилось, а я замирал, подавленный, потрясенный, не в силах ни смириться, ни отказаться. Я начинал все сызнова. Но последний мяч так навсегда и остался недоступным. Никогда, никогда моей руке не удавалось его ухватить. Я пытался всю свою жизнь. И лишь на подступах к сорока годам, после долгих блужданий среди шедевров истина мало-помалу открылась мне и я понял, что последний мяч не существует.

Это печальная истина, и не надо открывать ее детям. Вот почему эта книга не для всех.

Я уже не удивляюсь сегодня, что Паганини случалось швырять свою скрипку и долгие годы не касаться ее, вглядываясь в пустоту. Я не удивляюсь — *он знал*.

Когда я вижу Мальро, самого великого из всех нас, жонглирующего своими мячиками, как немногие жонглировали до него, мое сердце сжимается перед трагедией, что начертана на его челе среди самых блестящих его подвигов: последний мячик для него недостижим, и все его творчество исполнено этой тревожной уверенности.

Пора, впрочем, сказать правду и о деле Фауста. Все бесстыдно лгали о нем, а Гёте — лучше и гениальнее других, чтобы напустить побольше тумана и утаить суровую правду. Хотя, конечно, не надо бы мне этого говорить, ибо если я чего и не люблю, так это отнимать надежду у людей. Но, в конце концов, подлинная трагедия Фауста не в том, что он продал душу дьяволу. Подлинная трагедия в том, что нет никакого дьявола, чтобы купить вашу душу. Никто на нее не зарится. Никто не поможет вам поймать последний мячик, какую бы цену вы за это ни назначили. Найдется целая куча всякого жулья, заявляющего, что они, дескать, готовы, и я не утверждаю, что с ними нельзя сторговаться с некоторой выгодой для себя. Можно. Они сулят вам успех, деньги, преклонение толпы. Но все это — дешевка, а когда тебя зовут Микеланджело, Гойя, Моцарт, Толстой, Достоевский или Мальро, приходится умирать с чувством, что делал сплошь халтуру.

Высказав это, я, разумеется, продолжаю свои тренировки.

Мне еще случается выйти из своего дома на холме, и там, над заливом в Сан-Франциско, на виду у всех, средь бела дня, жонглировать тремя апельсинами — это все, на что я сегодня способен.

Это не вызов. Это просто утверждение собственного достоинства.

Я видел, как великий Растелли, стоя одной ногой на горлышке бутылки, с тростью на носу, с мячом на трости, со стаканом воды на мяче, крутил два обруча другой ногой и при этом жонглировал семью шариками.

Думаю, что видел тогда миг наивысшего и бесспорного мастерства, миг полной победы человека над своей судьбой, но Растелли умер через несколько месяцев от отчаяния, после того как покинул арену, так и не сумев поймать восьмой мячик — последний, единственный, который был для него важен.

Думаю, что если бы я мог склониться над его смертным ложем, он бы мне наверняка поведал обо всем, а поскольку мне тогда было всего шестнадцать лет, это, возможно, уберегло бы мою жизнь от напрасных усилий и провалов.

Меня бы огорчило, если бы вы заключили из всего вышесказанного, что я не был счастлив. Это была бы крайне досадная ошибка. Я знавал, да и все еще познаю в своей жизни моменты небывалого счастья. С самого детства, например, я всегда любил соленые огурцы, не корнишоны, а настоящие огурцы, несравненные и единственные, которые только и называются по-русски огурцами. Я добывал их всегда и повсюду. Часто я покупаю себе фунт, устраиваюсь где-нибудь на солнышке, на морском берегу или где угодно, на тротуаре или скамейке, кусаю свой огурец, и вот — я совершенно счастлив. Я сижу там, на солнышке, с умиротворенным сердцем, дружелюбно поглядывая на вещи и на людей, и знаю, что жить все-таки стоит, что счастье доступно, что достаточно всего лишь найти свое глубинное призвание и предаться тому, что любишь, с полной самоотдачей.

Мать растроганно и признательно наблюдала за моими потугами помочь ей. Возвращаясь домой с каким-нибудь вытертым ковром или подержанной лампой под мышкой, которые предполагала перепродать, и обнаружив меня в комнате, жонглирующим мячиками, она не ошибалась насчет причин моего усердия. Садилась, глядела, как я работаю, и заявляла:

— Ты будешь великим артистом! Это тебе мать говорит.

Ее пророчество чуть не сбылось. Наш класс устраивал в школе театральную постановку, и после жесткого отбора главная роль в драматической поэме Мицкевича «Конрад Валленрод» досталась мне, несмотря на сильный русский акцент, с которым я говорил по-польски. И в этом отборе я победил не случайно.

Каждый вечер, закончив свою беготню по делам и приготовив ужин, мать в течение часа или двух заставляла меня зубрить роль. Она выучила ее наизусть и для начала сыграла ее сама, чтобы настроить меня как следует. В этой декламации она показала все, на что способна, после чего предложила мне повторить текст, подражая ее жестам, позам и интонациям. Роль была такая драматическая, что дальше некуда, поэтому часов около одиннадцати вечера измученные соседи начинали сердиться и требовать тишины. Моя мать не отличалась особой покладистостью, так что в коридорах стали разыгрываться незабываемые сцены, в которых, под впечатлением от благородной трагической поэмы великого поэта, она превосходила самое себя в гневных обличениях, бросании вызова и пламенных тирадах. Результат не заставил себя ждать, и за несколько дней до представления нас попросили убраться восвояси вместе с нашей декламацией. Мы перебрались жить к какой-то родственнице матери, в квартиру, занятую адвокатом и его сестрой, дантисткой: спали мы сначала в приемной, потом в кабинете, и каждое утро приходилось освобождать место до прихода клиентов и пациентов.

Представление наконец состоялось, и я стяжал в тот вечер свой первый сценический успех. После спектакля моя мать, еще взволнованная рукоплесканиями, даже не осушив слезы на лице, повела меня в кондитерскую кормить пирожными. Она тогда еще не избавилась от привычки держать меня за руку, когда мы шли по улице, а поскольку мне было уже одиннадцать с половиной, я страшно этого стеснялся и всегда старался вежливо высвободить руку под каким-нибудь благовидным предлогом, а затем «забывал» подать ее снова. Но мать все равно опять ею завладевала и крепко держала в своей.

Соседние с Познанской улицы ближе к вечеру кишели проститутками. Их собирались целые тучи, особенно на Хмельной улице, и мы с матерью были для этих славных девиц привычным зрелищем. Когда мы проходили через их строй, держась за руки, они всегда почтительно расступались, с похвалой отзываясь о моей приятной наружности. Если же я проходил один, частенько меня останавливали, задавали вопросы о моей матери, спрашивали, почему она не выходит снова замуж, угощали конфетами, а одна из них, рыжая коротышка с ногами колесом, всегда чмокала меня в щеку, после чего, попросив у меня же платок, тщательно ее вытирала. Не знаю, как новость, что я играю главную роль в нашем школьном спектакле, распространилась по панели, но подозреваю в этом мою мать, без нее тут явно не обошлось, во всяком случае, по дороге в кондитерскую нас окружили девицы и с беспокойством забросали вопросами об оказанном мне приеме. Мать отвечала напрямик, без ложной скромности, и в течение последующих дней всякий раз, как я проходил по Хмельной улице, на меня обрушивался дождь подарков. Мне дарили маленькие крестики и медальки с изображением святых, четки, перочинные ножики, плитки шоколада и статуэтки Пресвятой Девы. Кроме того, меня неоднократно затаскивали в соседнюю колбасную лавочку, где я под их восхищенными взорами обжирался солеными огурцами.

Когда мы оказались наконец в кондитерской и я уже начал слегка отдуваться после пятого пирожного, мать вкратце изложила свои планы на будущее. Наконец-то у нас есть что-то конкретное: талант очевиден, путь ясен, остается лишь следовать им. Я стану великим актером, заставлю женщин страдать, заведу себе громадную желтую открытую машину, заключу контракт с киностудией УФА. На сей раз вот оно — здесь, в наших руках, сбылось-таки. Еще одно пирожное для меня, стакан чаю для матери: она выпивала, наверное, от пятнадцати до двадцати стаканов за день. Я ее слушал, но — как бы это сказать — слушал осмотрительно. Должен сказать без хвастовства, что голову я не потерял. Мне было всего одиннадцать с половиной, но я уже решил, что стану в нашей семье наиболее уравновешенной, умеренной — французской ее частью. Пока единственной конкретной вещью, которую я во всем этом видел, были пирожные на подносе, из которых я ни одно не упустил. И правильно сделал, потому что моя великая театрально-кинематографическая карьера так и не осуществилась. Однако не грех было попытаться. Несколько месяцев подряд мать безостановочно рассылала мое фото всем директорам варшавских театров, а также обращалась в Берлин, на УФА, с длинным описанием великого драматического триумфа, который я стяжал, играя главную роль в «Конраде Валленроде». Она добилась для меня даже прослушивания в кабинете у директора «Польского театра», элегантного и учтивого господина, который вежливо слушал, пока я, выставив ногу вперед и воздев руку на манер Руже де Лиля, поющего «Марсельезу», энергично декламировал с сильным русским акцентом бессмертные стихи польского барда. Трусил я ужасно и, пытаясь это скрыть, еще громче вопил; в кабинете были еще какие-то люди, и все, казалось, смотрели на меня довольно оторопело, и в этой обстановке, которой, признаться, недоставало теплоты, я, наверное, несколько утратил контроль над своим талантом, потому что баснословный контракт мне так и не был предложен. Все же меня дослушали до конца, и когда, проглотив яд, как того требовала роль, я упал к их ногам, агонизируя в жутких судорогах, в то время как моя мать обводила присутствовавших торжествующим взглядом, директор помог мне подняться, удостоверился, что я ничего себе не повредил, и вдруг исчез столь стремительно, что я до сих пор мучаюсь вопросом, как это ему удалось и куда он делся.

Я вышел на сцену лишь шестнадцать лет спустя, перед совсем другой публикой, где самым интересным зрителем был генерал де Голль. Это случилось в самом сердце экваториальной Африки, в Банги, в Убанги-Шари, в 1941 году. Я уже пробыл там некоторое время вместе с двумя другими экипажами моей эскадрильи, когда нам объявили о прибытии генерала де Голля, проводившего инспекционную поездку.

Мы решили почтить главу Свободной Франции театральным представлением и немедленно взялись за дело. Тотчас же, чтобы позабавить нашего прославленного гостя, была сочинена чрезвычайно остроумная, по мнению ее авторов, пьеска. Текст был очень веселый и легкий, искрящийся остроумием и хорошим настроением, поскольку 1941 год был порой больших военных потерь, и мы были полны твердой решимости продемонстрировать нашему командиру свой непоколебимый боевой дух и бешеный задор.

Свое первое представление мы дали еще до прибытия Генерала, чтобы обкатать спектакль, и снискали весьма ободряющий успех. Публика неистово рукоплескала, и, хотя порой с дерева срывалось и падало на голову зрителям какое-нибудь манго, все прошло по-настоящему очень хорошо.

Генерал прибыл на следующее утро, а вечером присутствовал на представлении вместе с военачальниками и важными политическими лицами из своего окружения.

Это была полная катастрофа — с тех пор я поклялся никогда, никогда не играть комедий и не распевать песенок перед генералом де Голлем, какие бы драматические события ни переживала моя страна. Франция может потребовать от меня чего угодно, но только не этого.

Я признаю, что разыгрывать фривольные сценки перед тем, кто в одиночку встретил натиск бури, чьи воля и мужество поддержали столько дрогнувших сердец, было не самым удачным из того, на что годилась наша молодость. Но я никогда и помыслить не мог, что один-единственный зритель, корректный и молчаливый, может вогнать и актеров, и всю заполнившую зал публику в состояние такой серьезности.

Генерал де Голль, в белом мундире, очень прямой, сидел в первом ряду, скрестив руки, с фуражкой на коленях.

В продолжение всего спектакля он не пошевелился, не вздрогнул, ни как-либо еще проявил свою реакцию.

Помню, правда, что в некий момент, когда я задирал ногу как можно выше, пытаясь изобразить френч-канкан, в то время как другой актер восклицал: «Я рогоносец! Рогоносец!», поскольку того требовала его роль, мне показалось, будто я заметил, скосив глаза, что усы на лице главы Свободной Франции чуть дрогнули. Но, может, я ошибся. Он сидел очень прямой, скрестив руки, и пристально смотрел на нас с каким-то неумолимым вниманием.

И взирало око из зала на Каина.

Но еще более удивительным было поведение двух сотен зрителей. Хотя накануне весь зал смеялся, рукоплескал и веселился вовсю, на этот раз ни одного смешка не долетело к нам из публики.

Однако Генерал сидел в первом ряду, и зрители никак не могли видеть выражение его лица. Тем, кто утверждает, что генерал де Голль не умеет устанавливать контакт с массами и заражать их своими чувствами, я предлагаю поразмыслить над этим примером.

Вскоре после войны Луи Жуве ставил «Дон Жуана». Я присутствовал на репетициях. Во время сцены, где статуя Командора является на свидание с греховодником, чтобы увлечь того в ад, меня вдруг посетило удивительное ощущение, будто я это уже где-то видел и даже сам пережил, и тут вспомнил Банги, 1941 год и пристальный, неотступный взгляд генерала де Голля.

Надеюсь, он меня простил.

Глава XVIII

Таким образом, мой театральный триумф в «Конраде Валленроде» оказался мимолетным и не разрешил ни одной из наших материальных проблем, от которых отбивалась моя мать. У нас больше не было ни гроша. Мать целыми днями рыскала по городу в поисках заработка и возвращалась совершенно измученная. Но я по-прежнему не голодал и не холодал, а она никогда не жаловалась.

Опять-таки, не надо думать, будто я ничего не делал, чтобы помочь ей. Наоборот, я из кожи лез, только бы как-то ее поддержать. Я писал стихи и читал ей вслух: этим творениям предстояло принести нам славу, богатство и преклонение толпы. Я работал по пять, по шесть часов в день, оттачивая свои вирши, и исписывал целые тетрадки стансами, александрийскими стихами и сонетами. Начал даже сочинять пятиактную трагедию с прологом и эпилогом, озаглавленную «Альцимена». Всякий раз, как моя мать возвращалась из своей беготни по городу и присаживалась на стул — на ее лице уже появились первые признаки старости, — я читал ей свои бессмертные строфы, которым надлежало повергнуть мир к ее ногам. Она всегда внимательно слушала. И мало-помалу ее взгляд прояснялся, следы усталости исчезали с лица, и она восклицала с абсолютной убежденностью:

— Лорд Байрон! Пушкин! Виктор Гюго!

Я упражнялся также в греко-римской борьбе, надеясь выиграть когда-нибудь чемпионат мира, и стал довольно быстро известен в школе под прозвищем «Джентльмен Джим». Я был там далеко не самым сильным, но лучше любого другого умел принимать благородные и элегантные позы, создавая впечатление спокойной силы и достоинства. У меня был стиль. Я почти всегда оказывался побежденным.

Господин Дьелеве-Колек с большим вниманием отнесся к моему поэтическому творчеству, поскольку, само собой разумеется, писал я не по-русски и не по-польски. Мы были в Варшаве всего лишь проездом, родина ждала меня, поэтому и речи быть не могло, чтобы уклониться с пути. Я всегда восхищался Пушкиным, писавшим по-русски, и Мицкевичем, писавшим по-польски, но никак не мог взять в толк, почему они сочиняли свои шедевры не по-французски. Ведь оба получили хорошее образование и знали наш язык. Этот недостаток патриотизма мне трудно было как-то себе объяснить.

Я никогда не скрывал от своих польских одноклассников, что мы тут всего лишь проездом и весьма рассчитываем вернуться домой при первой же возможности. Эта упрямая наивность не облегчала мне жизнь в школе. На переменах, когда я прохаживался по коридорам со значительным видом, вокруг меня порой собиралась стайка учеников. Они серьезно изучали меня. Потом один из них делал шаг вперед и, обращаясь ко мне в третьем лице,

как это принято по-польски, почтительно осведом-
лялся:

— Похоже, товарищ опять отложил свой отъезд
во Францию?

Я шагал дальше, не останавливаясь.

— Не стоит приезжать посреди учебного года, —
объяснял я им. — Надо приезжать в начале.

Товарищ одобрительно кивал. Потом замечал:

— Надеюсь, товарищ предупредил, чтобы там
не беспокоились?

Они подталкивали друг друга локтями, и я прекрасно чувствовал, что надо мной насмехаются, но
был выше их оскорблений. Моя мечта была мне
куда важнее, чем собственное самолюбие, и хотя
игра, в которую они меня втягивали, выставляла
меня на посмешище, она помогала мне питать надежду и иллюзии. Так что я крепился и спокойно
отвечал на все вопросы, которые они мне задавали.
Как я полагаю, во Франции трудно учиться? Да,
очень трудно, гораздо труднее, чем *здесь*. Там много занимаются спортом, и я рассчитываю уделить
совершенно особое внимание фехтованию и греко-
римской борьбе. А форма в тамошних лицеях обязательна? Да, обязательна. И какая она? Ну, она
синяя с золотыми пуговицами и небесно-голубой
фуражкой, а по воскресеньям надевают красные штаны и крепят к фуражке белое перо. А саблю там
носят? Только по воскресеньям и в выпускном классе. А занятия начинают с «Марсельезы»? Да, разумеется, «Марсельезу» там поют каждое утро. А не
мог бы я спеть? Бог меня прости, я выставлял ногу
вперед, возлагал руку на сердце и, потрясая кулаком, пламенно пел свой национальный гимн. Да, я,
как говорят, «покупался», но все же не был обманут — я прекрасно видел довольные лица, испод-
тишка прыскающие со смеху, но мне это было до

странности все равно, я стоял среди этих «банде-рильерос» совершенно безразличный и, чувствуя у себя за спиной великую страну, не боялся ни сарказмов, ни насмешек. Эти забавы могли бы продолжаться долго, если бы стайка провокаторов вдруг не коснулась самого чувствительного места. Однако сеанс начался как обычно: пять-шесть учеников, постарше, чем я, многозначительно меня окружили:

— Ишь ведь, товарищ-то все еще среди нас? А мы-то уж думали, что он во Францию укатил. Его же там ждут не дождутся.

Я собрался было пуститься в обычные рассуждения, но тут вмешался старший из группы:

— А бывших кокоток туда не пускают.

Уже не помню, кто был тот мальчишка и откуда он взял свои странные сведения. Надо ли говорить, что ничто в прошлом моей матери не оправдывало подобную клевету. Может, она и не была «великой драматической актрисой», на что притязала порой, но все же она играла в одном из хороших московских театров, и все, кто ее знал в ту пору, еще молодой, говорили мне о ней как о женщине гордой, которую собственная исключительная красота никогда не опьяняла и не сбивала с пути.

Эти слова застали меня врасплох, и мое удивление было столь полным, что стало похоже на малодушие. Сердце мое кануло в какую-то черную дыру, глаза наполнились слезами, и в первый и последний в моей жизни раз я повернулся к своим обидчикам спиной.

С тех пор я уже не показывал своего тыла никому, но в тот день я это сделал, незачем отрицать. Я тогда растерялся.

Когда мать вернулась домой, я бросился к ней и все рассказал. Я ожидал, что она откроет мне объятия и утешит, как она это умела. Но то, что произошло, стало для меня полнейшей неожиданностью. Внезапно всякий след нежности и любви исчез с ее лица. Она не излила на меня потока жалости и утешений, как я ожидал. Не сказала ничего и долго на меня смотрела, почти холодно. Потом подошла к столу, взяла сигарету и закурила. Затем ушла на кухню, которую мы делили с хозяевами квартиры, и занялась моим ужином. Ее лицо было равнодушно, замкнуто, и временами она бросала на меня почти враждебный взгляд. Я не понимал, что случилось. Меня обуяла великая жалость к самому себе. Я чувствовал себя обиженным, преданным, брошенным. Она приготовила мне постель, по-прежнему не говоря ни слова. Той ночью она не ложилась. Проснувшись утром, я обнаружил ее сидящей все в том же старом кожаном сине-зеленом кресле, лицом к окну, с сигаретой в руке. Паркет был усеян окурками: она всегда бросала их где попало. Скользнув по мне взглядом без всякого выражения, она снова повернулась к окну. Кажется, сегодня я знаю, о чем она думала, по крайней мере могу вообразить. Должно быть, она задавалась вопросом, а стою ли я ее трудов, есть ли во всех ее жертвах, усилиях, надеждах какой-то смысл — не стану ли я таким, как другие мужчины, не буду ли относиться к ней, как тот, другой. Она подала мне три яйца всмятку и чашку шоколада. Смотрела, как я ем. Впервые в ее глазах затеплилась нежность. Должно быть, она сказала себе, что мне, в конце концов, всего лишь двенадцать лет. Когда я собирал свои книги и тетрадки, чтобы отправиться в школу, ее лицо снова посуровело.

— Больше ты туда не пойдешь. Хватит.

— Но...

— Будешь учиться во Франции. Только... сядь. Я сел.

— Послушай меня, Роман.

Я с удивлением поднял глаза.

Я уже не был «Романчиком», «Ромушкой». В первый раз она обошлась без ласкательных имен. Я почувствовал крайнее беспокойство.

— Послушай меня хорошенько. В следующий раз, когда случится, что твою мать оскорбляют в твоем присутствии... в следующий раз я хочу, чтобы тебя принесли домой на носилках. Слышишь?

Я остолбенел, раскрыв рот. Ее лицо было совершенно замкнуто, очень сурово. В глазах — ни малейшего сострадания. Я не мог поверить, что это говорит мне мать. Разве я уже не ее Ромушка, ее маленький принц, ее драгоценное сокровище?

— Я хочу, чтобы тебя принесли домой в крови, слышишь? Даже если тебе все кости переломают, слышишь?

Она возвысила голос, наклонилась ко мне, блестя глазами. Почти кричала.

— Иначе незачем и уезжать... Незачем туда ехать.

Мной овладело чувство глубочайшей несправедливости. Губы начали кривиться, глаза наполнились слезами, я открыл рот... Большего сделать не успел. Здоровенная оплеуха обрушилась на меня, потом еще и еще. Я был так ошеломлен, что слезы пропали будто по волшебству. Это был первый раз, когда мать подняла на меня руку. А она ничего не делала наполовину. Я стоял столбом, цепенея под ударами. Даже не орал.

— Запомни, что я тебе сказала. Отныне ты должен меня защищать. Мне все равно, как они отделают тебя своими кулаками. Больно от другого. Дашь себя убить, если потребуется.

Я еще притворялся, что не понимаю, что мне всего двенадцать лет, что прячусь от ее ударов, но уже отлично все понимал. Мои щеки горели, из глаз еще сыпались искры, но я понимал. Мать это заметила и вроде бы успокоилась. Она шумно втянула в себя воздух — знак удовлетворения — и пошла налить себе чаю. Стала пить, держа кусочек сахара во рту, рассеянно блуждая взглядом, ища, комбинируя, что-то просчитывая. Потом выплюнула остаток сахара в блюдце, взяла свою сумку и ушла. Она направилась прямиком во французское консульство и предприняла энергичные меры, чтобы получить вид на жительство в стране, где, как она писала в прошении, составленном не без участия Люсьена Дьелеве-Колека, «мой сын имеет намерение обосноваться, выучиться, стать человеком» — но я убежден, что тут ее мысль превосходила слова и она сама не вполне сознавала, чего требовала от меня.

ВТОРАЯ ЧАСТЬ

Глава XIX

Первое, что я вспоминаю о своем приезде во Францию, это вокзальный носильщик в Ницце с его длинным синим халатом, фуражкой, кожаными ремнями и цветущей — благодаря солнцу, морскому воздуху и доброму вину — физиономией.

Форма у французских носильщиков сегодня почти та же, и всякий раз, приезжая на Юг, я снова встречаюсь с этим другом детства.

Мы ему доверили сундук с нашим будущим, то есть с тем самым старинным русским серебром, которому предстояло обеспечить наше благосостояние на те несколько лет, которые мне еще требовались, чтобы встать на ноги и определиться в жизни. Мы устроились в семейном пансионе на улице Буффа, и моя мать, едва выкурив свою первую французскую сигарету — синюю «голуаз», открыла сундук, взяла несколько особо ценных предметов из «сокровища», уложила их в маленький чемоданчик и с уверенным видом отправилась через всю Ниццу на поиски покупателя. Что касается меня, то я, горя нетерпением, помчался завязывать дружбу с морем. Оно меня сразу же признало и стало лизать пальцы ног.

Когда я вернулся домой, мать уже поджидала меня, сидя на кровати, и нервно курила. С ее лица еще не стерся след полнейшего непонимания и какой-то непомерной оторопи. Она вопроситель-

но уставилась па меня, словно ожидая, что я дам
объяснение загадки. Во всех магазинах, куда она
являлась с образчиками нашего сокровища, ее встретил лишь самый холодный прием. А предложенные
цены были просто смехотворны. Разумеется, она
им высказала все, что о них думала. Все эти ювелиры — отъявленные воры, которые пытались ее
ограбить; впрочем, ни один из них не был французом. Сплошь одни армяне, русские, может, даже немцы. Завтра она пойдет по *французским* магазинам,
которыми управляют настоящие *французы*, а не подозрительные беженцы из восточных стран, которым Франция совершенно напрасно позволила обосноваться на своей земле. Повода для беспокойства
никакого, все уладится, императорское серебро стоит
целое состояние, впрочем, у нас еще хватит денег
на несколько недель, а там, глядишь, и покупатель
найдется, и мы обеспечим свое будущее на многие
годы вперед. Я ничего не сказал, но тревога и недоумение, явственно заметные в чуть застывшем
взгляде ее округлившихся глаз, тотчас же передались моим внутренностям, установив меж нами, таким образом, самую прямую связь. Я уже понял,
что серебро не найдет покупателя и через две недели мы опять окажемся без гроша в чужой стране.
Впервые я подумал о Франции как о чужой стране,
и это лучше всего доказывало, что мы опять дома.

В эти первые две недели моя мать дала и проиграла эпическую битву в защиту и во славу старинного русского серебра. Это был ее настоящий просветительский подвиг среди торговцев драгоценностями
и ювелиров Ниццы. Я видел, как она разыгрывала
перед славным армянином с улицы Виктуар, которому впоследствии предстояло стать нашим другом, сцену настоящего артистического экстаза перед красотой, редкостностью и совершенством са-

харницы, которую она держала в руке, прерываясь лишь затем, чтобы грянуть похвальную песнь в честь самовара, супницы или горчичницы. Армянин, подняв брови на свой безграничный, свободный от любого волосяного препятствия лоб, сморщенный тысячью удивленных складочек, следил ошеломленным взглядом за траекторией, которую выписывала в воздухе разливательная ложка или солонка, чтобы затем уверить мою мать в изрядном уважении, которое питает к представленной вещи, а свою легкую сдержанность относил единственно к цене, которая казалась ему раз в десять, а то и двенадцать более высокой, чем обычно дают за подобные предметы. Столкнувшись с таким невежеством, мать снова запихивала свое добро в чемодан и покидала лавку, даже не попрощавшись. Не больше успеха ожидало ее и в следующем магазине, принадлежавшем на сей раз чете добропорядочных прирожденных французов, где, сунув под нос пожилому господину маленький, замечательных пропорций самовар, она с вергилиевым красноречием живописала образ прекрасной французской семьи, собравшейся вокруг фамильного самовара, на что милейший г-н Серюзье, которому предстояло потом не раз доверять моей матери свой товар для продажи за комиссионные, ответствовал, качая головой и поднося к глазам пенсне на ленточке, которое никогда по-настоящему не надевал:

— Увы, сударыня, самовар так и не прижился в наших широтах. — Это было сказано с видом такого сокрушенного сожаления, что мне показалось, будто я почти воочию вижу последнее стадо самоваров, гибнущее в чаще какого-нибудь французского леса.

Встретив столь учтивый прием, мать казалась растерянной — вежливость и учтивость немедленно сс обезоруживали, — она ничего больше не сказала, перестала настаивать и, опустив глаза, стала молча завертывать каждый предмет в бумагу, прежде чем убрать в чемодан — кроме самовара, который из-за его величины мне пришлось нести самому, бережно держа в руках и шагая за ней следом под любопытными взглядами прохожих.

У нас оставалось совсем мало денег, и мысль о том, что будет, когда их не останется вовсе, изводила меня тревогой. С наступлением ночи мы оба притворялись, будто спим, но я долго видел, как красная точка ее сигареты движется в темноте. Я следил за ней с ужасным отчаянием, столь же беспомощный, как перевернутый на спину скарабей. И сегодня еще не могу без тошноты смотреть на красивое серебро.

Именно г-н Серюзье выручил нас на следующее утро. Будучи многоопытным коммерсантом, он признал за моей матерью определенный талант в том, как она расхваливает перед возможным покупателем красоту и редкость «фамильных реликвий», и счел возможным употребить этот талант к обоюдной выгоде. Я полагаю также, что этого искушенного коллекционера немало поразил вид двух живых, но довольно редких экземпляров, оказавшихся в его магазине среди прочих диковин. К тому же он был доброжелателен от природы и решил нам помочь. Мы получили от него аванс, и вскоре мать начала обходить шикарные отели побережья, предлагая постояльцам «Винтер-Паласа», «Эрмитажа» и «Негреско» «фамильные драгоценности», которые якобы увезла с собой в эмиграцию или с которыми некий русский великий князь из ее друзей в силу «определенных обстоятельств» оказался вынужден без огласки расстаться.

Мы были спасены, и спасены французом — что ободряло еще больше, поскольку во Франции насчитывалось сорок миллионов жителей, а это внушало самые смелые надежды.

Другие коммерсанты тоже стали доверять матери свой товар, и мало-помалу, неутомимо обходя город, она смогла полностью покрыть наши нужды.

Что же касается пресловутого серебра, то мать, возмущенная смехотворной ценой, которую нам предлагали, засунула его на дно сундука, заметив, что этот сервиз на двадцать четыре персоны, помеченный императорским орлом, в свое время очень мне пригодится, когда я буду «принимать»,— это слово было произнесено чуть торжественно и с некоторой таинственностью.

Постепенно мать расширила поле своей деятельности. Она держала в отелях витрины фирменных вещей, была посредницей при продаже квартир и земельных участков, стала пайщицей такси, владела четвертью грузовика, доставлявшего зерно окрестным птицеводам, наняла более просторную квартиру, две комнаты которой сдавала, занималась трикотажным делом — короче, окружала меня всеми заботами. В том, что касалось меня, ее планы были определены давно. Аттестат бакалавра, натурализация, диплом юриста, военная служба — кавалерийским офицером, само собой, — политические науки и «дипломатическое поприще». Произнося эти слова, она почтительно понижала голос, и робкая, восторженная улыбка появлялась на ее лице. Чтобы достичь этой цели — я был тогда в третьем классе, — нам требовалась, согласно ее часто возобновлявшимся подсчетам, сущая безделица, какие-нибудь восемь-девять лет, и мать чувствовала себя в силах продержаться этот срок. Она удовлетворенно сопела, глядя на меня и заранее восхищаясь. «Секретарь посольства», — говорила она вслух, словно чтобы лучше проникнуться этими дивными словами. Оставалось лишь чуточку потерпеть. Мне уже исполнилось четырнадцать. Мы были почти у самой цели. Она надевала свое серое пальто, брала чемодан, и я видел, как она энергично шагает к этому блестящему будущему с палкой в руке. Она теперь ходила с палкой.

Что касается меня, то я был гораздо большим реалистом. Я вовсе не собирался мешкать еще девять лет — поди знай, что может случиться. Свои подвиги для нее я хотел совершить незамедлительно. Сперва я попытался стать чемпионом мира среди юниоров по плаванию — ежедневно тренировался в «Гран Блё», ныне уже не существующем купальном заведении, но добился лишь одиннадцатого места в заплыве через залив Ангелов — и опять был вынужден отыгрываться на литературе, подобно стольким неудачникам. На столе скапливались тетради, исписанные псевдонимами — все более и более красноречивыми, все более и более пышными, все более и более отчаянными; в своем желании попасть в яблочко с первого раза, немедля похитить священный огонь, дабы победно озарить им мир, я читал новые для себя имена на обложках книг — Антуан де Сент-Экзюпери, Андре Мальро, Малларме, Монтерлан, Аполлинер, и, поскольку они, как мне казалось, блистали в витринах тем самым вожделенным блеском, чувствовал себя обойденным и бесился, что не первый украсил себя этими именами.

Я тогда предпринял несколько робких усилий, чтобы восторжествовать на море, на земле и в воздухе, занимаясь плаванием, бегом и прыжками в высоту, но по-настоящему отличиться смог лишь в пинг-понге — стяжал лавры и принес их домой. Это была единственная победа, которую я смог подарить моей матери, и серебряная медаль с моим выгравированным именем, заключенная в футляр фиолетового бархата, до самой ее кончины занимала почетное место на ее ночном столике.

Я испытал себя также и в теннисе, получив от родителей одного своего друга в подарок ракетку. Но, чтобы стать членом теннисного клуба в Императорском парке, надо было заплатить сумму, превосходившую наши средства. Тут начинается особенно мучительный эпизод моей чемпионской жизни. Поняв, что за неимением денег доступ в Императорский парк мне заказан, моя мать, охваченная праведным негодованием, раздавила свою сигарету о блюдце, схватила палку и пальто. Так дело не пойдет. Мне было приказано взять ракетку и следовать за ней в клуб Императорского парка. Там она потребовала, чтобы перед нами предстал секретарь клуба, и, едва раскаты ее голоса донеслись до него, он незамедлительно это исполнил, а за ним по пятам спешно прибежал на зов и президент клуба, носивший восхитительную фамилию Гарибальди. Моя мать, стоя посреди помещения в своей несколько криво сидевшей шляпке, потрясала палкой, не позволяя им упустить что-либо из того, что она о них думает. Как! Чуть-чуть потренировавшись, я мог бы стать чемпионом Франции, победоносно защищать знамя своей страны, а меня не пускают на корты по жалкой и пошлой причине — из-за денег! Моя мать высказала этим господам, что в их сердцах нет места интересам отчизны, и желала провозгласить это во всеуслышанье, как мать француза — я, правда, в то время еще не получил гражданства, но это была, по-видимому, не достойная упоминания мелочь, — и она требовала, чтобы меня тут же допустили на корты клуба. Я всего-то три-четыре раза держал в руках теннисную ракетку, и от мысли, что один из этих господ вдруг пригласит меня на корт и предложит показать, на что я способен, меня пробирала дрожь. Но стоявшие перед нами важные особы были слишком изумлены, чтобы помыслить о моих спортивных дарованиях. Кажется, именно г-ну Гарибальди в тот момент пришла в голову роковая мысль успокоить мою мать, что, напротив, привело к сцене, от которой я и сегодня не могу прийти в себя.

— Сударыня, — сказал он, — я прошу вас понизить голос. В нескольких шагах отсюда находится его величество шведский король Густав, и я умоляю вас не устраивать скандала.

Фраза произвела на мою мать немедленное воздействие. На ее губах стала вырисовываться хорошо знакомая мне улыбка — одновременно наивная и восхищенная, — и она ринулась вперед.

Какой-то пожилой господин как раз пил чай на лужайке, под белым зонтом. На нем были белые фланелевые брюки, черно-синий клубный пиджак и шляпа-канотье, надетая чуть набекрень. Шведский король Густав V был завсегдатаем Лазурного берега и теннисных кортов, и его знаменитое канотье регулярно мелькало на первых полосах местных газет.

Моя мать не колебалась ни секунды. Она сделала реверанс и, ткнув палкой в сторону президента и секретаря клуба, вскричала:

— Я взываю к справедливости, ваше величество! У моего юного сына, которому скоро четырнадцать, необычайная расположенность к теннису, а эти дурные французы не пускают его сюда на тренировки! Все наше состояние конфисковано большевиками, и мы не можем уплатить взнос! Просим помощи и защиты у вашего величества.

Это было сказано и сделано в лучших традициях русских народных преданий о добрых государях, от Ивана Грозного до Петра Великого. После чего моя мать обвела многочисленных и заинтересованных зрителей торжествующим взглядом. Если бы я мог растаять в воздухе или провалиться сквозь землю, мой последний проблеск сознания был бы наполнен глубочайшим удовлетворением. Но мне не было дано отделаться так легко. Пришлось остаться там, под насмешливыми взглядами красивых дам и их красивых кавалеров.

Его величество Густав V был в то время человеком уже весьма пожилым, да еще и по-скандинавски флегматичным, отчего наверняка и показалось, будто он ничуть не удивлен. Вынув сигару изо рта, он серьезно воззрился на мою мать, бросил взгляд на меня и повернулся к своему тренеру.

— Перекиньтесь с ним несколькими мячами, — сказал он своим замогильным голосом. — Поглядим, на что он способен.

Лицо моей матери просияло. Мысль о том, что я держал ракетку в руках лишь три-четыре раза, ничуть ее не смущала. Она в меня верила. Она-то знала, кто я такой. Повседневные мелочи, ничтожные практические трудности были не в счет. Я поколебался секунду, а потом, под этим взглядом, исполненным доверия и любви, проглотил свой стыд и страх и, понурившись, побрел на казнь.

Все произошло быстро — мне порой кажется, что я еще там. Я, разумеется, старался изо всех сил. Я прыгал, нырял, подскакивал, крутился волчком, бегал, падал, снова подпрыгивал, порхал, вихлялся в какой-то пляске, словно разболтанная кукла, но если мне и удавалось изредка коснуться мяча, то лишь деревянной рамкой ракетки — и все это на глазах у шведского короля, который холодно и невозмутимо за мной наблюдал из-под полей канотье. Вы наверняка спросите, почему я согласился на эту бойню, зачем вообще сунулся туда. Но я не забыл

139

ни свой варшавский урок, ни полученную оплеуху, ни голос матери, говорившей мне: «В следующий раз я хочу, чтобы тебя принесли домой на носилках, слышишь?» И речи быть не могло, чтобы уклониться.

Я бы также солгал, если бы не признался, что, несмотря на свои четырнадцать лет, я еще немного верил в чудеса. Верил в волшебную палочку и, отважившись выйти на корт, не совсем потерял надежду, что какая-нибудь абсолютно справедливая и снисходительная сила вступится за нас, что какая-нибудь всемогущая и незримая рука направит мою ракетку и что мячи послушаются ее тайного приказа. Не случилось. Вынужден признать, что этот перебой с чудом оставил во мне глубокий след, такой глубокий, что я иногда даже сомневаюсь, а не выдумана ли история про Кота в сапогах от начала до конца и вправду ли мыши пришивали ночью пуговицы к сюртуку глостерского портного. Короче, в свои сорок четыре года я начинаю задавать себе кое-какие вопросы. Но я многое пережил, так что не стоит слишком уж обращать внимание на мои мимолетные слабости.

Когда тренер сжалился наконец надо мной и я вернулся на лужайку, мать встретила меня так, будто я и не опозорился вовсе. Помогла надеть пуловер, утерла мне своим платком лицо и шею. Затем повернулась к присутствующим и — как передать это молчаливое, напряженное внимание, с которым она обвела их всех взглядом, словно подстерегая что-то. Тут насмешники будто немного растерялись, а красивые дамы, вновь усевшись на свои соломенные стулья, опустили ресницы и принялись увлеченно потягивать лимонад. Быть может, смутный образ самки, защищающей своего детеныша, промелькнул у них в голове. Моей матери, однако, не пришлось ни на кого кидаться. Король шведский вывел нас из затруднения. Этот пожилой господин коснулся своего канотье и сказал с бесконечной учтивостью и доброжелательностью — хотя поговаривали, что у него характер не из легких:

— Думаю, эти господа согласятся со мной: мы только что присутствовали при чем-то довольно волнующем... Господин Гарибальди, — помню, что слово «господин» прозвучало в его устах как-то особенно замогильно, — я уплачу вступительный взнос за этого молодого человека: у него есть мужество и бойцовский дух.

С тех пор я навсегда полюбил Швецию.

Но ноги моей больше не было в Императорском парке.

Глава XX

Все эти злоключения привели к тому, что я все чаще и чаще стал закрывался в своей комнате и взялся за писание по-настоящему. Атакованный реальностью по всем фронтам, вытесненный отовсюду, повсеместно натыкаясь на собственные пределы, я приобрел привычку укрываться в воображаемом мире и там, при посредстве выдуманных мною героев, жить жизнью, полной смысла, справедливости и сострадания. Инстинктивно, без явного литературного влияния, я открыл для себя юмор — этот ловкий и вполне приемлемый способ обезвредить реальность в тот самый момент, когда она обрушивается на вас. На всем пути юмор был мне верным другом; своими подлинными победами над превратностями судьбы я обязан именно ему. Никому и никогда не удавалось вырвать у меня из рук это оружие, и я тем охотнее обращаю его против себя самого, что через собственное «я» целю в нашу общечеловеческую участь. Юмор — это проявление достоинства, утверждение превосходства человека над обстоятельствами. Некоторые из моих «друзей», начисто лишенные его, огорчаются, видя, как я в своих произведениях и речах обращаю против себя самого это острое оружие; они люди сведущие и рассуждают о мазохизме, о ненависти к самому себе или даже, когда я вовлекаю в эти расковывающие игры своих близких, об эксгибиционизме и грубости. Мне жаль их. На самом-то деле «я» не существует, и я никогда в него не метил, а только преодолевал, обращая против себя свое излюбленное оружие; сквозь все мимолетные воплощения я целю в наше общечеловеческое, в некий общий, навязанный нам извне удел, в правило, продиктованное нам темными силами, словно какой-нибудь нюрнбергский приговор. В отношениях с людьми это недоразумение было для меня постоянным источником одиночества, ибо ничто сильнее не отчуждает, чем братская поддержка юмором тех, кто к нему восприимчив меньше пингвина.

Наконец я начал интересоваться и социальными проблемами, возжаждав такого мира, где женщинам не придется больше в одиночку таскать детей на своей спине. Но я знал уже, что социальная справедливость — только первый шаг, младенческий лепет, и от себе подобных я ждал не чего-нибудь, а чтобы они стали хозяевами своей судьбы. Я начал рассматривать человека как некую революционную тенденцию в борьбе против собственной биологической, моральной, интеллектуальной данности. Ибо, чем больше я смотрел на постаревшее, измученное лицо матери, тем больше росло во мне ощущение несправедливости и стремление исправить мир, сделав его достойным уважения.

Наше финансовое положение в то время снова ухудшилось. Экономический кризис 1929 года докатился и до Лазурного берега, и у нас опять настали трудные дни.

Мать превратила одну комнату нашей квартиры в пансион для животных и стала брать на содержание собак, кошек и птиц, гадала по руке, брала постояльцев, заведовала жилым домом, посредничала в одной или двух продажах земельных участков. Я помогал ей как мог, то есть пытался написать бессмертный шедевр. Порой зачитывал ей отрывки, которыми особенно гордился, и она непременно выражала свое восхищение, на которое я рассчитывал; тем не менее как-то раз, помню, прослушав одну из моих поэм, она сказала с некоторой робостью:

— Похоже, в жизни ты будешь не слишком практичным. В толк не возьму, как это вышло.

В самом деле, мои школьные отметки по точным наукам оставались катастрофическими вплоть до самого экзамена на степень бакалавра. На устном по химии, когда экзаменатор, г-н Пассак, попросил меня рассказать о гипсе, все, что я нашелся ему сказать, было дословно:

— Гипс используют для постройки стен.

Экзаменатор терпеливо ждал. Потом, так ничего и не дождавшись, спросил:

— Это все?

Я бросил на него надменный взгляд и, обратившись к публике, призвал ее в свидетели:

— Что значит «все»? А этого разве мало? Уберите стены, господин учитель, и девяносто девять процентов нашей цивилизации рухнет!

Сделки становились все реже, и как-то вечером, долго проплакав, мать села за стол и написала кому-то длинное письмо. На следующий день меня отвели к фотографу, где сняли в три четверти, в синей ту-

143

журке, с поднятыми кверху глазами. Фото приложили к письму, и мать, поколебавшись еще несколько дней и подержав конверт в запертом ящике, в конце концов все-таки отправила его.

Затем она провела вечер, склонившись над своим сундуком и перечитывая письма из пачки, перевязанной голубой лентой.

Моей матери было тогда, наверное, года пятьдесят два. Письма были старые, помятые. Я вновь обнаружил их в 1947 году, в погребе, прочитал и до сих пор часто перечитываю.

Через неделю нам пришел перевод на пятьсот франков. Он произвел на мою мать совершенно необычайное воздействие: *она посмотрела на меня с благодарностью*. Это было так, будто я вдруг совершил для нее что-то невероятное. Она подошла ко мне, взяла мое лицо в ладони и на удивление пристально вглядывалась в каждую черту. В ее глазах блестели слезы. Мной овладело странное чувство неловкости: казалось, она смотрит не на меня, а на кого-то другого.

В течение восемнадцати месяцев мы более-менее регулярно получали переводы. Мне наконец-то купили гоночный велосипед — оранжевый «томман». Это было славное время спокойствия и достатка. Я каждый день получал два франка карманных денег и мог, возвращаясь из лицея, порой остановиться на цветочном рынке и купить за пятьдесят сантимов пахучий букетик, который преподносил матери. Вечерами я водил ее послушать цыганский оркестр отеля «Руаяль»: мы стояли на тротуаре, избегая террасы, где требовалось обязательно что-нибудь заказать. Мать обожала цыганские оркестры; наряду с гвардейскими офицерами, смертью Пушкина на дуэли и питьем шампанского из туфельки они олицетворяли для нее все самое порочно-

романтическое в мире. Она всегда меня предосте-
регала против молодых цыганок, которые, если ее
послушать, были одной из величайших опасностей,
грозивших погубить меня физически, морально и
материально, прямиком доведя до чахотки. Я был
приятно польщен этими перспективами, но они так
и не осуществились. Единственная цыганка, заинте-
ресовавшая меня в молодости, как раз из-за столь
искусительных описаний, которыми мать потчевала меня несколько лет назад, удовлетворилась тем,
что стащила мой бумажник, шейный платок и наруч-
ные часы, причем так проворно, что я и опомнить-
ся-то не успел, не то что подхватить чахотку.

Я всегда мечтал, чтобы женщина погубила меня
морально, физически и материально: чудесно, должно быть, если твоя жизнь на что-то все-таки сгодилась. Наверное, я еще могу подхватить чахотку, но
уже не думаю, что в моем возрасте это может произойти подобным образом. У природы есть свои пределы. Впрочем, что-то мне подсказывает, что молодые цыганки и даже гвардейские офицеры уже не
те, что прежде.

После концерта я предлагал матери руку, и мы
отправлялись посидеть на Английском променаде.
Сиденья там тоже были платные, но эту роскошь
мы теперь уже могли себе позволить.

С толком выбрав место, можно было устроиться так, чтобы слушать либо оркестр «Лидо», либо
оркестр Казино, причем даром. Обычно мать тайком приносила с собой в сумке черный хлеб и огурцы, наше излюбленное лакомство. Так что в те времена, часов около девяти вечера, среди толпы, про-
гуливающейся по Английскому променаду, можно
было заметить благообразную седовласую даму и
подростка в синей тужурке, скромно сидящих спиной к балюстраде и смакующих соленые «по-рус-

ски» огурцы с черным хлебом, подстелив газету на колени. Это было прекрасно.

Но недостаточно. Мариетта разбудила во мне голод, который нельзя было утолить никакими, даже самыми солеными в мире огурцами. Она покинула нас уже два года назад, но воспоминание о ней все еще текло в моей крови и не давало спать по ночам. До сего дня я сохранил к этой доброй француженке, открывшей мне дверь лучшего из миров, глубокую благодарность. Тридцать лет прошло, но я могу сказать — с гораздо большим основанием, чем Бурбоны, — что с тех пор ничему не научился и ничего не забыл. Пусть ее старость будет счастливой и безмятежной, и пусть она знает, что и впрямь употребила к лучшему то, что даровал ей Господь. Чувствую, что совсем растрогаюсь, если и дальше буду распространяться на эту тему, а потому умолкаю.

В общем, Мариетты уже давно не было рядом, чтобы протянуть мне руку помощи. Моя кровь бурлила в жилах и стучала в дверь с такой пылкой настойчивостью, что мне не удавалось ее унять, даже проплывая каждое утро по три километра. Сидя рядом с матерью на Английском променаде, я выслеживал взглядом каждую из прелестных подательниц хлеба сего, чередою проходивших мимо, глубоко вздыхал и смущенно оставался на месте, держа огурец в руке.

Но тут сама древнейшая в мире цивилизация со своим благожелательным пониманием человеческой природы и ее греховности, со своим чувством компромисса и умением заключать сделки пришла мне на помощь. Средиземное море слишком долго сосуществовало вместе с солнцем, чтобы считать его врагом, и оно склонило ко мне свой многомилостивый лик.

Городской лицей Ниццы был не единственным образовательным учреждением, возвышавшимся тогда между площадью Массена и эспланадой Пайон. На улице Сен-Мишель мы с товарищами находили простой и дружеский прием, по крайней мере когда американская эскадра не останавливалась в Вильфранше — то был чернейший день среди прочих, когда в школе царило уныние, а черная классная доска становилась подлинным стягом нашей меланхолии.

Но с двумя-тремя франками карманных денег в день *не больно-то разгуляешься*, как говорят на Юге.

Так что странные дела стали твориться в нашем доме. Исчез ковер, потом другой, а однажды, по возвращении из муниципального казино, где давали «Мадам Баттерфляй», мою мать ошеломило открытие, что маленькое трюмо, которое она накануне приобрела у старьевщика с намерением выгодно перепродать, буквально растворилось в воздухе, хотя все окна и двери были закрыты. Беспредельное изумление изобразилось на ее лице. Она подвергла квартиру тщательному обследованию, желая удостовериться, не пропало ли что-нибудь еще. Оказалось, что да: мой фотоаппарат, моя теннисная ракетка, мои часы, мое зимнее пальто, коллекция почтовых марок и собрание сочинений Бальзака, которое я совсем недавно получил за первое место по французскому языку, последовали тем же путем. Мне удалось продать даже тот самый самовар — я сбыл его одному антиквару из старой Ниццы за смехотворную, конечно, сумму, но которая, тем не менее, временно вывела меня из затруднения. Мать какое-то время поразмыслила, потом уселась в кресло и стала на меня смотреть. Смотрела долго, внимательно, а потом, к моему великому удивлению, вместо драматической сцены, которую ожидал, я вдруг увидел, как по ее лицу разлилось выражение почти ликующего торжества и гордости. Она шумно, с огромным удовлетворением засопела и взглянула на меня еще раз — благодарно, восхищенно и растроганно: я стал наконец мужчиной. Она боролась не зря.

В тот вечер она написала длинное письмо своим крупным нервным почерком, все с тем же торжествующим и довольным видом, словно спешила известить, что я оказался хорошим сыном. Вскоре мне пришел персональный перевод на пятьдесят франков, и еще много других в течение года. Я был временно спасен. Зато пришлось наведаться к одному старому доктору на улицу Франции, который после долгого топтания вокруг да около объяснил мне, что жизнь молодого человека полна ловушек, что мы очень уязвимы, что отравленные стрелы свистят нам в уши и что даже наши предки галлы никогда не шли на битву без щитов. После чего вручил мне маленький пакетик. Я вежливо его выслушал, как подобает слушать старших. Но еще визит в виленский «Паноптикум» окончательно просветил меня на сей счет, и именно с тех пор я решил сохранить в целости свой нос. Я мог бы сказать ему также, что он серьезно недооценивает порядочность и щепетильность добрых душ, к которым мы ходим. Большинство из них сами были заботливыми матерями и никогда в жизни не позволили бы нам рисковать, идя в кильватере за моряками со всего света, не приобщив к правилам необходимой осторожности, потребной всякому мореходу, почитающему стихии.

Родное мое Средиземное море! Как же твоя жизнелюбивая латинская мудрость была ко мне милостива и дружелюбна, и с какой снисходительностью твой старый лукавый взгляд коснулся моего отроческого чела! Я всегда возвращаюсь к твоим берегам вместе с рыбачьими лодками, что привозят в своих сетях закат. Я был счастлив на этих галечных пляжах.

Глава XXI

Наша жизнь налаживалась. Помню даже, что как-то в августе мать поехала на три дня отдыхать в горы. Я провожал ее до автобуса, с букетом в руке. Прощание было душераздирающим. Мы разлучались в первый раз, и мать плакала, предчувствуя наши будущие разлуки. Водитель автобуса, изрядно насмотревшись на сцену нашего прощания, в конце концов спросил меня, с тем ниццким выговором, который так под стать душевным волнениям:

— Надолго?

— На три дня, — ответил я.

Казалось, это произвело на него сильное впечатление; он посмотрел на нас с матерью уважительно. Потом сказал:

— Ну-у, похоже, у вас есть чувство!

Мать вернулась из своего отпуска, переполненная планами и энергией. Дела в Ницце снова пошли в гору, и на этот раз она собиралась сбывать «фамильные драгоценности» достопочтенным чужестранцам на пару с настоящим русским великим князем. Великий князь был в этом промысле новичком, и моя мать тратила много времени, чтобы поднять его дух. В Ницце тогда насчитывалось около десяти тысяч русских семейств — широкий ассортимент генералов, казаков, украинских атаманов, полковников императорской гвардии, князей, графов, балтийских баронов и прочих разношерстных «бывших» — им удалось воссоздать на Средиземноморском побережье атмосферу романов Достоевского, по крайней мере их дух. Во время войны они раскололись надвое, одна половина благоволила к немцам и обслуживала гестапо, другая приняла активное участие в Сопротивлении. Первые были уничтожены при Освобождении, другие полностью ассимилировались, навсегда растворившись в братской массе, спаянной четырехсильными «рено», оплачиваемыми отпусками, кофе со сливками и уклонением от выборов.

Моя мать относилась к великому князю и его седой бородке с иронической снисходительностью, но втайне была польщена этим товариществом и непременно величала его по-русски «светлейшим князем», протягивая чемодан, который тому предстояло тащить. «Светлейший князь» перед возможными покупателями становился таким стеснительным, таким несчастным и так виновато скрючивался, когда мать пространно расписывала им точную степень его родства с царем, количество дворцов, которыми он владел в России, и тесные узы, связующие его с английским королевским домом, что всем клиентам казалось заманчивым нажиться на этом беззащитном существе, и они почти всегда заключали сделку. У него было больное сердце, и мать перед каждой экспедицией давала ему двадцать капель его лекарства в стакане воды. Можно было наблюдать, как они оба, сидя на террасе кафе Буффа, строили планы на будущее: мать излагала соображения о моей роли французского посланника, а светлейший князь — о том, какой образ жизни будет вести после падения коммунистического режима и возвращения Романовых на российский престол.

— Я предполагаю уединиться в своих поместьях, подальше от двора и общественных забот, — говорил великий князь.

— Мой сын пойдет по дипломатическому поприщу, — вторила ему мать, прихлебывая чай.

Не знаю, что сталось с его светлейшим высочеством. Какой-то русский великий князь похоронен на кладбище Рокбрюн-вилаж, неподалеку от моего тамошнего дома, но не уверен, тот ли это; впрочем, вряд ли я узнал бы его без седой бородки.

Как раз в то время мать заключила свою лучшую сделку — продала восьмиэтажное здание на бульваре Карлон (ныне бульвар Гроссо). Уже много месяцев подряд она неутомимо рыскала по городу в поисках покупателя, отлично сознавая, что это сулит нам решительный поворот, и, если продажа состоится, мой первый учебный год в университете Экс-ан-Прованса будет обеспечен. Покупатель объявился по чистой случайности. Однажды перед нашим домом остановился «роллс-ройс», водитель открыл дверцу, и оттуда вылез маленький, кругленький господин вслед за красивой молодой дамой, вдвое выше его ростом и наполовину моложе. Это оказалась бывшая клиентка швейного салона моей матери в Вильно и ее недавно приобретенный супруг, очень богатый человек, который с каждым днем становился еще богаче. Стало ясно, что свалились они нам прямехонько с неба. Маленький г-н Едвабникас не только купил дом, но еще, пораженный, как и столь многие до него, предпринимательским духом и энергией моей матери, доверил ей заведовать им, тут же согласившись с внушенной ему идеей превратить часть здания в отель-ресторан. Вот так отель-пансион «Мермон» (mer — море, monts — горы) с перекрашенным фасадом и укрепленным фундаментом распахнул свои двери, «предлагая широкой многонациональной клиентуре спокойную обстановку, комфорт и хороший вкус» — дословно цитирую первый рекламный проспект: я сам его писал. Моя мать ничего не смыслила в гостиничном деле, но немедленно оказалась на высоте обстоятельств. За свою жизнь я останавливался в отелях всего света и, обогатившись этим опытом, могу сказать, что с крайне ограниченными средствами моя мать совершила настоящий подвиг. Тридцать шесть номеров, два этажа апартаментов и ресторан, с двумя горничными, официантом, шеф-поваром и мойщиком посуды, — дело с самого начала пошло бойко. Что касается меня, то я исполнял обязанности дежурного администратора, гида в автобусе, метрдотеля, но главное — мне поручалось производить на клиентов благоприятное впечатление. Мне было уже шестнадцать лет, однако общаться с людьми в столь массированных дозах пришлось впервые. Наша клиентура была со всех концов света, но с сильным преобладанием англичан. Обычно они прибывали группами, по направлению агентств, и, растворенные таким образом в демократическом большинстве, таяли от благодарности при любом знаке внимания. То было самое начало «малого туризма», которому предстояло так широко распространиться незадолго до войны, да и после. За редкими исключениями, это была клиентура кроткая, послушная, не слишком уверенная в себе и без особых запросов. По преимуществу женщины.

Моя мать вставала в шесть часов утра, выкуривала три-четыре сигареты, выпивала чашку чаю, одевалась, брала свою палку и отправлялась на рынок Буффа, где непререкаемо царила. Рынок Буффа, уступавший размерами рынку старого города, где запасались продуктами дорогие палас-отели, обслуживал в основном окрестные пансионы, расположенные вблизи бульвара Гамбетта. Это было средоточие своеобразных звуков, запахов и красок, где благородные проклятия взмывали над эскалопами, отбивными, луком-пореем и глазами снулой рыбы и где среди всего этого каким-то средиземноморским чудом всегда исхитрялись неожиданно возникнуть огромные охапки гвоздик и мимозы. Моя мать ощупывала эскалоп, раздумывала над дыней, отбрасывала кусок говядины, который дрябло и как-то обиженно шлепался на мрамор прилавка, тыкала своей палкой в сторону салатов, которые торгаш немедленно закрывал собой с отчаянным воплем: «Я же вас просил не трогать товар!», шумно нюхала сыр бри, втыкала палец в мякоть камамбера и пробовала его. Поднося к своему носу сыр, вырезку, рыбу, она вовсю пользовалась искусством нагнетать тревожное ожидание, заставляя бледнеть взвинченных торговцев. И когда она, отвергнув товар решительным жестом, удалялась наконец с высоко поднятой головой, их оклики, брань, оскорбления и возмущенные крики оживляли вокруг нас тот древнейший хор Средиземноморья. Это было настоящее восточное судилище, где мать одним мановением своего жезла вдруг даровала прощение бараньей ноге, салату, горошку, повинным в сомнительном качестве и непомерной цене, вознося их, таким образом, из состояния подлого товара к вершинам «первоклассной французской кухни», согласно выражению из уже цитированного рекламного проспекта. На протяжении многих месяцев она каждое утро останавливалась у прилавка г-на Ренуччи, колбасника, и долго ощупывала ветчину, никогда ее не покупая, это была чистейшая провокация, следствие какой-то темной ссоры, сведение личных счетов, всего лишь желание напомнить торговцу, какую завидную покупательницу он потерял. Стоило моей матери только приблизиться к его прилавку, как голос колбасника взмывал, словно сирена тревоги; он падал пузом на прилавок, делая вид, будто защищает товар собственным телом, потрясал кулаком и заклинал мою мать идти своей дорогой. И пока жестокая совала в ветчину свой безжалостный нос, кривясь сначала с недоверием, а затем с отвращением, всей своей богатой мимикой показывая, какой омерзительный запах поразил ее ноздри, Ренуччи, воздев глаза к небу и сложив руки, молил мадонну удержать его от смертоубийства. Тут моя мать, надменно отвергнув наконец ветчину, с вызывающей улыбкой на устах шествовала далее, продолжая свой царственный обход среди смеха, возгласов «Санта Мадонна!» и проклятий.

Думаю, она пережила там некоторые из лучших минут своей жизни.

Всякий раз, возвращаясь в Ниццу, я иду на рынок Буффа. Долго блуждаю среди лука-порея, спаржи, дынь, кусков говядины, фруктов, цветов и рыбы. Звуки, голоса, жесты, запахи и ароматы не изменились, мне не хватает лишь самой малости, почти пустяка, чтобы иллюзия стала полной. Я брожу там часами, и морковь, цикорий и салат делают для меня, что могут.

Мать всегда возвращалась домой с охапками цветов и фруктами. Она глубоко верила в благотворное воздействие фруктов на организм, поэтому следила, чтобы я съедал их по крайней мере кило в день. С тех пор меня мучает хронический колит. Затем она спускалась в кухню, утверждала меню, принимала поставщиков, следила за подачей завтрака на этажи, выслушивала клиентов, руководила подготовкой пикников для экскурсантов, инспектировала погреб, вела счета, входила в каждую мелочь своего предприятия.

Однажды, вскарабкавшись в двадцатый раз по проклятой лестнице, ведущей из ресторана в кухню, она внезапно осела, лицо и губы посерели, голова слегка завалилась набок; она закрыла глаза и прижала руку к груди, сотрясаясь всем телом. Нам повезло, что диагноз врача оказался быстрым и точным: это был приступ гипогликемической комы, вызванный слишком большой дозой инсулина.

Только так я и узнал о том, что она скрывала от меня уже два года: у нее был диабет, и каждое утро, прежде чем начать день, она делала себе укол инсулина.

Меня охватил гнусный страх. Воспоминание о сером лице, о завалившейся набок голове, о закрытых глазах, об этой руке, страдальчески прижатой к груди, не покидало меня уже никогда. Мысль, что она могла умереть прежде, чем я исполню все, чего она ждала от меня, что она могла покинуть землю прежде, чем познает *справедливость*, это небесное отражение человеческой системы мер и весов, казалось мне вызовом здравому смыслу, добрым нравам, законам, чем-то вроде выходки метафизического гангстера, чем-то, что позволяет вам кликнуть полицию, воззвать к морали, праву и властям.

Я почувствовал, что мне надо торопиться, надо как можно скорее написать бессмертный шедевр, который, сделав из меня самого юного Толстого всех времен, позволил бы немедленно вознаградить мою мать за ее труды и стать венцом ее жизни.

И я взялся за дело не покладая рук.

С согласия матери я временно оставил лицей и, опять закрывшись в своей комнате, бросился на приступ. Я положил перед собой стопу в три тысячи листов белой бумаги, что, по моим подсчетам, соответствовало «Войне и миру», и облачился в подаренный матерью очень просторный халат, наподобие того, который уже принес известность Бальзаку. Пять раз в день она приоткрывала дверь, ставила на стол поднос с пищей и выходила на цыпочках. Я творил тогда под псевдонимом Франсуа Мермон. Тем не менее, поскольку издатели регулярно возвращали мои произведения, мы решили, что псевдоним плох, и следующий том я написал под именем Люсьен Брюлар. Этот псевдоним тоже не понравился издателям. Помню, как один из этих спесивцев, свирепствовавший в Н. Р. Ф, когда я подыхал с голоду в Париже, вернул мне рукопись со словами: «Заведите любовницу и приходите через десять лет». Когда я и в самом деле вернулся через десять лет, в 1945-м, его там, к несчастью, уже не оказалось: расстреляли.

Мир для меня сжался до размеров листка бумаги, на который я набрасывался со всем лиризмом ожесточенного отрочества. И тем не менее, вопреки всей этой наивности, именно в ту пору я впервые осознал важность задачи и ее глубокую природу. Меня обуяла жажда справедливости для человека — всего целиком, какими бы презренными или преступными ни были его воплощения, и именно она впервые бросила меня к подножию моего будущего произведения; и если правда, что эта жажда болезненно коренилась в моей сыновней нежности, то ее побеги постепенно пронизали все мое существо, пока литературное творчество не стало для меня тем, чем всегда является в великие моменты своей искренности, — разрывом, через который пытаются ускользнуть от невыносимого, способом отдать душу, чтобы остаться в живых.

При виде этого посеревшего, склоненного лица с закрытыми глазами и этой руки на груди передо мной вдруг впервые встал вопрос: стоит ли жить? И мой ответ на него был немедленным, может потому, что его продиктовал инстинкт самосохранения: я лихорадочно настрочил рассказ, озаглавленный «Правда о деле Прометея», который и сегодня еще остается для меня правдой о деле Прометея.

Ибо не подлежит сомнению, что нам переврали подлинную историю Прометеева подвига. Точнее, скрыли от нас ее конец. То, что за кражу огня у богов Прометей был прикован к скале и стервятник клевал его печень, — истинная правда. Но через какое-то время, когда боги бросили взгляд на землю, желая посмотреть, что же там происходит, они вдруг увидели, что Прометей не только избавился от оков, но и сам схватил стервятника и поедает его печень, чтобы набраться сил перед подъемом на небо.

Все ж таки сегодня печень у меня побаливает. Признаться, есть из-за чего: я приканчиваю уже десятитысячного стервятника. А мой желудок уже не тот, что прежде.

Но я делаю, что могу. В день, когда последний удар клюва сгонит меня с моей скалы, я приглашаю астрологов понаблюдать появление нового зодиакального знака: отродья человеческого, вцепившегося всеми зубами в печень какого-нибудь небесного стервятника.

Мое окно открывалось на улицу Данте, ведущую от отеля-пансиона «Мермон» к рынку Буффа. Сидя за рабочим столом, я издалека видел, как возвращается мать. Однажды утром меня охватило необоримое желание посоветоваться с ней и спросить, что она обо всем этом думает. Она вошла в мою комнату без всякой причины, как это часто случалось, просто чтобы молча выкурить сигарету в моем обществе. Я как раз готовился к экзамену и учил по этому случаю какой-то туманный бред об устройстве вселенной.

— Мама, — сказал я. — Мам, послушай.

Она стала слушать.

— Три года лиценциата, два года в армии...

— Ты будешь офицером, — перебила она.

— Ладно, но это все равно пять лет. А ты больна.

Она тут же попыталась меня успокоить:

— Учебу закончить успеешь. Ты ни в чем не будешь нуждаться, будь спокоен...

— Господи, да я же не об этом... Я боюсь, что не успею... не успею вовремя...

Она все же задумалась. Долго, спокойно размышляла. А потом сказала, шумно засопев и положив руки на колени:

— Есть справедливость.

И пошла заниматься рестораном.

Моя мать верила в более логичное, более возвышенное и более связное устройство вселенной, чем все, что можно было вычитать об этом из учебника физики.

В тот день на ней было серое платье, фиолетовая шаль, нитка жемчуга и серое пальто, наброшенное на плечи. Она поправилась на несколько кило. Врач мне сказал, что она может протянуть еще несколько лет. Я уткнулся лицом в ладони.

Если бы только она смогла увидеть меня в мундире французского офицера! Даже если мне никогда не суждено стать послом Франции и нобелевским лауреатом по литературе, сбылось бы хоть одно из ее самых прекрасных мечтаний. Начать учебу на юридическом мне предстояло уже этой осенью, и если чуточку повезет... Через три года я смог бы триумфально явиться в отель-пансион «Мермон» в форме младшего лейтенанта авиации. Мы с матерью выбрали авиацию, и уже довольно давно: перелет Линдберга через Атлантику произвел на нее живейшее впечатление, а я опять злился на себя, что не додумался до этого первым. Я бы прошелся с ней по рынку Буффа, разодетый в синее с золотом, с крылышками где только можно, на зависть моркови, порея и всех этих Панталеони, Ренуччи, Буппи, Чезари и Фасолли; я бы гордо вышагивал рука об руку с матерью под триумфальными арками из колбас и головок лука, ловя восхищение даже в круглых глазах мерланов.

Наивное преклонение моей матери перед Францией постоянно меня удивляло. Когда какой-нибудь выведенный из себя поставщик обзывал ее «чертовой иностранкой», она улыбалась и, движением своей палки призвав весь рынок Буффа в свидетели, заявляла:

— Мой сын — офицер запаса, а вы перед ним — дерьмо!

Она не делала различия между «есть» и «будет». Нашивка младшего лейтенанта вдруг приобрела в моих глазах огромное значение, и все мои мечты временно свелись к одной, гораздо более скромной: пройтись в форме младшего лейтенанта авиации по открытому рынку Буффа с матерью под руку.

Глава XXII

Я поступил на юридический факультет в Эксан-Провансе и покинул Ниццу в октябре 1933 года. От Ниццы до Экса пять часов автобусом, и расставание было душераздирающим. Перед пассажирами я изо всех сил старался держаться мужественно и слегка иронично, а мать внезапно сгорбилась и стала словно вдвое меньше, не сводя с меня глаз и раскрыв рот с выражением мучительного непонимания. Когда автобус тронулся, она сделала несколько шагов по тротуару, потом остановилась и заплакала. Так и вижу ее с подаренным мной букетиком фиалок в руке. А я превратился в статую, правда, не без помощи оказавшейся в автобусе хорошенькой девушки, которая на меня смотрела. Мне всегда нужна публика, чтобы показать лучшее, на что я способен. За время поездки мы с ней познакомились: она была колбасница из Экса. Она призналась мне, что сама чуть было не пустила слезу во время сцены нашего прощания, и я опять услышал уже ставший мне привычным припев: «Можете не сомневаться, мать вас любит по-настоящему», — и все это со вздохом, мечтательным взглядом и чуточкой любопытства.

Свою комнату в Эксе, на улице Ру-Альферан, я снимал за шестьдесят франков в месяц. Мать зарабатывала тогда пятьсот; сто франков на инсулин и на врача, сто франков на сигареты и прочие расходы, а остальное — на меня. Перепадало мне и еще кое-что: почти ежедневно автобус из Ниццы привозил съестное из запасов отеля-пансиона «Мермон» — мать тактично именовала это «оказией», — и мало-помалу крыша вокруг окна моей мансарды стала походить на прилавок рынка Буффа. Ветер качал колбасы, в водосточном желобе, к великому удивлению голубей, выстраивались рядами яйца; сыры вспучивались под дождем, окорока, бараньи ножки, ломти мяса для жаркого на черепице выглядели натюрмортами. Ничто и никогда не было забыто: ни соленые огурцы, ни горчица с эстрагоном, ни греческая халва, ни финики, фиги, апельсины и орехи, а поставщики рынка Буффа добавляли сюда и кое-какие свои импровизации: г-н Панталеони пиццу с сыром и анчоусами, г-н Пеппи свои знаменитые «чесночные зубчики» — особое, совершенно дивное блюдо, которое на первый взгляд казалось обычной сладкой запеканкой, но при этом таяло во рту, перемежая неожиданные вкусы: сыра, анчоусов, грибов и вдруг, в довершение, апофеоз чеснока — такого я никогда потом не пробовал; и целые четверти бычьей туши, которые г-н Жан отправлял мне самолично, — то был единственный подлинный «бык на крыше», нравится это или нет знаменитому парижскому ресторану с тем же названием. Известность моей кладовки распространялась все дальше — по бульвару Мирабо, и у меня появились друзья: гитарист-поэт по имени Сентом, молодой немец, студент-писатель, вознамерившийся оплодотворить Север Югом или наоборот, уже не помню, два студента с философского курса профессора Сегона и, разумеется, моя колбасница, которую я потом вновь увидел в 1952 году; она стала матерью девятерых детей, и это доказывает, что Провидение хранило меня, потому что у меня с ней никогда не было подобных хлопот. Я проводил свое свободное время в кафе «Дё Гарсон», где писал роман под платанами бульвара Мирабо. Мать часто присылала мне краткие записки с хорошо прочувствованными фразами, призывавшими меня к мужеству и стойкости; они походили на воззвания, с которыми генералы обращаются к своим войскам накануне разгрома, звенящие от посулов победы и почестей, и когда я в 1940 году прочитал на стенах знаменитое «мы победим, потому что мы сильнее» правительства Рейно, я с нежной иронией вспомнил собственного главнокомандующего. Я часто представлял ее себе: как она встает в шесть часов утра, закуривает свою первую сигарету, кипятит воду для укола, втыкает себе шприц с инсулином в бедро, как я не раз это видел, потом, взяв карандаш, ставит мне боевую задачу и бросает ее в почтовый ящик по дороге на рынок. «Мужайся, сын мой, ты вернешься домой, увенчанный лаврами...» Да, вот так просто она находила совершенно естественными самые старые, затертые и наивные штампы человечества. Думаю, она сама нуждалась в этих записочках, которые писала больше ради того, чтобы убедить самое себя, и даже не мне, а самой себе придать мужества. Она также умоляла меня не драться на дуэли, поскольку ее всегда неотвязно преследовала гибель Пушкина и Лермонтова в поединке, а я в ее представлении был по меньшей мере равен им по литературному гению, так что она опасалась, как бы я не стал третьим, если можно так выразиться. Я не пренебрегал своими литературными трудами, отнюдь нет. Вскоре новый роман был завершен и отправлен издателям, и впервые один из них, Робер Деноэль, потрудился ответить мне лично. Он писал, что, по его мнению, мне было бы интересно ознакомиться с отзывом кое-кого из читателей. Вероятно, пробежав несколько страниц моего произведения, он передал его известному психоаналитику, в данном случае княгине Мари Бонапарт, и теперь пересылал мне ее двадцатистраничный труд об авторе «Вина мертвых», то бишь обо мне. Все было довольно ясно. Я одержим комплексом кастрации, фекальным комплексом, некрофилическими наклонностями и уж не знаю сколькими мелкими извращениями, за исключением эдипова комплекса, до сих пор не возьму в толк почему. Впервые я почувствовал, что «стал кем-то», и что начинаю наконец оправдывать надежды, которые мать питала на мой счет.

Хотя издатель и отверг мою книгу, психоаналитический документ, объектом которого я стал, мне очень польстил, и я тотчас же принялся совершать поступки, которых, как мне отныне казалось, от меня ожидают. Я показывал это исследование всем, и на моих друзей оно произвело надлежащее впечатление, особенно мой фекальный комплекс, который, доподлинно свидетельствуя о сумрачной и мятущейся душе, казался им верхом шика. В кафе «Дё Гарсон» я неоспоримо стал «кем-то», и могу сказать, что моего юного чела коснулся первый луч успеха. Одна лишь колбасница отреагировала на чтение документа совершенно неожиданным образом. Демоническая, сверхчеловеческая сторона моей натуры, о которой она до сих пор не подозревала, но теперь также явленная миру, побудила ее вдруг предъявить мне требования, которые намного превосходили мои возможности, демонические или нет; и она желчно обвинила меня в жестокости, когда я, наделенный темпераментом очень здоровым, но довольно простым, выразил удивление перед некоторыми из ее предложений. Короче, боюсь, что оказался отнюдь не на высоте своей репутации. Тем не менее я принялся культивировать некий фатальный жанр согласно своим представлениям о человеке, одержимом некрофилическими наклонностями и комплексом кастрации: я никогда не показывался на публике без маленьких ножниц, которыми заманчиво пощелкивал, а когда меня спрашивали, что я тут делаю с этими ножницами, ответствовал: «Не знаю, никак не могу удержаться», — и мои приятели молча переглядывались. Я также демонстрировал на бульваре Мирабо весьма удачный оскал и вскоре стал известен на юридическом факультете как последователь Фрейда, о котором никогда не говорил, но всегда держал в руке какой-нибудь его труд. Я сам перепечатал психоаналитический отчет в двадцати экземплярах и щедро раздавал университетским девушкам; две копии с него отправил матери, чья реакция была совершенно подобна моей: наконец-то я стал знаменит, меня сочли достойным документа в двадцать страниц, да еще и написанного княгиней. Она ознакомила с этим документом постояльцев отеля-пансиона «Мермон», и, вернувшись в Ниццу после своего первого учебного года, я был встречен с большим интересом и провел приятные каникулы. Единственное, что немного беспокоило мою мать, был комплекс кастрации, поскольку она опасалась, как бы я себе не навредил.

Дела в отеле-пансионе «Мермон» шли превосходно, мать уже зарабатывала около семисот франков в месяц, и было решено, что заканчивать учебу я отправлюсь в Париж, чтобы завести там связи. Моя мать уже знала одного отставного полковника, бывшего администратора в колониях, уволенного со службы, и вице-консула Франции в Китае, пристрастившегося к опиуму, который приехал в Ниццу пройти курс дезинтоксикации. Все они проявили ко мне расположение, и мать почувствовала, что для жизненного старта появилась наконец надежная точка опоры и что наше будущее обеспечено. Зато ее диабет, наоборот, усугублялся, и дозы инсулина, становясь все больше, вызывали приступы гипогликемии. Несколько раз, возвращаясь с рынка, она в состоянии инсулиновой комы падала прямо посреди улицы. Поскольку гипогликемический обморок, если его немедленно не определить и не принять мер, почти всегда ведет к смерти, она нашла очень простое средство предотвратить эту опасность — из предосторожности никогда не выходила из дома без записки, пришпиленной под пальто на самом виду: «У меня диабет. Если найдете меня без сознания, пожалуйста, дайте мне проглотить несколько пакетиков сахара, которые найдете в моей в сумке. Спасибо». Это была превосходная идея, которая избавила нас от многих неприятностей и позволила матери каждое утро уверенно выходить из дома с палкой в руке. Иногда, стоило мне увидеть, как она выходит из дома и шагает по улице, меня охватывала ужасная тревога, чувство такого бессилия, стыда, жуткой паники, что пот выступал на лбу. Однажды я робко попытался внушить ей, что мне, быть может, лучше прервать учебу, найти работу, зарабатывать деньги. Она ничего не сказала, посмотрела на меня с упреком и заплакала. Я никогда больше не возвращался к этому вопросу.

По-настоящему она жаловалась только на винтовую лестницу, ведущую из ресторана в кухню, по которой ей приходилось спускаться и карабкаться вверх раз по двадцать на дню. Тем не менее она объявила мне, что врач нашел ее сердце «хорошим» и что для беспокойства нет причины.

Мне было уже девятнадцать лет. И я вовсе не был в душе сутенером, поэтому ужасно страдал. Мной овладевало все более и более неотвязное чувство утраты мужественности, и я боролся против него, как и все прочие мужчины до меня, желавшие успокоиться на сей счет. Но этого было недостаточно. Я жил ее трудом, ее здоровьем. По крайней мере два года отделяли меня от того момента, когда я смогу наконец сдержать свое обещание, вернуться домой с галунами младшего лейтенанта на рукавах и подарить ей первый триумф в ее жизни. Я не имел права уклониться и отказаться от ее помощи. Мое самолюбие, моя мужественность, мое достоинство — все это было не в счет. Легенда о моем будущем — вот что поддерживало ее в жизни. Так что и речи быть не могло, чтобы ломаться и потакать своим капризам. Все это манерничание и гримасничание, строгая щепетильность и гордое вздергивание подбородка откладывалось на потом. На потом откладывались также философские и политические соображения, извлеченные уроки и нравственные принципы, ибо я ничуть не хуже знал, что безжалостный урок, усвоенный моей плотью и кровью с самого детства, обрекает меня бороться за мир, где больше не будет покинутых. А пока следовало проглотить свой стыд и продолжить бег наперегонки со временем, чтобы попытаться сдержать обещание и сохранить жизнь нелепой и хрупкой мечте.

Мне оставалось два года на юридическом, потом два года армии, потом... Я проводил за писанием до одиннадцати часов в день.

Однажды г-н Панталеони и г-н Буччи привезли ее с рынка на такси — растрепанную, с еще серым лицом, но уже с сигаретой в зубах и улыбкой, вполне готовой меня успокоить.

Я не чувствую себя виноватым. Но если все мои книги полны призывов к достоинству, справедливости, если в них так много и так громко говорится о чести быть мужчиной, то это, наверное, потому, что я до двадцати двух лет жил трудами старой, больной и измотанной женщины. Я на нее очень сержусь.

Глава XXIII

Течение лета было нарушено одним непредвиденным событием. Как-то прекрасным утром перед отелем-пансионом «Мермон» остановилось такси и из него вылезла моя колбасница. Она явилась к моей матери и устроила ей бурную сцену со слезами, рыданиями, угрозами самоубийства и самосожжения. Мать была крайне польщена: как раз этого она от меня и ожидала. Я стал наконец светским человеком. В тот же день весь рынок Буффа об этом знал. Что же касается моей колбасницы, то ее точка зрения была очень проста: я должен на ней жениться. И она сопроводила свой ультиматум одним из самых странных аргументов, которые мне доводилось слышать, что-то в духе «он бросил меня одну с ребенком».

— Он заставлял меня читать Пруста, Толстого и Достоевского, — заявила несчастная, глядя так, что сердце разрывалось. — Что теперь со мной будет?

Должен сказать, что мать была поражена этим очевидным доказательством моих намерений, и кинула на меня огорченный взгляд. Я явно зашел слишком далеко. Да я и сам чувствовал себя очень неловко, потому что это была сущая правда, я пичкал Адель Прустом том за томом, пока она не проглотила его всего, а это для нее, в сущности, было все равно что сшить себе подвенечное платье. Прости меня, Господи! Я даже заставлял ее учить наизусть пассажи из «Так говорил Заратустра» и, очевидно, уже не мог надеяться потихоньку улизнуть... Собственно говоря, она ничего не понесла от этих книг, но, тем не менее, оказалась из-за них в интересном положении.

Что меня ужаснуло, так это ощущение, будто мать дрогнула. Она вдруг стала с Аделью необычайно ласковой, и меж двух новых подруг установилась своего рода удивительная женская солидарность. Они вместе вздыхали. Шушукались. Мать предложила Адели чаю и — знак из ряда вон выходящей благожелательности — дала ей отведать клубничного варенья собственного изготовления. Разумеется, это лакомство было матери запрещено, но она потчевала им редких избранных, умоляя затем описать произведенное впечатление. Моя колбасница весьма ловко сумела найти нужные слова. Я почувствовал, что пропал. После чая мать увлекла меня в свой кабинет.

— Ты ее по-настоящему любишь?
— Нет. Люблю, но не по-настоящему.

— Тогда зачем давал обещания?

— Не давал я ей никаких обещаний.

Моя мать посмотрела на меня с упреком.

— Сколько томов у Пруста?

— Послушай, мама...

Она покачала головой.

— Это нехорошо,— сказала она.— Нет, нехорошо.

Вдруг ее голос задрожал, и, к своему ошеломлению, я увидел, что она плачет. Она смотрела со слишком мне знакомым пристальным вниманием, задерживаясь на каждой черточке моего лица, я понял вдруг, что она ищет сходство, и почти испугался, что она попросит меня подойти к окну и поднять глаза.

Все-таки она не вынудила меня жениться на колбаснице, избавив ее, таким образом, от жестокой судьбы, поэтому, когда двадцать лет спустя Адель с торжествующим видом представила меня своим девятерым детям, я ничуть не удивился горячей благодарности, которую засвидетельствовало мне все семейство: они были обязаны мне всем. Муж Адели тут не ошибся и жал мне руку долго и с излияниями чувств. Я смотрел на девять обращенных ко мне ангельских мордашек, чувствовал вокруг себя спокойное довольство этого доброго очага и украдкой бросал взгляды на книжный шкаф, где обнаружилась лишь подборка комиксов «Приключения Пье Никле». У меня возникло чувство, что мне все-таки кое-что удалось в жизни — стать хорошим отцом, уклонившись от этого.

Приближалась осень, а вместе с нею и мой отъезд в Париж. За неделю до отправки в этот Вавилон с матерью случился приступ религиозности. До этого если она и говорила о Боге, то лишь с некоторым буржуазным почтением, как о ком-то, кто изрядно преуспел в жизни. Создателю она всегда свидетельствовала большое уважение, но скорее словесное и довольно безличное, как обычно относилась к должностным лицам. Так что я был немало удивлен, когда, надев пальто и взяв свою палку, она потребовала сопроводить ее в русскую церковь в Императорском парке.

— Но я думал, мы вроде как евреи?
— Это не важно, я знакома с попом.

Объяснение показалось мне приемлемым. Мать всегда доверяла личному знакомству, даже в отношениях со Всевышним.

В своем отрочестве я обращался к Богу неоднократно и даже по-настоящему переменил веру, когда у матери случился первый приступ гипогликемии и я присутствовал при инсулиновой коме, бессильный чем-либо ей помочь. Вид землистого лица, завалившейся набок головы, руки, прижатой к груди, и полного упадка сил, хотя ей еще столько предстояло сделать, немедля погнал меня в первый же попавшийся храм, и им оказался собор Богоматери. Я это сделал тайно, опасаясь, как бы мать не увидела в этом призыве к сторонней помощи недостаток доверия, веры в нее, а также признак серьезности ее состояния. Я боялся, как бы она не вообразила вдруг, будто я на нее уже не рассчитываю, будто обращаюсь к кому-то помимо нее, поскольку это означало бы в конечном счете, что я от нее отворачиваюсь. Но очень скоро мое представление о божественном величии показалось мне несовместимым с тем, что я видел на земле, а ведь счастливую улыбку на лице моей матери я хотел увидеть именно *здесь*. И тем не менее слово «атеист» мне нестерпимо; я нахожу его глупым, устарелым, оно попахивает затхлой пылью веков и как-то по-мещански, реакционно ограниченно — не могу толком определить, но оно выводит меня из себя, как все самодовольное, самонадеянное, притязающее на полное вольнодумство и осведомленность.

— Ладно. Идем в русскую церковь в Императорском парке.

Я подал ей руку. Она ходила еще довольно быстро, решительной походкой, как люди, имеющие цель в жизни. Теперь она носила очки — в черепаховой оправе, подчеркивавшей красоту ее зеленых глаз. У нее были очень красивые глаза. Лицо увяло, покрылось морщинами, и она держалась уже не так прямо, как прежде. Все больше и больше опиралась на свою палку. Хотя ей было всего пятьдесят пять. Теперь у нее добавилась еще и хроническая экзема на запястьях. Ни у кого нет права так поступать с человеческими существами. Я в то время мечтал порой превратиться в дерево с очень твердой корой или в слона со шкурой во сто крат толще моей. Мне случалось также, как случается еще и поныне, брать свою рапиру, выходить на поединок и, даже обойдясь без принятого приветствия, скрещивать сталь с каждым лучом небесного света. Я становлюсь в позицию, сгибаюсь пополам, скачу, напираю, пытаюсь уколоть, порой с моих губ срывается крик: «Эй, там!» — я бросаюсь вперед, ищу противника, делаю обманные движения, распрямляюсь, почти как на корте Императорского парка, когда я отчаянно выплясывал в погоне за мячами, которых мне не удавалось коснуться.

Из забияк меня больше всех восхищал Мальро. Именно с ним я предпочел бы скрестить клинок. В своей поэме об искусстве Мальро предстал предо мной как великий автор и актер своей собственной трагедии. Скорее, мим, мим-универсал: когда я, один-одинешенек на своем холме, лицом к небу жонглирую тремя мячиками, чтобы показать, на что способен, я думаю о нем. Вместе с Чаплином былых времен он, безусловно, самый трогательный и человечный мим, какого знал век. Эта блистательная мысль, обреченная свестись к искусству, эта рука, протянутая в вечность и встречающая лишь другую человеческую руку, этот дивный ум, вынужденный удовлетворяться самим собой, этот потрясающий порыв проникнуть, разгадать, переступить, зайти за грань и достигающий в итоге лишь красоты, всегда братски подбадривали меня в поединках.

Мы шли по бульвару Карлон в сторону бульвара Царевича. В церкви оказалось пусто, и мать, похоже, была этим довольна: все ж таки какое-то исключение.

— Кроме нас никого, — сказала она. — Не придется ждать.

Она выражалась так, будто Бог — врач и нам повезло попасть на прием в промежуток между другими пациентами. Она перекрестилась, и я тоже перекрестился. Она опустилась на колени перед алтарем, и я тоже опустился рядом. По ее щекам покатились слезы, а губы забормотали старые русские молитвы, где постоянно повторялось *Иисусе Христе*. Я держался рядом, опустив глаза. Она ударила себя в грудь и, не оборачиваясь ко мне, шепнула:

— Поклянись мне, что никогда не возьмешь денег у женщин!

— Клянусь.

Мысль, что она сама тоже женщина, не приходила ей в голову.

— Господи, помоги ему выстоять, помоги продержаться, храни от болезней!

Обернувшись ко мне:

— Поклянись мне, что остережешься! Обещай, что ничего такого не подцепишь!

— Обещаю.

Мать еще долго стояла на коленях, уже не молясь, только плача. Потом я помог ей встать, и мы спова оказались на улице. Она утерла слезы и вдруг разом повеселела. А когда повернулась к церкви напоследок, в ее лице появилось даже что-то почти по-детски плутоватое.

— Поди знай, — сказала она.

Наутро меня ждал парижский автобус. Прежде чем уехать, пришлось сесть и посидеть какое-то время, согласно древнему русскому суеверию, чтобы отвести от себя неудачу. Она вручила мне пятьсот франков и вынудила держать их в сумочке на животе, под рубашкой, на тот случай, конечно, если автобус остановят разбойники. Я дал себе слово, что это последние деньги, которые я у нее беру, и, хотя не совсем сдержал обещание, в тот момент это меня успокоило.

В Париже я заперся в крохотном гостиничном номере и, забросив лекции юридического факультета, стал запоем писать. В полдень отправлялся на улицу Муфтар, где покупал хлеб, сыр и, разумеется, соленые огурцы. Мне никогда не удавалось донести огурцы до дома: я их поедал тут же, прямо на улице. На протяжении многих недель они были моим единственным источником удовлетворения. Хотя искушений хватало. Когда я вот так столовался, стоя на улице спиной к стене, мой взгляд неоднократно привлекала к себе одна девушка красоты совершенно неописуемой: черноглазая, с такими прелестными темными волосами, что их не с чем сравнить за всю историю человеческих волос. Она делала свои покупки одновременно со мной, и я взял за правило поджидать ее на улице. Я совершенно ничего от нее не ждал — не мог даже пригласить ее в кино. Все, чего мне хотелось, это грызть свой огурец и любоваться ею. У меня всегда была склонность испытывать голод при виде красоты — пейзажей, красок, женщин. Я прирожденный потребитель. Впрочем, девушка в конце концов заметила странный взгляд, который я устремлял на нее, пожирая свои соленые огурцы. Должно быть, ее изрядно удивило мое неумеренное пристрастие к солениям, а также стремительность, с какой я их уплетал, и мой пристальный взгляд, поэтому она даже слегка улыбалась, проходя мимо. Наконец в один прекрасный день, когда я превзошел себя, заглотив целиком огромный огурец, она уже не смогла сдержаться и сказала мимоходом, с ноткой искренней озабоченности в голосе:

— Слушайте, так ведь и помереть недолго!

Мы завязали знакомство. Мне повезло, что первая девушка, в которую я влюбился в Париже, оказалась существом совершенно бескорыстным. Они с сестрой были студентками и наверняка самыми красивыми девушками в Латинском квартале того времени. За ней усердно ухаживали молодые люди на автомобилях, да и сегодня еще, двадцать лет спустя, когда мне случается встретить ее в Париже, мое сердце начинает колотиться быстрее и я вхожу в первую попавшуюся русскую лавочку, чтобы купить фунт соленых огурцов.

Как-то утром, когда у меня в кармане оставалось всего пятьдесят франков и очередное обращение к матери казалось неизбежным, я, открыв еженедельник «Гренгуар», вдруг обнаружил там свой рассказ «Гроза», занимавший целую страницу, и, везде, где полагалось, собственное имя довольно жирным шрифтом.

Я медленно закрыл еженедельник и вернулся домой. Я не испытывал никакой радости, наоборот, какую-то странную усталость и печаль: мой первый блин вышел комом.

Зато трудно описать сенсацию, вызванную опубликованием рассказа на рынке Буффа. В честь этого события корпорация поднесла матери аперитив, и были произнесены речи, с соответствующим акцентом. Мать положила номер еженедельника в свою сумку и уже никогда с ним не расставалась. А при малейшей стычке вытаскивала его оттуда, разворачивала, совала страницу, украшенную моим именем, под нос противнику и говорила:

— Не забывайте, с кем имеете честь говорить!

После чего, высоко подняв голову, торжествующе покидала поле боя, провожаемая ошеломленными взорами.

За рассказ мне заплатили тысячу франков, и вот тут я совершенно потерял голову. Никогда прежде я не видел столько денег, поэтому, сразу же ударившись в крайность, как и кое-кто хорошо мне знакомый, почувствовал себя избавленным от нужды до конца своих дней. Первое, что я сделал, это пошел в недорогой ресторан «Бальзар», где отвел душу, взяв две порции тушеной капусты с сосисками и еще отварную говядину. Я всегда был не дурак поесть, и, чем больше себя ограничиваю, тем больше ем. Я снял номер в отеле на шестом этаже, окном на улицу, и написал матери очень спокойное письмо, в котором разъяснил, что у меня отныне постоянный контракт с «Гренгуар», равно как и со многими другими изданиями, так что, если ей нужны деньги, достаточно мне только сказать. Я заказал ей по телеграфу доставку огромного флакона духов и букета. Купил себе коробку сигар и спортивную куртку. От сигар меня тошнило, но, решив широко пожить, я их выкурил все до единой. После чего, схватив ручку, написал один за другим три рассказа, которые все мне были возвращены, не только «Гренгуар», но и прочими парижскими еженедельниками. За полгода ни одно из моих сочинений не увидело света. Их сочли слишком «литературными». Я никак не мог понять, что со мной случилось. С тех пор понял. Ободренный первым успехом, я поддался своей всепожирающей потребности во что бы то ни стало поймать последний мяч, одним росчерком пера докопаться до сути, до самого дна проблемы, а поскольку у проблемы дна не имелось, да и рука моя была не настолько длинна, я опять оказался в роли клоуна, пляшущего и спотыкающегося на теннисном корте Императорского парка, а подобное выставление себя напоказ, каким бы трагически-балаганным оно ни выглядело, способно лишь оттолкнуть читателя своим бессилием разрешить вопрос (который мне и уразуметь-то не удавалось), вместо того чтобы успокоить его непринужденностью и мастерством, как это всегда делают профессионалы, когда не хватает других средств. Мне понадобилось много времени, чтобы принять тот факт, что читатель имеет право на некоторую обходительность и что ему обязательно надо сообщить, как в отеле-пансионе «Мермон», номер комнаты, выдать ключ, проводить на этаж, показать, где находится выключатель и предметы первой необходимости.

Очень скоро я оказался в отчаянном материальном положении. Мало того, что деньги испарились с невероятной быстротой, так я еще и беспрестанно получал письма от матери, переполненные гордостью и благодарностью, где она просила заранее сообщать ей, когда будут публиковать мои шедевры, чтобы она могла показать их всему кварталу.

У меня не было мужества признаться ей в своей неудаче.

Пришлось прибегнуть к одной весьма хитроумной уловке, которой и сегодня еще очень горжусь.

Я отправил матери пространное послание, в котором объяснял, что в газетах от меня требуют рассказов столь низкого коммерческого пошиба, что я отказываюсь подрывать свою литературную репутацию, подписывая их собственным именем. Далее я сообщал по секрету, что собираюсь подписывать эту халтуру разными псевдонимами, и умолял не придавать огласке временную меру, к которой я пока вынужден прибегнуть, дабы не огорчать моих друзей, преподавателей лицея, короче, всех, кто верит в мой гений и мою непорочность.

После чего каждую неделю преспокойно вырезал творения разных собратьев по перу, опубликованные в парижских еженедельниках, и отсылал их матери со спокойной совестью и чувством выполненного долга.

Это решение улаживало моральную проблему, но отнюдь не материальную. Мне больше нечем было платить за жилье, и я целыми днями сидел без крошки во рту. Но я бы скорее умер с голоду, чем отнял у матери ее победные иллюзии.

Всякий раз, когда я думаю об этом периоде моей жизни, мне вспоминается один особенно мрачный вечер. Я ничего не ел со вчерашнего дня. Мне тогда частенько случалось наведываться к одному из своих приятелей, который жил с родителями около станции метро «Лекурб», и я заметил, что, если удачно подгадать, меня почти всегда просят остаться отобедать.

Живот был пуст, я решился нанести им маленький визит вежливости. Я даже прихватил с собой одну из своих рукописей, чтобы почитать ее г-ну и г-же Бонди, чувствуя к ним большое расположение. Голоден я был страшно, поэтому тщательно рассчитал время, чтобы поспеть к супу. Дивный запах этого супа с картошкой и луком-пореем я начал явственно обонять еще на площади Контрэскарп, когда от улицы Лекурб меня отделяли целых сорок пять минут ходьбы — денег на метро у меня тоже не было. Я глотал слюну, и мой взгляд, должно быть, светился таким безумным вожделением, что попадавшиеся на пути одинокие женщины слегка шарахались в сторону и ускоряли шаг. Я почти убедил себя, что там наверняка будет венгерская салями и шоколадный торт, он там всегда был. Думаю, что никогда я не шел на любовное свидание с более чудесным предвкушением в сердце.

Когда же, преисполненный дружеских чувств, я прибыл наконец по назначению, на мой звонок никто не ответил: друзья куда-то ушли.

Я сел на лестнице и ждал час, потом два. Но около одиннадцати элементарное чувство собственного достоинства — оно всегда где-то в нас остается — помешало мне прождать их возвращения до полуночи, чтобы напроситься поесть.

Я встал и пошел обратно по проклятой улице Вожирар в состоянии такой неудовлетворенности, какую только можно себе вообразить.

Тут-то я и достиг другой вершины своей чемпионской жизни.

Мой путь лежал мимо Люксембургского сада и ресторана «Медичи». Злой судьбе было угодно, чтобы в этот поздний час я смог увидеть сквозь белые тюлевые занавеси какого-то добропорядочного буржуа, поедающего бифштекс в два пальца толщиной с отварным картофелем.

Я остановился, бросил взгляд на бифштекс и попросту потерял сознание.

Мой обморок случился не от голода. Я, конечно, не ел со вчерашнего дня, но был исключительно живуч в то время, и мне не раз случалось голодать по два дня, не уклоняясь при этом от своих обязанностей, какими бы они ни были.

Я грохнулся в обморок от ярости, возмущения и унижения. Я не мог стерпеть, что человеческое существо вообще оказалось в подобной ситуации, да и сегодня этого не терплю. Я оцениваю политические режимы по количеству пищи, которое они дают каждому, и когда они к этому что-нибудь прицепляют, когда ставят условия, я их выблевываю: люди имеют право есть без всяких условий.

Я стиснул кулаки, задыхаясь от бешенства, в глазах потемнело, и я рухнул на тротуар во весь рост. Должно быть, я пролежал там довольно долго, поскольку, открыв глаза, обнаружил вокруг себя целое сборище. Я был прилично одет, на мне были даже перчатки, так что, по счастью, никто не заподозрил подлинную причину моей внезапной слабости. Никому это и в голову не пришло. Кто-то уже вызвал «скорую помощь», и меня сильно подмывало не сопротивляться: я был уверен, что уж в больнице-то мне представится случай так или иначе набить брюхо. Но не дал себе этой поблажки. Пробормотав несколько слов извинения, я ускользнул от внимания публики и вернулся к себе. Но вот что в самом деле было замечательно: есть больше не хотелось. Шок от унижения и обморока отогнал мой желудок куда-то на задний план. Я зажег лампу, взял ручку и начал рассказ, озаглавленный «Маленькая женщина», который «Гренгуар» опубликовал через несколько недель.

Я устроил себе также «суд совести». И обнаружил, что отношусь к себе слишком всерьез, что мне не хватает смирения и одновременно юмора. Мне не хватало также доверия к себе подобным, и я недостаточно пытался исследовать возможности человеческой природы — ведь не может же она совершенно быть лишена великодушия. Я поставил опыт на следующее же утро, и мои оптимистические воззрения полностью подтвердились. Я начал с того, что занял сто су у коридорного гостиницы под предлогом потери бумажника. После чего направил стопы в кафе «Капулад», заказал себе кофе и решительно запустил руку в корзинку с рогаликами. Я съел их семь штук. Заказал еще чашку кофе. Потом пристально заглянул официанту в глаза — бедняга и не подозревал, что в его лице все человечество подвергалось испытанию.

— Сколько я вам должен?

— А сколько рогаликов?

— Один, — сказал я.

Официант посмотрел на почти пустую корзинку. Потом на меня. Потом снова на корзинку. Потом покачал головой.

— Вот черт, — сказал он. — Ну вы даете.

— Ну, может, два, — предположил я.

— Ладно, понял, — сказал официант. — Не тупой. Значит, два кофе, один рогалик, итого семьдесят пять сантимов.

Я вышел оттуда преображенный. Что-то пело в моей душе: возможно, те самые рогалики. Начиная с того дня я стал лучшим клиентом кафе «Капулад». Порой бедняга Жюль — так звали этого великого француза — устраивал робкий хай, не слишком убедительно.

— А ты бы не мог кормиться где-нибудь в другом месте, а? Я из-за тебя нагоняй схлопочу от хозяина.

— Не могу, — отвечал я. — Ты мне отец и мать.

Иногда он пускался в туманные арифметические подсчеты, которые я рассеянно выслушивал.

— Два рогалика? Ты осмеливаешься глядеть мне в глаза и это говорить? Три минуты назад в корзинке было девять.

Я принимал это холодно:

— Кругом столько ворья.

— Вот ведь черт! — говорил Жюль с восхищением. — Нахальства тебе не занимать. А на кого ты вообще учишься?

— На юриста. Заканчиваю лиценциат по праву.

— Ну ты мерзавец! — восклицал Жюль.

Мы стали друзьями. Когда в «Гренгуаре» появился мой второй рассказ, я ему преподнес экземпляр с дарственной надписью.

Прикидываю, что с 1936 по 1937 год я даром съел в кафе «Капулад» что-то около тысячи — полутора тысяч рогаликов. Я истолковал это как своего рода стипендию, которую предоставило мне заведение.

Я сохранил большую нежность к рогаликам. Нахожу, что в их форме, хрустящей корочке и приятном тепле есть что-то симпатичное и дружелюбное. Мой желудок уже не переваривает их так же хорошо, как прежде, и наши отношения стали более-менее платоническими. Но мне нравится знать, что они там, в корзинках на стойке. Для студенческой молодежи они сделали больше, чем вся Третья республика. Как сказал бы генерал де Голль, это добрые французы.

Глава XXIV

Второй рассказ в «Гренгуаре» появился вовремя. Мать как раз прислала мне возмущенное письмо, объявляя о своем намерении разобраться при помощи палки с одним типом, остановившимся в отеле-пансионе и называющим себя автором рассказа, который я опубликовал под псевдонимом Андре Кортис. Я пришел в ужас: выходит, Андре Кортис в самом деле существует и является автором произведения. Срочно требовалось что-нибудь предъявить матери, чтобы она поутихла. Публикация «Маленькой женщины» подоспела вовремя, и трубный глас славы вновь зазвучал на рынке Буффа. Но на сей раз я понял, что нечего и надеяться прожить исключительно за счет своего пера, и принялся искать «работу» — это слово я произносил решительно и немного таинственно.

Я был по очереди официантом в ресторане на Монпарнасе, велосипедистом-доставщиком фирмы «Изысканные ланчи, обеды, трапезы», администратором в палас-отеле на площади Звезды, статистом в кино, мойщиком посуды «У Ларю», в «Рице» и счетоводом в отеле «Лаперуз». Я работал в Зимнем цирке, в «Мими Пенсон», был агентом по размещению туристической рекламы для газеты «Тан» и, по уговору с одним репортером из еженедельника «Вуаля», предавался углубленному изучению убранства, атмосферы и персонала более сотни публичных домов Парижа. «Вуаля» так никогда это исследование и не опубликовал, а я с некоторым возмущением выяснил, что трудился, сам того не ведая, на конфиденциальный туристический путеводитель по злачному Парижу. К тому же тот «журналист» мне так и не заплатил, канув куда-то без следа. Еще я наклеивал этикетки на коробки и был, наверное, одним из тех редких людей, кто если не причесывал, то хотя бы раскрашивал жирафу[1] — очень деликатная операция, которую я производил на маленькой фабрике игрушек, где просиживал по три часа в день с кисточкой в руке. Из всех работ, которыми я занимался в ту пору, работа администратора в палас-отеле на площади Звезды оказалась для меня самой тяжкой. Меня постоянно изводил старший администратор, презиравший «интеллектуалов» (там знали, что я учусь на юри-

---

[1] Французское выражение «причесывать жирафу» (*peigner la girafe*) примерно соответствует русскому «валять дурака» (*прим. переводчика*).

дическом), а все лакеи были педерастами. Меня мутило от этих четырнадцатилетних мальчишек, предлагавших в недвусмысленных выражениях вполне определенные услуги. После этого обследование публичных домов для «Вуаля» показалось глотком свежего воздуха.

Не подумайте, будто я нападаю здесь на гомосексуалистов, подвергаю их какой-то дискриминации. Ничего не имею против них, но и за — тоже. Самые видные личности из числа педерастов мне часто советовали тайком сходить на психоанализ, чтобы проверить, так ли уж я безнадежен, и выяснить, не вызвана ли моя любовь к женщинам какой-нибудь полученной в детстве травмой, от которой меня еще можно излечить. Я по натуре задумчив, немного печален, я вполне отдаю себе отчет в том, что в нашу эпоху, после всего, что с ней уже случилось, после концентрационных лагерей, рабства в тысяче обличий и водородной бомбы нет по-настоящему никакой причины, чтобы мужчина не сделался... чем-то еще. Приняв все, что мы уже приняли, например, трусость и угодливость, нелегко понять, по какому праву мы бы вдруг стали кривиться да упираться. Но надо быть прозорливее. Поэтому, на мой взгляд, было бы неплохо, если бы современные мужчины сохранили хотя бы маленький закуток своей особы нетронутым, чтобы приберечь его на будущее, чтобы им оставалось еще что-то, чем можно поступиться.

Моей любимой службой была велосипедная доставка. Мне всегда нравился вид доброй снеди, и я был совсем не прочь кататься по Парижу, развозя отлично приготовленные блюда. Везде, куда бы я ни приехал, меня принимали с удовольствием и энтузиазмом. Я всегда был желанным гостем. Однажды мне надлежало доставить небольшой изысканный ужин — икру, шампанское, паштет из гусиной печенки (да уж, вот это жизнь!) — на площадь Терн. Это оказалось холостяцкой квартирой на шестом этаже. Меня встретил элегантный седеющий господин, которому было, наверное, столько же лет, сколько мне сегодня. Он был облачен в то, что называлось тогда «домашней курткой». Стол накрыт на двоих. Господин, в котором я узнал довольно знаменитого в то время писателя, окинул мою снедь исполненным отвращения взглядом. Я вдруг заметил, что он чем-то очень удручен.

— Мой мальчик, — сказал он мне, — запомните: все женщины — шлюхи. Уж мне ли не знать. Я об этом семь романов написал.

Он пристально, с омерзением посмотрел на икру, шампанское и заливного цыпленка. Вздохнул.

— У вас есть любовница?

— Нет, — ответил я. — Я сейчас без гроша.

Казалось, ответ произвел на него благоприятное впечатление.

— Вы довольно молоды, — сказал он, — но, похоже, уже знаете женщин.

— Так, знавал одну-двух, — ответил я скромно.

— Шлюхи? — спросил он с надеждой.

Я покосился на икру. Заливной цыпленок тоже был неплох.

— И не говорите, — сказал ему я. — Намучился.

Казалось, он был доволен.

— Изменяли вам?

— О ля-ля! — сказал я с жестом покорности судьбе.

— Однако вы молоды и недурны собой.

— Мэтр, — сказал ему я, насилу отводя глаза от цыпленка. — Мне наставили рога, мэтр, да еще какие. Две женщины, которых я по-настоящему любил, бросили меня ради пятидесятилетних мужчин — да что я говорю, какие пятьдесят? Одному уж точно шестьдесят стукнуло.

— Да ну? — удивился он с явным удовольствием. — Расскажите-ка. Давайте присаживайтесь. Надо заодно избавиться от этого чертова ужина. Чем раньше он исчезнет, тем лучше.

Я набросился на икру. Гусиной печенки и заливного цыпленка мне хватило на один присест. Уж если я ем, то ем. Не манерничаю, не хожу вокруг да около. Сажусь за стол, и — за двоих! Вообще-то я не люблю цыпленка, разве что с лисичками или эстрагоном, а то с ним вечно перемудрят. Но этот в итоге оказался ничего. Я рассказал, как два юных, прекрасных создания, хрупкие, с незабываемыми глазами, бросили меня, чтобы жить со зрелыми, седеющими мужчинами, один из которых, кстати, был довольно известный литератор.

— Конечно, женщины предпочитают опытных мужчин, — объяснил мне мой гостеприимец. — Есть для них что-то успокаивающее в обществе мужчины, который хорошо знает жизнь и что к чему и уже избавился от некоторого... хм!.. юношеского нетерпения.

Я поспешно согласился, добравшись до пирожных. Хозяин плеснул мне еще шампанского.

— Вам надо немного потерпеть, молодой человек, — сказал он благожелательно. — Когда-нибудь вы тоже созреете, и тогда у вас будет что предложить женщинам — что-нибудь, что они ценят превыше всего: авторитет, мудрость, спокойную и уверенную руку. Зрелость, одним словом. Вот тогда вы и научитесь любить их и будете ими любимы.

Я плеснул себе еще немного шампанского. Стесняться было уже незачем. Ни одного профитроля не осталось. Я встал. Он достал из книжного шкафа одно из своих произведений и надписал мне его. Положил руку на плечо.

— Не надо отчаиваться, мой мальчик. Двадцать лет — трудный возраст. Но это ненадолго. Это надо лишь перетерпеть. Если какая-нибудь из ваших подружек бросает вас ради зрелого мужчины, примите это так, как оно есть: как обещание будущего. Когда-нибудь вы тоже станете зрелым мужчиной.

«Вот дерьмо», — подумал я с беспокойством.

Сегодня, когда оно так и есть, я реагирую на это точно так же.

Мэтр меня проводил до двери. Мы долго жали друг другу руки, глядя друг другу в глаза. Прекрасный сюжет, тянет на Римскую премию: Мудрость и Опыт, подающие руку Юности и Иллюзиям.

Я унес книгу под мышкой. Но мне незачем было ее читать. Я и без того уже знал все, что там написано. Мне хотелось смеяться, свистеть, болтать с прохожими. Велосипед с тележкой летел, окрыленный шампанским и моими двадцатью годами. Мир принадлежал мне. Я крутил педали, мчась сквозь огни и звезды Парижа. Стал насвистывать, отпустив руль, махая крыльями и посылая воздушные поцелуи одиноким дамам в автомобилях. Я проскочил на красный свет, и полицейский остановил меня возмущенным свистком.

— Ну, в чем дело? — заорал он.

— Ни в чем, — ответил я ему со смехом. — Жизнь прекрасна!

— Ладно, проезжайте! — бросил он, уступая этому паролю как настоящий француз.

Я был молод, моложе, чем сам думал. Тем не менее моя наивность была старой и искушенной. Вечной на самом деле: я ее обнаруживаю в каждом новом поколении, от «тусовщиков» Сен-Жермен-де-Пре 1947 года вплоть до калифорнийского поколения битников, с которым я нередко общаюсь, чтобы позабавиться, узнавая в другом месте и на других лицах те же ужимки, что и в мои двадцать лет.

Глава XXV

Я повстречал в то время одну прелестную шведку, о каких грезят во всех странах с тех пор, как мир открыл мужчинам Швецию. Она была веселая, хорошенькая, умная, а главное — главное, у нее был изумительный голос, а я всегда был чувствителен к голосу. Слуха у меня нет, и между мной и музыкой существует досадное недоразумение, с которым я уже смирился. Но я странным образом чувствителен к женскому голосу. Понятия не имею, чем это вызвано. Возможно, с ушами у меня что-то не в порядке, какой-нибудь нерв неудачно расположен: как-то раз я даже предоставил специалисту обследовать свою евстахиеву трубу, чтобы выяснить, в чем там дело, но тот ничего не нашел. Короче, у Бригитты был голос, у меня уши, и мы были созданы друг для друга. Мы и в самом деле хорошо ладили. Я слушал ее голос и был счастлив. Я наивно полагал, несмотря на свой многоопытный и искушенный вид, который напускал на себя, что столь совершенному согласию ничто не грозит. Мы подавали такой пример счастья, что наши соседи в гостинице, студенты всех мастей и со всех широт, всегда улыбались, встречаясь с нами утром на лестнице. Потом я начал замечать, что Бригитта стала задумчива. Она часто навещала одну пожилую шведскую даму, проживавшую в отеле «Великие мужи» на площади у Пантеона. И оставалась там допоздна, порой до часа, а то и двух ночи.

186

Бригитта возвращалась домой очень усталая и порой гладила меня по щеке, грустно вздыхая.

Тайное сомнение закралось в мою душу: я чувствовал, что от меня что-то скрывают. Моей рано созревшей проницательности достаточно было мелочи, чтобы пробудились подозрения: я изводил себя вопросом, уж не заболела ли, чего доброго, пожилая шведская дама, не угасает ли потихоньку в своем гостиничном номере? А вдруг это мать моей подружки, приехавшая в Париж лечиться у крупных французских специалистов? У Бригитты прекрасная душа, она меня обожает, потому и таит от меня свое горе, щадя чувствительность моей творческой натуры с ее литературными порывами. Как-то ночью, около часу, вообразив свою Бригитту всю в слезах у изголовья умирающей, я уже не смог сдерживаться доле и отправился к отелю «Великие мужи». Шел дождь. Дверь гостиницы была заперта. Я встал под аркой юридического факультета и с тревогой стал наблюдать за гостиничным фасадом. Вдруг на пятом этаже осветилось окно и на балконе появилась Бригитта с распущенными волосами. Какое-то время она неподвижно стояла, подставив лицо дождю. На ней был мужской халат. Я немного удивился. Я никак не мог взять в толк, что она могла там делать, в этом мужском халате, с распущенными волосами. Может, она попала под ливень, и супругу шведской дамы пришлось одолжить ей свой халат, пока сохнет ее собственная одежда? Внезапно на балконе возник какой-то молодой человек в пижаме и облокотился о перила рядом с Бригиттой. На сей раз я был удивлен по-настоящему. Я и не знал, что у шведской дамы есть сын. И тут вдруг земля разверзлась у меня под ногами, юридический факультет обрушился мне на голову, а мое сердце разорвалось меж адом и мерзостью: молодой человек обнял Бригитту за талию, и моя последняя надежда, что она, быть может, попросту заглянула к соседу, чтобы заправить свою авторучку, сразу испарилась. Негодяй прижал Бригитту к себе и поцеловал в губы. После чего увлек ее внутрь, и свет скромно приглушился, но не погас совсем: этот злодей хотел еще и любоваться тем, что творит. Я жутко взвыл и бросился ко входу в отель, чтобы помешать преступлению. Предстояло одолеть пять этажей, но я все же надеялся прибыть вовремя, если мерзавец не был законченным скотом и хоть что-то смыслил в наслаждении. К несчастью, дверь отеля оказалась заперта, и мне пришлось стучать, звонить, орать и бесноваться на тысячу ладов, теряя таким образом время — тем более драгоценное, что там-то, наверху, моему сопернику ничто не препятствовало. Вдобавок я в своем умоисступлении неверно вычислил окно, и когда привратник наконец впустил меня и я, как орел, полетел с этажа на этаж, то ошибся дверью, и когда она открылась на мой стук, вцепился в горло какого-то невысокого молодого человека, чей ужас был таков, что ему чуть не сделалось худо. С первого же взгляда стало ясно, что он вовсе не из тех молодых людей, что принимают женщин у себя в номере, совсем даже наоборот. Он умоляюще выкатил на меня глаза, но я ничем не мог ему помочь, слишком торопился. Поэтому снова оказался на темной лестнице, теряя драгоценные мгновения в поисках выключателя. Теперь-то я уже был уверен, что опоздаю. Моему убийце не пришлось преодолевать пять этажей, высаживать дверь, он уже был при деле и наверняка сейчас потирал руки. Внезапно силы меня покинули. Полнейшее уныние овладело мной. Я сел на лестнице и отер пот и дождь со своего чела. Тут послышалось робкое шарканье, и грациозный юноша присел рядом со мной и взял меня за руку. У меня не было сил отнять ее. Он стал меня утешать: насколько помню, предлагал свою дружбу. Похлопывал меня по руке и уверял, что такой мужчина, как я, без всякого труда найдет достойную его родственную душу. Я посмотрел на него с рассеянным интересом: ну уж нет, на этой стороне мне делать нечего. Женщины — гнусные шлюхи, но кроме них обратиться не к кому. У них монополия. И меня обуяла великая жалость к самому себе. Мало того что я испытал жесточайшую обиду, так еще в целом свете не нашлось никого, кроме педика, чтобы утешить меня и протянуть руку. Я бросил на него мрачный взгляд и, покинув отель «Великие мужи», направился домой. Лег в постель и решил завтра же записаться в Иностранный легион.

Бригитта вернулась около двух часов ночи, когда я уже начал волноваться: уж не случилось ли с ней что-нибудь? Она робко поскреблась в дверь, и я высказал ей громко и ясно все, что о ней думал. Полчаса она пыталась меня разжалобить через запертую дверь. Потом наступило долгое молчание. Струсив при мысли, что она может вернуться в отель «Великие мужи», я выскочил из постели и открыл дверь. Отвесил ей несколько хорошо прочувствованных оплеух — прочувствованных мною, хочу сказать: мне всегда было крайне трудно бить женщин. Должно быть, не хватает мужественности. После чего я задал вопрос, который еще и сегодня, в свете двадцатипятилетнего опыта, считаю самым идиотским в своей чемпионской карьере:

— Почему ты это сделала?

Ответ Бригитты был по-настоящему прекрасен. Я бы даже сказал — трогателен. Он по-настоящему отражает всю силу моей индивидуальности. Она подняла на меня свои полные слез голубые глаза, а по-

189

том, встряхнув белокурыми кудрями, сказала с искренним и патетическим усилием все объяснить:

— Он так на тебя похож!

До сих пор не могу забыть этого. Я ведь тогда еще не умер, мы жили вместе, я был у нее под рукой, так нет же, ей приспичило каждый вечер таскаться к кому-то под дождем, за целый километр только потому, что он на меня похож! Если это не так называемый магнетизм, то я себя не знаю. Я почувствовал себя гораздо лучше. Мне пришлось даже сделать усилие, чтобы остаться скромным, не заважничать. Пускай говорят, что хотят, но я все-таки производил сильное впечатление на женщин.

С тех пор я много размышлял над Бригиттиным ответом, и заключения, честно говоря, нулевые, к которым я пришел, все же изрядно облегчили мне отношения с женщинами — да и с мужчинами, которые на меня похожи.

С тех пор я уже никогда не был обманут женщиной — ну, я хочу сказать, уже никогда не ждал их под дождем.

Глава XXVI

Я доучивался на юридическом последний год и, что гораздо важнее, заканчивал курс высшей военной подготовки, занятия которой проходили два раза в неделю в местности Ла Ваш Нуар, в Монруже. Один из моих рассказов перевели и опубликовали в Америке, и баснословный гонорар в сто пятьдесят долларов позволил мне ненадолго съездить вслед за Бригиттой в Швецию, где я обнаружил, что она успела выскочить замуж. Я попробовал столковаться с ее мужем, но парень оказался бессердечен. Поскольку я стал ей надоедать, Бригитта в конце концов спровадила меня к своей матери, на маленький островок в самой северной части Стокгольмского архипелага, и там, меж сосен, среди пейзажа шведских легенд, я бродил, пока неверная и ее муж предавались своей преступной любви. Мать Бригитты, чтобы меня успокоить, прописала мне ежедневные ледяные ванны в Балтийском море и неумолимо стояла надо мной с часами в руке, пока я отмокал в вертикальном положении, угрюмый и несчастный, а все мои органы тем временем съеживались и душа постепенно расставалась с телом. Однажды, лежа на скале и ожидая, когда же солнце соблаговолит растопить лед в моих жилах, я увидел, как по небу пролетел самолет со свастикой. Это была моя первая встреча с врагом.

За событиями в Европе я следил довольно рассеянно. И вовсе не потому, что был занят исключительно собой, но потому, наверное, что, будучи воспитан женщиной и окружен женской любовью, чуждался неослабной ненависти, а стало быть, мне недоставало главного, чтобы понять Гитлера. И молчание Франции перед лицом его истерических угроз, вместо того чтобы насторожить меня, казалось мне признаком спокойной и уверенной в себе силы. Я верил во французскую армию и в наших достославных полководцев. Еще задолго до той мощной преграды, что наш генеральный штаб возвел на границах, мать окружила меня собственной линией Мажино, созданной из простодушной уверенности и расхожих представлений, которую ни одно сомнение, никакая тревога не могли прошибить. Так, например, я только в лицее Ниццы впервые узнал о нашем поражении от немцев в 1870 году: мать воздерживалась о нем говорить. Добавлю, что, хотя у меня и бывают светлые моменты, мне всегда было трудно совершить это героическое усилие — поглупеть, без чего никак не обойтись, чтобы всерьез верить в войну и согласиться с ее неизбежностью. Я умею быть глупым временами, но не возношусь до тех славных высот, откуда бойня может показаться приемлемым решением. Я всегда относился к смерти как к явлению досадному, и навязывать ее кому-то совершенно противно моему естеству: приходится насиловать себя. Конечно, мне случалось убивать людей, подчиняясь единодушному и священному требованию определенного времени, но всегда без восторга, без всякого вдохновения. Никакая причина не кажется мне достаточно справедливой, и сердце к этому не лежит. Когда заходит речь о том, чтобы убивать себе подобных, я недостаточно поэтичен. Не умею подлить сюда подходящий соус, не умею грянуть гимн священной ненависти, так что убиваю тупо, без всякой рисовки и щегольства, просто потому, что нельзя иначе.

Думаю, повинен в этом также и мой эгоцентризм. Он и в самом деле таков, что я сразу же узнаю себя во всех страдальцах и чувствую боль от каждой их раны. Это не ограничивается людьми, но распространяется и на животных, и даже на растения. Невероятное количество людей может любоваться корридой, смотреть, не дрогнув, на раненого и окровавленного быка. Только не я. *Я и есть* тот бык. Мне всегда немного больно, когда рубят деревья, когда охотятся на лося, кролика или слона. Зато смерть цыплят мне довольно безразлична. Не удается вообразить себя цыпленком.

То был канун Мюнхенского соглашения, о войне говорили много, и стиль моей матери в письмах, приходивших в мое сентиментальное изгнание на Бьёркё, уже приобретал трубное и раскатистое звучание. Одно из них, написанное энергичным почерком, крупными, наклоненными вправо буквами, объявляло мне просто, что «Франция победит, потому что это Франция». Я и сегодня еще нахожу, что нельзя было яснее предречь наше поражение в сороковом и лучше выразить нашу неподготовленность.

Я часто пытался разобраться во всех «как» и «почему» этой удивительной любви пожилой русской дамы к моей стране. Но мне так и не удалось найти удовлетворительный ответ. Конечно, на мою мать повлияли буржуазные представления, ценности и мнения, распространенные в 1900 году, в те времена, когда Франция олицетворяла собой все, «что было самого лучшего». Может, в истоке лежит также какая-то юношеская травма, полученная во время двух ее поездок во Францию, чему я, сам всю жизнь питавший большую снисходительность к Швеции, удивился бы последним. У меня всегда была склонность искать за великолепными причинами некий сокровенный порыв и терпеливо ждать, когда средь бурных симфоний вдруг послышится тихий голосок нежной флейты. Остается, наконец, самое простое и самое правдоподобное объяснение: моя мать любила Францию без всякой причины, как это бывает всегда, когда любят по-настоящему. В любом случае вообразите себе, что значили в такой психологической атмосфере нашивки младшего лейтенанта военно-воздушных сил, которым вскоре предстояло украсить мои рукава. Тут уж я постарался. Я еле-еле закончил свой лиценциат по праву, но зато на курс высшей военной подготовки был принят четвертым из всего Парижского округа.

Патриотизм моей матери, восторгавшейся неизбежностью моего военного величия, принял тогда неожиданный оборот.

Как раз к этому времени относится затея с моим неудавшимся покушением на Гитлера.

Газеты о нем не говорили. Я не спас ни Францию, ни мир, упустив случай, который, наверное, никогда уже не представится.

Дело было в 1938 году, по моем возвращении из Швеции.

Оставив всякую надежду вернуть свое достояние, разочарованный до отвращения неотесанным мужем Бригитты и ошеломленный тем, что мне предпочли другого — после всего, что сулила мне мать, — я решил никогда, никогда и ничего не делать ради женщины и вернулся в Ниццу, чтобы зализать раны и провести дома последние недели перед зачислением в военно-воздушные силы.

Я взял такси на вокзале и уже на углу бульвара Гамбетты и улицы Данте еще издали заметил в маленьком садике перед отелем знакомый силуэт. Мать улыбалась мне, как всегда, с нежностью и иронией.

Тем не менее она встретила меня довольно странно. Конечно, я был готов к паре-другой слезинок, к бесконечным объятиям, к взволнованному и одновременно довольному сопению. Но не к этим рыданиям, не к этим отчаянным взорам, походившим на прощание, — она долго рыдала и содрогалась в моих объятиях, временами чуть отстраняясь, чтобы получше вглядеться в мое лицо, потом опять бросалась мне на грудь в новом исступлении. Я забеспокоился. Спросил с тревогой о ее здоровье, но нет, она вроде бы чувствует себя хорошо, и дела тоже идут довольно хорошо — да, все хорошо, — и тут новый шквал слез и подавляемых рыданий. В конце концов ей удалось успокоиться, и, приняв таинственный вид, она схватила меня за руку и потащила в пустой ресторан; мы уселись в углу, на нашем обычном месте, и тут она уже без проволочек сообщила о своем замысле на мой счет. Все очень просто: я должен отправиться в Берлин и спасти

Францию, а заодно и мир, убив Гитлера. Она все предусмотрела, включая и мое финальное спасение, поскольку, если предположить, что я попадусь — хотя она-то прекрасно знает, что я вполне способен убить Гитлера и не попасться, — но если все же предположить, что я попадусь, совершенно очевидно, что великие державы — Франция, Англия, Америка — предъявят ультиматум с требованием моего освобождения.

Признаюсь, какое-то время я колебался. Я воевал на многих фронтах, занимался десятком разных, подчас неприятных дел и не щадил себя ни на бумаге, ни в жизни. Мысль о том, чтобы немедленно мчаться в Берлин, в третьем классе, разумеется, чтобы убить Гитлера в самый разгар летней жары, со всей предполагавшейся нервотрепкой, усталостью и сборами, мне вовсе не улыбалась. Мне хотелось побыть немного на берегу Средиземного моря — я всегда с трудом переносил наши с ним разлуки. Я бы охотнее убил фюрера в октябре. Никакого энтузиазма не вызывала у меня и мысль о бессонной ночи на жесткой полке в битком набитом вагоне, и о долгих, тоскливых, наполненных зевотой часах на улицах Берлина, где даже поговорить не с кем, пока Гитлер не соблаговолит попасться мне навстречу. Короче, мне не хватало воодушевления. Но о том, чтобы уклониться, и речи быть не могло. Так что я стал готовиться. Я очень хорошо стрелял из пистолета, и, несмотря на некоторое отсутствие практики, навыки, полученные в гимнастическом зале поручика Свердловского, еще позволяли мне блистать в ярмарочных тирах. Я спустился в подвал, достал свой пистолет, который хранился в фамильном сундуке, и пошел добывать билет. Узнав из газет, что Гитлер находится в Берхтесгадене, я почувствовал себя немного лучше, поскольку предпочитал дышать лесным воздухом Баварских Альп, нежели городской пылью в самый разгар июльской жары. Я также привел в порядок свои рукописи: вопреки оптимизму моей матери, я вовсе не был уверен, что выпутаюсь живым. Написал несколько писем, смазал маслом парабеллум и одолжил у одного друга более просторную, чем моя, куртку, чтобы легче было спрятать оружие. Я был достаточно зол и раздражен, тем более что лето выдалось исключительно знойное, Средиземное море после долгих месяцев разлуки никогда не казалось мне более желанным, а на пляже «Гран Блё», как на грех, было полно просвещенных и понятливых шведок. Все это время мать не отставала от меня ни на шаг. Ее гордый и восхищенный взгляд преследовал меня повсюду. Я взял билет на поезд и был немало удивлен, узнав, что немецкие железные дороги предоставляют мне тридцатипроцентную скидку — особую льготу на каникулярное время. В последние сорок восемь часов, предшествующих отъезду, я предусмотрительно ограничил потребление соленых огурцов, дабы избежать любого кишечного расстройства, которое могло быть весьма дурно истолковано матерью. Наконец накануне великого дня я в последний раз пошел искупаться в «Гран Блё», с волнением глядя на свою последнюю шведку. А по возвращении с пляжа обнаружил великую драматическую актрису бессильно лежащей в кресле гостиной. Едва завидев меня, она по-детски скривилась, сложила руки и, прежде чем я успел что-либо предпринять, уже рухнула на колени, заливаясь слезами:

— Умоляю, не делай этого! Откажись от своего героического плана! Сделай это ради твоей бедной старенькой мамы — они не вправе требовать такого от единственного сына! Я так боролась, чтобы тебя вырастить, чтобы сделать из тебя человека, и вот теперь... О Господи!

Глаза были вытаращены от страха, на лице потрясение, руки молитвенно сложены.

Я не удивился. Я уже давно был приучен. Уже так давно знал ее и так хорошо понимал. Взяв ее за руку, я сказал:

— Но за билеты уже заплачено.

Выражение дикой решимости смело всякий след испуга и отчаяния с ее лица.

— Они вернут деньги! — заявила она, схватив свою палку.

На этот счет у меня не было ни малейшего сомнения.

Вот так я не убил Гитлера. Как видите, оставалась самая мелочь.

Глава XXVII

Всего несколько недель отделяли теперь мать от моих нашивок младшего лейтенанта, и можете представить, с каким нетерпением мы оба ждали нашего призыва на службу. Мы спешили: ее диабет прогрессировал, и, несмотря на разные режимы питания, которые перепробовали врачи, уровень сахара в крови порой угрожающе поднимался. У нее случился новый приступ инсулиновой комы, прямо посреди рынка Буффа, и она пришла в себя на овощном прилавке г-на Панталеони только благодаря проворству, с каким тот влил ей в рот подслащенную воду. Мой бег наперегонки со временем становился все отчаяннее, и это отразилось на моих занятиях. Горя желанием зазвучать так, чтобы весь мир ахнул от восхищения, я надрывал голос сверх отпущенных возможностей; стремясь к величавости, впадал в вымученную напыщенность; привстав на цыпочки, чтобы всем явить свою стать, показывал лишь уровень своих претензий; замахнувшись на гениальность, обнаружил лишь недостаток таланта. Трудно петь с приставленным к горлу ножом и при этом не фальшивить. Роже Мартен дю Гар, когда его попросили во время войны дать отзыв на одну из моих рукописей (я считался убитым), не без оснований назвал меня «разъяренным ягненком». Мать, конечно, догадывалась о тревоге, с какой я вел свою борьбу, и делала все, что могла, чтобы мне помочь. Пока я шлифовал свои фразы, она сражалась с персоналом, туристическими агентствами, экскурсоводами, выдерживала натиск капризных постояльцев; пока я заклинал вдохновение осенить меня каким-нибудь потрясающим по глубине и оригинальности сюжетом, она ревностно следила, чтобы ничто не мешало моим творческим порывам. Я пишу эти строки без стыда и угрызений совести, безо всякой ненависти к самому себе: я всего лишь покорялся ее мечте, тому, что было единственным смыслом ее жизни и борьбы. Она хотела быть великой актрисой, и я делал все, что мог. Спеша ее успокоить и доказать свою состоятельность, но главное, быть может, желая успокоить себя самого и не поддаться охватывавшей меня панике, я порой спускался в кухню, куда поспевал обычно как раз к какой-нибудь ее яростной стычке с шеф-поваром, и тут же зачитывал ей очередной, еще с пылу с жару пассаж, который мне казался особенно удачным. Ее гнев немедленно утихал, она властным жестом призывала повара к молчанию и вниманию и удовлетворенно слушала. Ее бедра были сплошь истыканы уколами. Дважды в день она присаживалась где-нибудь в уголке с сигаретой в губах, скрестив ноги, хватала шприц с инсулином и вонзала иглу в свою плоть, не переставая отдавать распоряжения персоналу. С обычной энергией следила за четким ходом дела, не приемля никаких проволочек в обслуживании, и пыталась даже выучить английский, чтобы самой уметь разобраться в желаниях, причудах и капризах заморских постояльцев. Ее усилия быть любезной, улыбчивой и всегда покладистой с разношерстными туристами были прямо противопоказаны ее открытой и порывистой натуре, еще больше усугубляя ее нервное состояние. Она выкуривала по три пачки «голуаз» в день. Правда, никогда не докуривала сигарету до конца и гасила ее, едва начав, чтобы тут же закурить следующую. Она вырезала из какого-то журнала фото военного парада и показывала ее постояльцам, особенно женщинам, принуждая их любоваться красивым мундиром, который мне предстояло надеть через несколько месяцев. Мне стоило немалых трудов добиться разрешения помогать ей в ресторане — накрывать столы, утром разносить завтраки по комнатам, как я делал это раньше: она находила подобную деятельность несовместимой с моим офицерским званием. Часто она сама хватала чемодан какого-нибудь постояльца и старалась меня оттолкнуть, когда я пытался ей помочь. Все же было очевидно — по веселости, которая теперь порой ее посещала, по какой-то победоносной улыбке, с которой она порой на меня смотрела,— что она уже чувствует близость желанной цели и не представляет себе более прекрасного дня в своей жизни, чем тот, когда я вернусь в отель-пансион «Мермон», облаченный в новенькую, чудесную форму.

Меня призвали 4 ноября 1938 года и направили в Салон-де-Прованс. Я сел в поезд с призывниками, среди толпы родителей и друзей, заполнивших вокзал, но только моя мать была вооружена трехцветным флагом, которым без конца размахивала, крича время от времени: «Да здравствует Франция!», что мне стоило недружелюбных или насмешливых взглядов. «Призывной контингент», к которому отнесли и меня, блистал отсутствием энтузиазма и глубоким убеждением (которое событиям 40-го года предстояло оправдать сполна), что его вынуждают участвовать в какой-то «дурацкой игре». Помню одного молодого новобранца, раздраженного ура-патриотическими изъявлениями моей матери, столь несовместимыми с доброй антимилитаристской традицией той поры, который пробурчал:

— Сразу видать, что не француженка.

Поскольку я и сам был утомлен и сильно раздражен безудержными излишествами старой дамы с трехцветным флагом, то был очень рад воспользоваться этим замечанием как предлогом и, чтобы немного успокоиться, от души врезал своему визави головой в нос. Потасовка тотчас же стала всеобщей, крики «фашист», «предатель», «долой армию» понеслись со всех сторон, тут поезд дернуло, флаг отчаянно затрепыхался на перроне, и я едва успел высунуться в окошко и помахать рукой, прежде чем снова решительно окунулся в свалку, случившуюся как нельзя более кстати, ибо она позволяла избежать прощания.

Молодые люди, прошедшие высшую военную подготовку, должны были сразу же после призыва направляться в аворскую авиационную школу. Меня продержали в Салон-де-Провансе около шести недель. На все мои вопросы офицеры и унтер-офицеры пожимали плечами: у них не было инструкций на мой счет. Я делал запрос за запросом по субординационной лестнице, начиная их все с «Имею честь просить вашего высокого соизволения...», как меня научили. Ничего. В конце концов один особенно порядочный офицер, лейтенант Барбье, заинтересовался моим случаем и присовокупил свое заявление к моим. Я был отправлен в аворскую школу, куда прибыл с месячным опозданием, при том, что общая длительность учебного курса составляла три с половиной месяца. Я не позволил себе унывать из-за опоздания, которое предстояло наверстывать. В конце концов, я там, где надо. Я взялся за учебу с рвением, которого сам от себя не ожидал, и, за исключением нескольких трудностей с теорией компаса, нагнал своих товарищей по другим предметам, правда без особого блеска, кроме собственно полетов и управления на взлетно-посадочном поле, где вдруг обнаружил у себя в голосе и жестах всю властность моей матери. Я был счастлив. Мне нравились самолеты, особенно самолеты уходящей эпохи, которые еще рассчитывали на человека, нуждались в нем, не были так обезличены, как сегодня, когда уже чувствуется, что беспилотный самолет — просто вопрос времени. Я любил эти долгие часы, которые мы проводили на аэродроме, облаченные в свои кожаные комбинезоны, куда залезали с превеликим трудом. Шлепая по аворской грязи, затянутые в кожу, в шлемах и перчатках, с летными очками на лбу, мы карабкались в кабины наших славных «Потезов-25» с их статью тяжеловозов и добрым запахом масла, ностальгическую память о котором я до сих пор храню в своих ноздрях. Представьте себе курсанта, наполовину торчащего наружу из открытой кабины драндулета, летящего на ста двадцати в час, или пилота биплана «Лео-20», запускавшего его вручную, стоя на носу, пока длинные черные крылья бьют по воздуху со всей грацией престарелой божьей коровки, и вы поймете, что за год до «Мессершмитта-110» и за восемнадцать месяцев до битвы за Англию диплом летчика-наблюдателя надежно и эффективно готовил нас к войне 1914 года — с уже известным результатом.

Время в этих забавах прошло быстро, и мы приблизились наконец к великому дню распределения по гарнизонам, когда нам должны были торжественно объявить наши выпускные звания и место будущей службы.

Военный портной уже обошел казармы, и наши мундиры были готовы. Мать прислала мне, чтобы покрыть расходы на обмундирование, сумму в пятьсот франков, которую заняла у г-на Панталеони с рынка Буффа. Моей большой проблемой стала фуражка. Фуражку можно было заказать двух видов: с длинным козырком и с коротким. Мне никак не удавалось выбрать. Длинный козырек придавал мне более залихватский вид, что очень ценилось, но короткий был больше к лицу. В конце концов я все-таки склонился к залихватскому. Еще, после тысячи бесплодных попыток, я выкроил себе маленькие усики, очень модные среди авиаторов, не забудьте еще золоченые крылышки на груди — вообще-то, на рынке можно было найти и получше, ничего не скажу, — но в целом я остался доволен собой.

Распределение по гарнизонам проходило в атмосфере радостного предвкушения. Названия вакантных частей писались на черной доске — Париж, Марракеш, Мекнес, Мезон-Бланш, Бискра... Каждый мог выбрать согласно своему выпускному званию. Первые в выпуске традиционно выбирали Марокко. Я пылко надеялся получить достаточно высокий чин и выбрать назначение на Юг, ближе к Ницце, чтобы красоваться под руку с матерью на Английском променаде и на рынке Буффа. Военно-воздушная база в Фаянсе больше всего подходила для моих намерений, и, по мере того как вы-

202

пускники поднимались, чтобы высказать свое предпочтение, я обеспокоенно следил, не вычеркнул ли кто это название на доске.

У меня были неплохие шансы получить подходящее звание, поэтому я с доверием слушал капитана, выкликающего наши фамилии.

Десять фамилий, пятьдесят, семьдесят пять... Решительно, Фаянс собирался от меня ускользнуть.

Нас было всего двести девяносто курсантов. Я ждал. Сто двадцать фамилий, сто пятьдесят, двести... По-прежнему ничего. Грязные и тоскливые воздушные базы Севера приближались ко мне с пугающей быстротой. Это не блестяще, но, в конце концов, я не обязан открывать матери свой выпускной чин.

Двести пятьдесят, двести шестьдесят фамилий... Вдруг сердце оледенело от ужасного предчувствия. Я еще чувствую на своем виске каплю холодного пота... Нет, это не воспоминание: я только что вытер ее рукой, через двадцать лет. Рефлекс Павлова, наверное. Даже сегодня не могу подумать об этом жутком моменте без того, чтобы капля пота не выступила на виске.

Из почти трехсот курсантов-наблюдателей я оказался единственным, кого не произвели в офицеры.

Меня не произвели даже в сержанты, даже в старшие капралы, вопреки всем обычаям и правилам. Я был произведен всего лишь в капралы.

В последовавшие за гарнизонным распределением часы я барахтался в каком-то кошмаре, гнусном мареве. Я стоял на выходе, окруженный молчаливыми и потрясенными товарищами. Вся моя энергия уходила на то, чтобы держаться стоя, сохранить человеческое лицо, не рухнуть. Думаю даже, что я улыбался.

Обычно курсант, имевший свидетельство о прохождении высшей военной подготовки и закончивший стажировку, получал от командования такой удар обухом лишь по дисциплинарным мотивам. По этой причине завалили двух курсантов-пилотов. Но мой-то случай был не таков: я ни разу не получил ни малейшего замечания. Я пропустил начало стажировки, но не по своей вине, и командир моего отделения, молодой выпускник Сен-Сирского военного училища, холодный и порядочный лейтенант Жакар, сказал мне, а позже подтвердил письменно, что, несмотря на медлительность военных властей, не торопившихся отправить меня в Авор, мои отметки, тем не менее, полностью подтверждали представление к офицерскому чину. Так что же произошло? Что произошло? Почему меня задержали на шесть недель в Салон-де-Провансе в нарушение правил?

Я стоял с комком в горле, совершенно потерянный, перед сфинксом, чье лицо на этот раз было просто человеческим, и тужился что-то уразуметь, вообразить, истолковать, а тем временем мои молчаливые или возмущенные товарищи толпились вокруг, чтобы пожать мне руку. Я улыбался; я оставался верен своей роли. Но думал, что умру. Я видел перед собой лицо матери, видел ее стоящей на перроне вокзала в Ницце и гордо размахивающей своим трехцветным флагом.

В три часа дня, когда я лежал на своем тюфяке, пялясь в потолок, старший капрал Пиай — Пьей? Пай? — зашел меня проведать. Я его не знал. Никогда раньше не видел. Он был не из летного состава, марал бумагу в канцелярии. Он встал перед моей кроватью, сунув руки в карманы. На нем была кожаная куртка. «Не имеет права, — подумал я сурово, — кожаные куртки только для летного состава».

— Хочешь знать, почему тебя завалили?

204

Я посмотрел на него.

— Потому что ты не коренной, а натурализованный. Причем слишком недавно. Три года — маловато. Вообще-то, по теории, чтобы служить в летном составе, надо, чтобы отец был француз или иметь гражданство уже по меньшей мере десять лет. Но это никогда не применялось.

Не помню, что я ему ответил. Думаю: «Я француз» — или что-то в этом роде, потому что он мне вдруг сказал с сочувствием:

— Прежде всего ты дурак.

Он не уходил. Казался злым и возмущенным. Может, он был вроде меня, не переносил несправедливости, какой бы она ни была.

— Спасибо, — сказал я.

— Тебя месяц продержали в Салоне, потому что изучали твое дело. Потом спорили, пустить тебя в летный состав или сплавить в пехоту. В конце концов в Управлении военно-воздушных сил высказались «за», но здесь высказались «против». Это они тебя полюбовно поимели.

Полюбовная оценка была окончательной, без объяснений, давалась в школе независимо от результата экзаменов, лишь по тому, приглянулись вы или нет, и обжалованию не подлежала.

— Можешь даже не рыпаться: все по правилам.

Я по-прежнему лежал на спине. Он постоял еще некоторое время. Этот парень не умел выразить свою симпатию.

— Ладно, не бери в голову, — сказал он мне.

И добавил:

— Мы им еще покажем!

В первый раз я услышал, как французский солдат употребил это выражение по отношению к французской армии, прежде я полагал, что оно предназначено исключительно для немцев. Что касается меня, то я не чувствовал ни ненависти, ни злобы, только тошноту и, чтобы справиться с этой тошнотой, пытался думать о Средиземном море и красивых девушках; я зажмуривал глаза и укрывался в их объятиях, где ничто не могло меня достать и ни в чем не было отказано. В казарме было пусто, и все же я был не один. Обезьяньи боги моего детства, у которых мать с таким трудом вырвала меня, уверенная, что оставила их далеко позади, в Польше и России, внезапно выросли передо мной на французской земле, которую я считал недоступной для них, и именно их тупой хохот раздавался теперь в стране разума. В этом подлом ударе, который мне только что нанесли, я без всякого труда распознал руку Тотоша, бога глупости, которому вскоре предстояло сделать Гитлера хозяином Европы и открыть врата страны бронированным немцам, убедив наш Генеральный штаб, что военные теории полковника де Голля — полная ерунда. Но особенно узнаваем был Филош, бог мещански-мелочной ограниченности, чванства и предрассудков, напяливший по случаю мундир и фуражку с галунами военно-воздушных сил, что мне было обиднее всего. Ибо в людях я, как и всегда, не мог видеть своих врагов. Каким-то смутным и необъяснимым образом я чувствовал себя союзником и защитником тех, кто нанес мне удар в спину. Я прекрасно понимал, какие социальные, политические, исторические обстоятельства привели к моему унижению, и если решился выстоять против любой отравы, то потому лишь, что упрямо поднимал глаза к более высокой победе. Не знаю, может, во мне дремлет что-то очень первобытное, языческое, но при малейшей провокации я, сжав кулаки, обращаюсь вовне; я изо всех сил стараюсь достойно поддержать наше давнее непокорство; жизнь представляется мне великим эстафетным забегом, где каждый из нас, прежде чем упасть, должен пронести дальше этот вызов — быть человеком; я не признаю никакой безусловности наших биологических, интеллектуальных, физических ограничений; моя надежда почти безгранична; я до такой степени верю в исход борьбы, что кровь рода людского порой начинает петь во мне и, будто рокот брата моего Океана, раздается в венах; тогда я вновь чувствую такую радость, упоение надеждой и уверенность в победе, что, стоя на земле, уже сплошь усыпанной изломанными щитами и мечами, опять чувствую себя как на заре первой битвы. Причиной тут, конечно, своего рода глупость и наивность, элементарная, примитивная, но необоримая, унаследованная, наверное, от моей матери. Я ее целиком сознаю, она меня бесит, но ничего поделать не могу. Она сильно затрудняет мне задачу, когда надо отчаяться. Честно говоря, этого никогда и не бывает, так что я вынужден притворяться. Атавистическая искорка веры и оптимизма всегда теплится в моем сердце, и, чтобы запылать, ей достаточно лишь, чтобы мрак вокруг меня сгустился потемнее. Пусть люди бывают глупы, хоть плачь, пусть мелочность и тупость порой прикрываются мундиром французского офицера, пусть человеческие руки — французские, немецкие, русские, американские — оказываются вдруг на удивление грязными, мне все равно кажется, что несправедливость исходит не от людей; а если люди и становятся ее орудиями, то они — ее жертвы вдвойне. В пылу самой ожесточенной политической или военной схватки я не перестаю мечтать о каком-нибудь едином фронте с противником. Мой эгоцентризм делает меня совершенно непригодным к братоубийственным войнам, и я не вижу, какую победу мог бы вырвать у тех, кто, в общем-то, разделяет мою участь. Не могу также полностью отдаться политике, потому что беспрестанно узнаю себя во всех своих противниках. Это прямо увечье какое-то.

Я лежал там, напрягшись всей своей юностью и улыбаясь; помню еще, что мое тело было взбудоражено неудержимой физической потребностью, и больше часа я боролся с диким, простейшим зовом крови.

Что касается блестящих капитанов, нанесших мне подлый удар, то я вновь увидел их через пять лет, и они по-прежнему были капитанами, но уже не такими блестящими. Ни одна медалька не украшала их грудь, так что они с довольно любопытным выражением лица смотрели на того, другого капитана, принимавшего их в своем кабинете. Я тогда уже был бойцом Освобождения, кавалером ордена Почетного легиона, Военного креста и ничуть не старался это скрыть, и вообще от гнева я краснею гораздо легче, чем от скромности. Мы поговорили несколько минут, вспоминая аворскую школу, — вполне безобидно. Я не испытывал к ним никакой неприязни. Для меня они уже давно умерли.

Другое, довольно неожиданное последствие моей неудачи состояло в том, что с этого момента я по-настоящему почувствовал себя французом, словно, получив по черепу волшебной палочкой, и впрямь ассимилировался.

Мне открылось наконец, что французы — не какая-то особая раса, что они ничуть не выше меня, что они тоже могут быть глупыми и смешными — короче, что мы, бесспорно, братья.

Я понял наконец, что у Франции множество лиц, что есть там и красивые, и уродливые, благородные и отталкивающие, и мне самому предстоит выбрать отличающиеся наибольшим сходством. Я заставил себя, так и не преуспев в этом до конца, приобщиться к политике. Занял свою позицию, выбрал, чему хранить верность и преданность, но уже не позволял заслонять себе глаза знаменем, а старался получше всмотреться в лицо знаменосца.

Оставалась моя мать.

Я не решался сообщить ей новость о своем провале. Хоть я и твердил себе, что она привычна к жестоким ударам, все же искал способ как-нибудь его смягчить. Перед отправкой в свои гарнизоны мы получили по неделе отпуска, и я сел в поезд, так и не приняв никакого решения. В Марселе мне вдруг захотелось сойти с поезда, дезертировать, наняться на грузовое судно, записаться в Иностранный легион, исчезнуть навек. Мысль об этом постаревшем, измученном лице, об этих огромных глазах, глядящих на меня потрясенно и непонимающе, стала мне совершенно нестерпима. Накатил такой приступ тошноты, что я едва успел дотащиться до туалета. Весь перегон между Марселем и Каннами меня выворачивало, как собаку. И вдруг осенило — всего за десять минут до прибытия на вокзал Ниццы. Первое, что мне требовалось сохранить любой ценой, это сложившийся в представлении матери образ Франции, «родины всего самого справедливого, самого прекрасного». Францию надлежало вывести из-под удара, чего бы это ни стоило. Как раз это я и намеревался сделать, иначе мать не пережила бы разочарования. Я знал ее, как никто другой, поэтому решился на очень простую и вполне правдоподобную ложь, которая не только утешила бы ее, но и подтвердила ее высокое мнение обо мне.

Прибыв на улицу Данте, я увидел трехцветный стяг, реющий на свежеокрашенном фасаде отеля-пансиона «Мермон», хотя в тот день не было никакого национального праздника: хватало одного взгляда на голые фасады соседних домов, чтобы убедиться в этом.

Вдруг я понял, что это означало: моя мать отмечала возвращение своего сына, свежеиспеченного младшего лейтенанта военно-воздушных сил.

Я велел таксисту остановиться. Едва успел расплатиться с ним, как мне опять стало худо. Я проделал остаток пути пешком, на подгибающихся ногах, глубоко дыша.

Мать поджидала меня в вестибюле гостиницы, за небольшой стойкой в глубине.

Едва увидев мою простую солдатскую форму с недавно пришитой красной капральской лычкой на рукаве, она раскрыла рот и уставилась на меня взглядом какого-то немого, животного непонимания, который я никогда не мог вынести ни в человеке, ни в звере, ни в ребенке... Я сдвинул фуражку набекрень, напустил на себя «крутой» вид, таинственно усмехнулся и, едва успев обнять ее, сказал:

— Пойдем. Довольно забавная штука со мной приключилась. Но не стоит, чтобы нас слышали.

Я увлек ее в ресторан, в наш уголок.

— Меня не произвели в младшие лейтенанты. Из всех трехсот меня одного. Временно... Дисциплинарная мера.

Ее несчастный взгляд доверчиво ждал, готовый поверить, согласиться...

— Дисциплинарное взыскание. Придется подождать еще полгодика. Понимаешь...

Я быстро огляделся, не подслушивает ли кто.

— Я соблазнил жену начальника школы. Не смог удержаться. Денщик нас выдал. Муж потребовал санкций...

На бедном лице промелькнуло секундное колебание. А потом старый романтический инстинкт и воспоминание об Анне Карениной победили все остальное. На ее губах обозначилась улыбка, появилось выражение глубокого любопытства.

— Она красивая?

— Даже представить себе не можешь, — сказал я просто. — Я знал, чем рискую. Но ни минуты не колебался.

— Фото есть?

Нет, фото у меня не было.

— Она мне пришлет.

Мать смотрела на меня с невероятной гордостью.

— Дон Жуан! — воскликнула она. — Казанова! Я же всегда говорила!

Я скромно улыбнулся.

— Муж ведь мог тебя убить!

Я пожал плечами.

— Она тебя по-настоящему любит?

— По-настоящему.

— А ты?

— О! Ну, ты же знаешь... — сказал я со своим залихватским видом.

— Нельзя таким быть, — сказала мать без всякой убедительности. — Обещай, что напишешь ей.

— Конечно напишу.

Мать задумалась. Вдруг новое соображение пришло ей в голову.

— Один-единственный из трехсот не получил чин младшего лейтенанта! — сказала она с восхищением и беспредельной гордостью.

И побежала за чаем, вареньем, бутербродами, пирожными и фруктами. Уселась за стол и засопела с глубоким удовлетворением.

— Расскажи мне все, — приказала она.

Она любила красивые истории, моя мать. Я немало их ей порассказал.

Глава XXVIII

Итак, поспешно отведя удар, то есть спасши Францию от ужасного крушения в глазах моей матери и объяснив ей свою неудачу с деликатностью светского человека, я столкнулся со следующим испытанием, но к нему оказался подготовлен гораздо лучше.

Четыре месяца назад, в момент своего призыва в армию, я был зачислен в часть Салон-де-Прованса как курсант, что ставило меня в привилегированное положение: унтеры надо мной власти не имели, а солдаты смотрели на меня с некоторым уважением. Теперь же я возвращался к ним простым капралом.

Можете вообразить, какая участь меня ожидала и каких издевок, нарядов, придирок, насмешек и тонкой иронии мне пришлось натерпеться. Унтеры моей роты уже звали меня не иначе как «лейтенант хренов» или более изысканно: «лейтенант — на жопе бант». Это было время, когда армия постепенно разлагалась, купаясь в собственной гнили, той гнили, что проникла наконец и в души будущих пораженцев 1940 года. Несколько недель после моего возвращения в Салон моим главным занятием была постоянная инспекция отхожих мест, но, признаться, отхожие места были порой приятнее, чем лица некоторых унтер-офицеров и сержантов. По сравнению с тем, что я чувствовал, когда мне предстояло вернуться к матери без лейтенантских нашивок, все эти обращенные ко мне шуточки и придирки были просто пустяком и скорее меня забавляли. И достаточно было выйти из расположения части, чтобы оказаться среди провансальской природы с ее немного кладбищенской красотой, где рассеянные среди кипарисов камни напоминают какие-то таинственные небесные руины.

Я вовсе не был несчастлив.

Я завел друзей среди гражданского населения.

Я ходил в Бо и, устроившись на высоком обрыве, часами смотрел на море оливковых деревьев.

Я занимался стрельбой из пистолета и благодаря дружбе двух сослуживцев, сержанта Криста и сержанта Блеза, налетал над Альпиями часов пятьдесят. В конце концов кто-то где-то вспомнил, что у меня аттестат летного состава, и я был назначен инструктором по воздушной стрельбе. Там и застала меня война, у заряженных пулеметов, нацеленных в небо. Мысль, что Франция может проиграть эту войну, никогда не приходила мне в голову. Жизнь моей матери не могла закончиться таким поражением. Это очень логичное рассуждение внушило мне больше веры в победу французской армии, чем все линии Мажино и громогласные речи наших возлюбленных полководцев. Мой собственный возлюбленный полководец не мог проиграть войну, и я был уверен, что судьба уготовила ей победу как нечто само собой разумеющееся после стольких усилий, стольких жертв, такого героизма.

Мать приехала попрощаться со мной в Салон-де-Прованс в уже упомянутом старом такси «рено». Приехала с уймой снеди: ветчины, консервов, банок с вареньем, сигарет — со всем тем, о чем может мечтать солдат.

Выяснилось, тем не менее, что пакеты предназначались вовсе не мне. Лицо моей матери выразило немалую хитрость, когда она протянула мне пакеты, доверительно сообщив:

— Для офицеров.

Я пришел в замешательство. Сразу представилось, какие рожи скорчили бы капитан де Лонжвиаль, капитан Мулиньят, капитан Тюрбен при виде капрала, заявившегося в канцелярию с этой данью из колбас, ветчины, коньяка и варенья, предназначенной снискать их благорасположение. Не знаю, может, она воображала себе, что такого рода *бакшиш* обязателен во французской армии, как это, быть может, водилось в России прошлого века, где-нибудь в провинциальных гарнизонах, но я воздержался от объяснений или возражений. Она была вполне способна схватить «подарки» и самолично отнести кому надо, сопроводив это одной из своих патриотических тирад, способных вогнать в краску самого Деруледа.

Мне с трудом удалось уберечь мать с ее настойками и пакетами от любопытства пехтуры, развалившейся на террасе кафе, и оттащить ее в сторону взлетной полосы, к самолетам. Она шла по траве, опираясь на палку, и степенно осматривала нашу летную технику. Три года спустя мне предстояло сопровождать другую важную даму, проводившую смотр нашим экипажам на аэродроме в Кенте. То была королева Елизавета Английская, и должен сказать, что у ее величества был далеко не такой хозяйский вид, с каким моя мать вышагивала перед нашими «Моранами-315» по аэродрому Салона.

Проинспектировав таким образом нашу летную технику, мать почувствовала себя немного уставшей, и мы присели в траву, на краю взлетной полосы. Она закурила сигарету, и ее лицо приняло задумчивое выражение. Нахмурившись, она о чем-то озабоченно размышляла. Я ждал. Она чистосердечно поделилась со мной своей сокровенной мыслью.

— Надо немедленно наступать, — сказала она.

Должно быть, я выглядел несколько удивленным, поскольку она уточнила:

— Надо идти прямо на Берлин.

Она сказала по-русски «Надо идти на Берлин» с глубокой убежденностью и какой-то вдохновенной уверенностью.

С тех пор я всегда сожалел, что в отсутствие генерала де Голля командование французской армией не было доверено моей матери. Думаю, что в штабе Седанского прорыва нашли бы, о чем с ней поговорить. Ей в высочайшей степени был присущ наступательный дух и редчайший дар заражать своей энергией и инициативой даже тех, кто был этого совершенно лишен. Уж соблаговолите поверить на слово: не такая женщина была моя мать, чтобы отсиживаться за линией Мажино, подставив под удар свой левый фланг.

Я пообещал ей сделать, что смогу. Она казалась удовлетворенной, потом задумчивость снова вернулась к ней.

— Самолеты-то все открытые, — заметила она. — А у тебя всегда было слабое горло.

Я не удержался и съязвил, что если все, что я рискую схлопотать в схватках с люфтваффе, это ангина, то я просто счастливчик. Она покровительственно ухмыльнулась и посмотрела на меня с иронией.

— Ничего с тобой не случится, — сказала она спокойно.

Ее лицо выражало абсолютную веру и убежденность. Можно было подумать, что она *знала*, что она заключила договор с судьбой и что в обмен на ее загубленную жизнь ей дали некоторые гарантии, некоторые обещания. Я и сам был в этом уверен, но, поскольку это тайное знание, устраняя риск, отнимало у меня всякую возможность геройствовать среди опасностей, ибо, обезоруживая опасности, тем самым как бы обезоруживало и меня, я почувствовал себя раздраженным и возмущенным.

— Только один летчик из десяти уцелеет в этой войне.

Она уставилась на меня с испуганным непониманием, а потом ее губы дрогнули, и она заплакала.

Я схватил ее руку. С ней я редко позволял себе этот жест: только с женщинами.

— С тобой ничего не случится, — повторила она, на этот раз умоляюще.

— Со мной ничего не случится, мама. Обещаю.

Она колебалась. На ее лице отразилась внутренняя борьба. Потом она сделала уступку:

— Может, тебя ранят в ногу.

Она пыталась договориться. Однако под этим кладбищенским небом, средь кипарисов и белых камней трудно было не почувствовать, в чем состоит извечный удел мужчины, безучастный к его трагедии. Но, видя это встревоженное лицо, слушая эту бедную женщину, пытавшуюся торговаться с богами, еще труднее мне было поверить, что те меньше доступны состраданию, чем шофер Ринальди, менее участливы, чем торговцы чесноком и провансальской пиццей с рынка Буффа, — боги ведь тоже чуточку средиземноморцы. Должно быть, где-то подле нас держала весы честная рука, и окончательная мера могла быть только справедливой, ведь боги не играют с материнским сердцем краплеными картами. Вся провансальская земля вдруг запела вокруг меня голосами своих цикад, и уже без всякого сомнения я сказал:

— Не беспокойся, мама. Договорились. Со мной ничего не случится.

Моему невезению было угодно, чтобы как раз в момент, когда мы подходили к такси, нам навстречу попался командир летного дивизиона капитан Мулиньят. Я козырнул, объяснив матери, что он командует моим подразделением. Какая неосторожность! В ту же секунду мать распахнула дверцу и, схватив с сиденья ветчину, бутылку и пару колбас салями раньше, чем я успел пошевелиться, уже подскочила к капитану, преподнеся ему в качестве дани эту почтенную снедь и присовокупив несколько надлежащих слов. Я думал, что умру со стыда. Разумеется, это было одной из моих тогдашних многочисленных иллюзий, поскольку, если бы можно было умереть со стыда, род людской давно бы перевелся. Капитан бросил на меня удивленный взгляд, и я ответил столь красноречивым выражением лица, что офицер, настоящий питомец Сен-Сира, более не колебался. Он учтиво поблагодарил мою мать, а поскольку та, бросив на меня уничижительный взгляд, вновь направилась к такси, помог ей туда забраться и отдал честь. Мать степенно поблагодарила его королевским кивком и торжествующе расположилась на сиденье; уверен, что она в этот момент шумно, удовлетворенно сопела, еще раз доказав свое знание светских условностей, которое я, ее сын, осмеливался порой ставить под сомнение. Такси тронулось, и тут ее лицо вдруг изменилось; это было словно в сцене кораблекрушения: она обернулась ко мне с тревогой и, припав к стеклу, попыталась что-то прокричать, но я не расслышал, и тогда, давая мне понять на расстоянии, что же именно хотела выразить, она меня перекрестила.

Мне надо упомянуть здесь один важный эпизод моей жизни, который я умышленно опустил, наивно хитря с самим собой. Уже довольно долго я пытаюсь перескочить через него, не задев, потому что мне все еще очень больно: всего двадцать лет прошло с тех пор. За несколько месяцев до войны я влюбился в одну молодую венгерку, которая жила в отеле-пансионе «Мермон». Мы должны были пожениться. У Илоны были черные волосы и большие серые глаза — это чтобы хоть что-нибудь о ней сказать. Она уехала в Будапешт повидаться с семьей, и нас разлучила война — еще одно поражение, вот и все. Я знаю, что пренебрег всеми законами жанра, не предоставив этому эпизоду места, которого он заслуживает, но он еще слишком свеж в моей памяти, и, чтобы написать даже эти строки, мне пришлось воспользоваться своим отитом, которым я в данный момент мучаюсь, лежа в гостиничном номере в Мехико, — я употребляю свое тяжкое, но, по счастью, чисто физическое страдание как обезболивающее средство, что позволяет коснуться раны.

Глава XXIX

Наш учебный отряд перебросили в Бордо-Мериньяк, и теперь я проводил ежедневно по пять-шесть часов в воздухе как летный инструктор на «Потезе-540». Меня быстро произвели в сержанты, жалованья хватало, Франция держалась, и я разделял общее мнение моих товарищей, что надо пользоваться жизнью и хорошей погодой, потому что не вечно же будет длиться война. У меня была комната в городе и три шелковые пижамы, которыми я очень гордился. В моих глазах они представляли собой шикарную жизнь и давали ощущение, что моя карьера светского человека развивается благоприятно; одна приятельница с юридического факультета стащила их специально для меня после пожара в большом магазине, где работал ее жених. Наши отношения с Маргаритой были чисто платоническими, и, таким образом, мораль в этом деле была щепетильно соблюдена. Пижамы слегка порыжели от огня, а запах копченой рыбы оказался невытравимым, но нельзя же иметь все сразу. Я мог также позволить себе время от времени коробку сигар, которые мне теперь удавалось курить без тошноты, и это меня весьма радовало, доказывая, что я и в самом деле набираюсь опыта. Короче, моя жизнь налаживалась. Тем не менее я попал в одну довольно досадную аварию, которая чуть не стоила мне носа, что оставило бы меня безутешным. Разумеется, все из-за поляков. Польские военные были тогда не слишком популярны во Франции: их немного презирали, потому что они проиграли войну. Они ведь дали разгромить себя наголову, и от них не скрывали, что об этом думают. К тому же начинала свирепствовать шпиономания, как во всех зараженных недугом социальных организмах. Стоило польскому солдату закурить сигарету, и его немедленно обвиняли в том, что он подает световые сигналы врагу. Поскольку я прекрасно знал польский, меня использовали как переводчика во время учебных полетов с двойным управлением, цель которых была ознакомить польские экипажи с нашей воздушной техникой. Стоя между двумя пилотами, я переводил указания и приказы французского инструктора. Результат этого летного метода не заставил себя ждать. Во время посадки, поскольку польский пилот все мешкал с касанием, инструктор несколько обеспокоенно крикнул мне:

— Скажи этому олуху, что он сейчас поле проскочит. Пусть газу наддаст!

Я немедленно перевел. Могу со спокойной совестью утверждать, что не потерял ни секунды, сказав:

— *Prosze dodac gazu bo za chwile zawalimy sie w drzewa na koncu lotniska!*[1]

Когда я пришел в себя, мое лицо было залито кровью, над нами хлопотали санитары, а польский унтер, в весьма жалком состоянии, но по-прежнему

---

[1] Пожалуйста, прибавьте газу, не то мы врежемся в деревья на конце полосы.

учтивый, пытался приподняться на локте и представить свои извинения французскому пилоту:

— *Za pozno mi pan przytlumaszyl!*[1]

— Он говорит... — проблеял я.

Старший сержант, сам в довольно плохом состоянии, успел шепнуть:

— Вот дерьмо! — и потерял сознание.

Я дословно это перевел, а исполнив свой долг, тоже перестал себя сдерживать. Мой нос был всмятку, но в санчасти внутренние повреждения сочли не слишком серьезными. В чем ошибались. Я мучился носом четыре года и был вынужден скрывать свое состояние и жуткие, беспрестанно донимавшие меня головные боли, чтобы не быть исключенным из летного состава. Только в 1944 году мой нос окончательно починили в госпитале королевских ВВС. Это уже не тот несравненный шедевр, каким был прежде, но вполне годен, и у меня есть все основания полагать, что он протянет сколько надо.

Кроме летных часов в качестве штурмана, пулеметчика и бомбометателя я еще добирал в среднем по часу пилотажа в день, потому что товарищи часто доверяли мне управление в воздухе. К сожалению, эти драгоценные часы официально не существовали и не могли даже упоминаться в моем журнале полетов. Так что я завел второй журнал, подпольный, и аккуратно проштамповывал каждую его страницу печатью летного отряда благодаря любезности начальника канцелярии. Я был убежден, что после первых же военных потерь правила станут не такими жесткими, и тогда моя добрая увесистая сотня налетанных втихаря часов позволит мне превратиться в боевого пилота.

---

[1] Поздновато пан мне это перевел.

4 апреля, всего за несколько недель до немецкого наступления, когда я безмятежно попыхивал сигарой на взлетном поле, дневальный протянул мне телеграмму: «Мать тяжело больна. Приезжайте немедленно».

Я стоял там со своей дурацкой сигарой в зубах, со своим залихватским видом, в фуражке набекрень, сунув руки в карманы кожанки, и вдруг вся земля стала необитаемой. Больше всего мне сегодня помнится именно это: ощущение внезапной отчужденности, словно самые знакомые места, земля, дома и все, в чем я был уверен, вдруг стало неведомой планетой, куда я прежде не ступал ногой. Вся моя система мер и весов рухнула разом. Бессмысленно было говорить себе, что прекрасные истории о любви всегда кончаются плохо, я и без того знал, что это же ожидает и мою — но лишь после восстановления справедливости. То, что моя мать может умереть прежде, чем я успею бросить самого себя на чашу весов, чтобы выровнять ее, восстановить равновесие и неоспоримо доказать этим порядочность мира, подтвердить наличие в сути вещей некоего сокровенного и честного замысла, казалось мне отрицанием самого скромного, самого элементарного человеческого достоинства, все равно что запрет дышать. Незачем растолковывать моим читателям, что такая позиция свидетельствовала о крайней незрелости. Я сегодня человек с опытом. Большего и не скажешь, все и так понятно.

Мне понадобилось двое суток, чтобы добраться до Ниццы эшелоном военных отпускников. Моральный дух в этом небесно-голубом поезде был таков, что ниже некуда. Это все Англия виновата, заварила кашу, а нам расхлебывать; вот как вздрючат нас по первое число; Гитлер — не такой уж плохой тип, если разобраться, с ним вполне можно иметь дело;

но есть и кое-что приятное: изобрели новое лекарство, лечит триппер за несколько дней.

Все же я был далек от отчаяния. Я и сегодня не стал к нему ближе. Только притворяюсь. Самых больших усилий в моей жизни мне всегда стоило вконец отчаяться. Ничего тут не поделаешь. Всегда остается во мне что-то, что продолжает улыбаться.

Я прибыл в Ниццу ранним утром и сразу же бросился в «Мермон». Взбежал на восьмой этаж и постучал в дверь. Мать ютилась в самой маленькой комнатке отеля: во всем соблюдала хозяйский интерес. Я вошел. Крохотная треугольная каморка выглядела хорошо прибранной и такой нежилой, что я ужаснулся. Бросился вниз, разбудил привратника и узнал, что мать перевезли в клинику Сент-Антуан. Я прыгнул в такси.

Медсестры позже мне признались, что, когда я туда ворвался, они подумали о вооруженном нападении.

Голова матери утопала в подушке, лицо было осунувшееся, беспокойное, растерянное. Я обнял ее и сел на кровать. На мне все еще была моя кожанка и фуражка набекрень: я нуждался в этом панцире. За время своего отпуска я порой часами не выпускал окурок сигары из зубов: мне надо было уцепиться за что-нибудь. У ее изголовья на самом виду, в фиолетовом футляре, красовалась серебряная медаль с моим выгравированным именем, которую я получил на чемпионате по пинг-понгу в 1932 году. Мы молчали — час, потом другой. Потом она попросила меня раздвинуть шторы. Я раздвинул. Поколебался какой-то момент, а потом поднял глаза к небу, избавляя ее от того, чтобы просить об этом. Я стоял так довольно долго, подняв глаза к свету. Это было почти все, что я мог сделать для нее. Так мы и молчали, все втроем. Мне даже незачем было поворачиваться к ней, я и без того знал, что она плачет. И даже не был уверен, что обо мне. Потом я сел в кресло у кровати. Я прожил в этом кресле сорок восемь часов. Почти все это время я не расставался с фуражкой, кожанкой и сигарой: мне необходимо было чье-то участие. В какой-то момент она спросила, есть ли новости от моей венгерки, Илоны. Я сказал, что нет.

— Тебе нужна женщина рядом, — сказала она убежденно.

Я отозвался: мол, как и любому другому.

— Тебе будет труднее, чем другим, — сказала она.

Мы немного поиграли в белот. Она все так же много курила, но сказала, что врачи ей уже не запрещают. Видимо, решили больше не стесняться. Она курила, внимательно глядя на меня, и я отлично чувствовал, что она строит какие-то планы. Но даже не догадывался, что она в тот момент замышляла. Убежден, что именно тогда она впервые додумалась до этой идейки. Я уловил в ее взгляде плутоватое выражение, а это был верный признак, что ей что-то пришло в голову, хотя, даже зная ее лучше других, и предположить не мог, что она способна зайти так далеко. Я переговорил с врачом: он обнадеживал. Дескать, она сможет протянуть еще несколько лет. «Знаете, диабет...» — говорил он мне с многоопытным видом. На третий день, вечером, я пошел перекусить на бульвар Массена и наткнулся там на одного голландского менеера[1], направлявшегося самолетом в Южную Африку, «спасаясь от готовящегося немецкого вторжения». Без малейшего повода с моей стороны, доверившись, без всякого сомнения, исключительно моей форме летчика, он спросил, не могу ли я раздобыть ему жен-

---

[1] *Mynheer* — господин *(голл.).*

щину. Когда я думаю о том, сколько людей обращалось ко мне с подобной просьбой, становится не по себе. Хотя я всегда полагал, что выгляжу вполне прилично. Я ему ответил, что нынче вечером что-то не в форме. Он объявил, что перевел все свое состояние в Южную Африку, и мы пошли отметить эту добрую новость в «Черном коте». Менеер был настроен решительно; что же касается меня, то спиртное всегда внушало мне отвращение, но я умею его подавлять. Так что мы выдули бутылку виски на двоих, потом перешли на коньяк. Вскоре по кабаку распространился слух, что я первый французский боевой ас, и два-три ветерана войны 1914 года подошли испросить чести пожать мне руку. Очень польщенный, что был узнан, я раздавал автографы, пожимал руки и принимал выпивку. Менеер представил мне свою старую подругу, с которой только что свел знакомство. Я еще раз смог оценить престиж, которым форма летчика пользовалась у трудолюбивого населения тыла. Малышка предложила взять меня на содержание, пока длятся боевые действия, следуя за мной из гарнизона в гарнизон, если потребуется. Утверждала, что может обслужить до двацати клиентов за день. Я почувствовал упадок духа и обвинил ее в том, что она хочет сделать это не ради меня, но ради военно-воздушных сил в целом. Сказал ей, что она слишком уж выпячивает свой патриотизм, а я бы хотел, чтобы меня любили ради меня самого, а не ради моей формы. Менеер тяпнул шампанского и предложил лично благословить наш союз, заложив, некоторым образом, первый камень. Хозяин принес меню и попросил поставить там автограф, и я как раз собирался это сделать, когда заметил устремленный на меня насмешливый взгляд. На том типе не было кожаной куртки, не было никаких нашлепок на груди, но при этом там красовался боевой крест со звездой, что по тем временам было неплохо для пехтуры. Я малость поутих. Менеер решил подняться наверх с моей нареченной, которая заставила меня поклясться, что я буду ждать ее завтра в «Чинтре». Фуражка с золотыми крылышками, кожанка, залихватский вид — и ваше будущее обеспечено. У меня жутко болела голова, нос весил кило; я покинул кабак и окунулся в ночь среди тысяч многоцветных охапок цветочного рынка.

Как я узнал впоследствии, и завтра и послезавтра, каждый вечер с шести вечера до двух ночи малышка-доброволица дожидалась в баре «Чинтра» своего унтера-летуна.

Еще и сегодня я задумываюсь порой: не прошел ли я, сам того не ведая, мимо величайшей в своей жизни любви?

Несколько дней спустя я вычитал имя своего симпатяги менеера в списке жертв авиакатастрофы в районе Йоханнесбурга, и это доказывает, что никогда не удается надежно поместить капиталы.

Мой отпуск подходил к концу. Я провел еще одну ночь в кресле клиники Сент-Антуан, и утром, едва отдернув шторы, подошел к маме, чтобы попрощаться.

Не очень-то представляю себе, как описать это расставание. Нет слов. Но все же я храбро держался. Вспомнил все, чему она сама учила меня, как вести себя с женщинами. Уже двадцать шесть лет моя мать жила без мужчины, и, уходя, быть может, навсегда, я гораздо больше старался выглядеть в ее глазах мужчиной, нежели сыном.

— Ну, до свиданья.

Я с улыбкой поцеловал ее в щеку. Чего мне стоила эта улыбка, могла знать она одна — ведь она тоже улыбалась.

— Надо вас поженить, когда она вернется,— сказала мать.— Как раз то, что тебе надо. Очень красивая.

Должно быть, она все думала, что со мной станет, если рядом не будет жены. Она была права: я ее так и не завел.

— У тебя есть ее фото?

— Вот.

— Как думаешь, у ее семьи есть деньги?

— Понятия не имею.

— Когда она ездила на концерт Бруно Вальтера в Канны, села не в автобус. Взяла такси. Должно быть, у ее семьи много денег.

— Мне все равно, мама. Все равно.

— Дипломатам надо устраивать приемы. Нужны слуги, наряды. Ее родители должны это понимать.

Я взял ее руку.

— Мама, — сказал я. — Мама.

— Можешь быть спокоен, я все это скажу ее родителям, тактично.

— Мама, ну же, мама...

— А главное, обо мне не беспокойся. Я старая кляча: до сих пор дотянула, уж как-нибудь еще продержусь. Сними фуражку...

Я снял. Она перекрестила мой лоб.

— *Благословляю тебя,* — сказала она по-русски.— Благословляю тебя.

Мать была еврейкой. Но это не имело значения. Главное — высказаться. А на каком языке — уже не так важно.

Я направился к двери. Мы еще раз обменялись взглядами, улыбаясь.

Теперь я чувствовал себя совершенно спокойным.

Что-то от ее мужества перешло ко мне и осталось навсегда. До сих пор ее воля и мужество живут во мне и весьма затрудняют мне существование, запрещая отчаиваться.

ЧАСТЬ ТРЕТЬЯ

Глава XXX

Мысль, что Франция может проиграть войну, никогда не приходила мне в голову. Я знал, конечно, что нас уже побили разок, в 1879 году, но меня тогда еще и на свете не было, да и моей матери тоже. Так что есть разница.

13 июня, когда фронт трещал по всем швам, я, возвращаясь на «Блоке-210» с задания по сопровождению, был ранен над Туром, при взрыве во время бомбардировки. Рана оказалась легкой, и я оставил осколок в ляжке, уже предвкушая, с какой гордостью мать будет нащупывать его при первой же моей побывке. Он все еще во мне. Правда, теперь я вполне мог бы его вынуть.

Потрясающие успехи немецкого наступления не произвели на меня никакого впечатления. Мы такое уже видели с 14-го по 18-й годы. Мы, французы, всегда спохватываемся в последний момент, это общеизвестно. Танки Гудериана, прорвавшиеся в Седане, вызывали у меня смех, и я думал о наших штабных, потирающих руки, видя, как пункт за пунктом осуществляется их ловкий план опять заманить этих немцев-тугодумов в ловушку. Думаю, что сама моя кровь подстегивала столь несокрушимую веру в судьбу отчизны. Наверное, это мне досталось от моих татарских и еврейских предков. Военное начальство в Бордо-Мериньяке быстро признало во мне эти атавистические качества — верность нашим традициям и ослепление, и я был назначен в один из трех сторожевых экипажей, которым поручалось патрулировать с воздуха рабочие кварталы Бордо. Как нам конфиденциально объяснили, речь шла о том, чтобы обеспечить защиту маршала Петена и генерала Вейгана, полных решимости продолжить борьбу против коммунистической пятой колонны, вознамерившейся захватить власть и вступить в переговоры с Гитлером. Я не единственный свидетель этого, как не был единственным, кого хитроумно и подло одурачили: на перекрестках города были расставлены отряды курсантов (среди которых находился и Кристиан Фуше, наш нынешнй посол в Дании), дабы обеспечить защиту августейшего старца от пораженцев и соглашателей с врагом. И все же я по-прежнему убежден, что это было проделкой нижестоящего начальства, самовольно учинившего ее в своем тогдашнем патриотическом и политическом рвении. Так что я осуществлял воздушное патрулирование над Бордо, на малой высоте, с заряженными пулеметами, готовый ринуться на любое скопище, которое мне укажут. Я бы это сделал без колебаний и даже не подозревая, что пресловутая пятая колонна, планы которой нам поручалось расстроить, уже выиграла партию, что она и не собиралась открыто идти по улицам со знаменами, но коварно просочилась в души и умы. Я был совершенно неспособен вообразить, чтобы военачальник, достигший высших чинов старейшей и славнейшей армии мира, вдруг оказался пораженцем, малодушным или даже интриганом, готовым в угоду собственной ненависти, злопамятству и политическим пристрастиям пожертвовать судьбами целой нации. В этом отношении дело Дрейфуса ничему меня не научило: ведь, Эстергази был не настоящим французом, а натурализованным, к тому же всего-то надо было опозорить какого-то еврея, а тут, как известно, любые средства хороши: и наши военачальники, участвовавшие в деле Дрейфуса, считали, что поступают правильно. Короче, я в полной неприкосновенности сохранил всю свою веру и наверняка даже сегодня не слишком изменился в этом смысле: позор Дьен-Бьен-Фу́, некоторые мерзости алжирской войны повергают меня в растерянность и недоумение. Так что при каждом продвижении противника, при каждом прорыве фронта я многозначительно улыбался и ждал неожиданного контрудара, молниеносного наступления, иронического и ослепительного «вот вам!» наших стратегов — несравненных забияк. Эта атавистическая неспособность отчаиваться, присущая мне как физический недостаток, с которым я ничего не могу поделать, в конце концов приобрела вид какой-то блаженной врожденной глупости, сравнимой разве что с той, что некогда побудила рептилий без легких выползти из первобытного Океана и заставила их не только дышать, но еще и стать однажды прародителями человечества, которое сегодня кишит вокруг нас. Я был глуп, таким и остался — глуп, чтобы убивать, глуп, чтобы жить, глуп, чтобы надеяться, глуп, чтобы побеждать. Чем серьезнее становилось военное положение, тем больше воодушевлялась моя глупость, видевшая тут лишь повод проявить наше превосходство, и я все ждал, что гений отечества, согласно нашим лучшим традициям, воплотится в личности вождя. Я всегда был склонен буквально понимать прекрасные истории, которые человек понарассказал сам о себе в минуты вдохновения, а Франции в этом смысле вдохновения всегда хватало. Блестящий талант моей матери верить и надеяться несмотря ни на что вдруг

229

проснулся во мне и даже достиг неожиданных высот. Я верил по очереди во всех наших полководцев и в каждом узнавал человека, ниспосланного провидением. И когда они один за другим исчезали с балаганной сцены или примирялись с поражением, меня это вовсе не обескураживало и я ничуть не терял веру в наших генералов, просто менял генерала. Я до самого конца не переставал делать ставки, постоянно оказывался в дураках, но был готов продолжать, а когда очередной великий человек выскальзывал у меня из рук, я с удвоенной верой хватался за следующего. Так, я верил по очереди в генерала Гамлена, в генерала Жоржа, в генерала Вейгана — помню, с каким волнением я читал в газете описание его рыжих сапог и кожаных штанов, когда он, взяв на себя верховное командование, спускался по ступеням Ставки, — я верил в генерала Хунтзигера, в генерала Бланшара, в генерала Миттельхаузера, в генерала Норгеса, в адмирала Дарлана и — надо ли говорить — в маршала Петена. Вот так я совершенно естественно — руки по швам, не переставая козырять — и добрался до генерала де Голля. Можете представить мое облегчение, когда эта врожденная глупость и неспособность к отчаянию нашли, наконец, с кем поговорить, когда из глубины пропасти, точно так, как я и ожидал, вдруг появился незаурядный вождь, который был не только под стать обстоятельствам, но еще и носил такое «нашенское» имя. Всякий раз, оказавшись перед де Голлем, я чувствую, что мать меня не обманула — она все-таки знала, о чем говорила.

В общем, вместе с тремя товарищами я решил перелететь в Англию на борту «Дена-55». Это был совсем новый тип самолета, который никто из нас раньше не пилотировал.

Аэродром Бордо-Мериньяк 15, 16 и 17 июня 1940 года был наверняка одним из самых странных мест, где мне когда-либо доводилось побывать.

Со всех концов неба на посадку заходили бесчисленные летательные аппараты и загромождали собой летное поле. Из машин, ни тип, ни предназначение которых мне были неведомы, на траву высаживались не менее любопытные пассажиры, похоже, попросту прыгнувшие в первый же попавшийся под руку вид транспорта.

Аэродром превратился в своего рода ретроспективную выставку всего, что было на вооружении военно-воздушных сил двадцать лет: прежде чем умереть, французская авиация устраивала смотр своему прошлому. Экипажи были порой еще более странными, чем самолеты. Я видел пилота военно-морской авиации с одним из самых прекрасных боевых крестов, когда-либо украшавших грудь воина, вылезающего из кабины своего истребителя, держа заснувшую девочку на руках. Я видел сержанта-пилота, выгружавшего из своего «Гоэлана» не кого-нибудь, а пятерых разлюбезных пансионерок какого-то провинциального публичного дома. Я видел в одном «Симуне» седовласого сержанта и женщину в брюках с двумя собаками, кошкой, канарейкой, попугаем, скатанными коврами и картиной Юбера Робера у переборки. Я видел, как добропорядочная семья — отец, мать, две юные дочери — с чемоданами в руках торговалась с пилотом о перелете в Испанию, причем *pater familias*[1] был кавалером ордена Почетного легиона. А главное, я видел и буду видеть всю мою жизнь лица пилотов «Девуатинов-520» и «Моранов-406», возвращавшихся из последних боев на пробитых пулями крыльях, и как

---

[1] Отец семейства (*лат.*).

один из них, сорвав свой боевой крест, швырнул его на землю. Я видел добрых три десятка генералов, которые, столпившись около вышки, все ждали, ждали, ждали. Видел молодых пилотов, самовольно захватывавших «Блоки-151» и взлетавших без боеприпасов, с одной лишь надеждой протаранить вражеские бомбардировщики, чьи налеты беспрестанно объявлял вой сирены, но которые так и не появлялись. И по-прежнему с неба сыпались представители невероятной воздушной фауны, бежавшие от катастрофы, среди которой «Блоки-210», знаменитые летающие гробы, казались особенно к месту.

Но, наверное, с наибольшей симпатией я буду вспоминать наши дорогие «Потезы-25» и их старых пилотов, завидев которых мы неизменно затягивали популярную в то время песенку: «Дедуля, дедуля, лошадку-то забыл». Эти сорока-пятидесятилетние старички все были резервистами, а некоторые даже ветеранами Первой мировой. Несмотря на пилотские награды, которыми они гордо щеголяли, их в течение всей войны держали на «земных» должностях: завстоловыми, писарями, начальниками канцелярий, вопреки постоянным и никогда не сдерживаемым обещаниям допустить к тренировочным полетам. Теперь они отыгрывались. Их там было десятка два крепких сорокалетних мужиков, и, воспользовавшись всеобщей сумятицей, они взяли дело в свои руки. Безразличные к любым признакам поражения, громоздившимся вокруг них, они реквизировали все имевшиеся в наличии «Потезы-25» и взялись за тренировочные полеты, набирая летные часы и преспокойно кружа над аэродромом, словно пассажиры, решившие вдруг порезвиться на воде во время кораблекрушения, веря с несокрушимым оптимизмом, что поспеют прямо «к первым боям», как они сами говорили с великолепным пренебрежением ко всему, что было до их вступления в драку. Так что в этом странном воздушном Дюнкерке, в атмосфере конца света, среди самой разношерстной воздушной фауны, над растерянными генералами, над головами побежденных, схитривших или отчаявшихся, усердно гудели «Потезы-25» старых летунов, садясь и вновь взлетая, и на наши дружеские приветствия из кабин неизменно отвечали веселые и решительные ухмылки этих сопротивленцев, пришедших последними, но ставших первыми. Они были Францией доброго вина и напоенного солнцем гнева, той Францией, что пробивается, крепнет и возрождается всякий раз, что бы ни случилось. Были среди них торговцы и рабочие, мясники и страховые агенты, бездомные, спекулянты и даже один священник. Но у всех у них было одно общее — быть там, где надо.

В тот день, когда пала Франция, я сидел, прислонившись спиной к стене ангара и глядя, как крутятся пропеллеры «Дена-55», которому предстояло унести нас в Англию. Я думал о шести шелковых пижамах, которые оставил в своей комнате в Бордо, — ужасная потеря, если вспомнить, что к ней добавилась Франция и моя мать, которую я, по всей вероятности, уже никогда не увижу. Три моих товарища, сержанты, как и я, сидели рядом; холодный взгляд, заряженный револьвер за поясом — мы находились очень далеко от фронта, но были очень молоды, и нашу мужественность угнетало поражение, а грозные револьверы были простым и наглядным средством выразить то, что мы чувствовали. Они отчасти помогали нам настроиться на уровень разыгрывавшейся вокруг нас драмы, а также скрыть и хоть чем-то восполнить ощущавшиеся нами бессилие, растерянность и ненужность. Никто из нас еще не был в бою, и ироничный де Гаш весьма метко истолковал наши жалкие потуги напустить на себя внушительный вид, спрятаться за позой и отстраниться от поражения:

— Это все равно что не дать Корнелю и Расину писать, а потом заявить, что во Франции не было трагических поэтов.

Несмотря на все усилия думать только об утрате шелковых пижам, лицо моей матери порой виделось мне столь же ясно, как и многое другое в свете того безоблачного июньского дня. Напрасно я тогда стискивал зубы, выпячивал подбородок и возлагал руку на револьвер, слезы тут же наворачивались на глаза, и я поспешно смотрел прямо на солнце, чтобы обмануть своих товарищей. У моего приятеля Красавчика тоже имелась нравственная проблема, которую он нам и изложил: на гражданке он был сутенером, и его лучшая женщина оказалась сейчас в одном доме терпимости в Бордо. Ему кажется, что, улетая без нее, он поступает нечестно. Я попытался его успокоить, растолковав, что верность отечеству прежде всего и что я, мол, тоже оставляю все самое дорогое. Я привел ему в пример также нашего третьего товарища, Жан-Пьера, который не поколебался оставить жену и троих детей, чтобы продолжить драться. Красавчик тогда сказал великолепную фразу, которая нас всех поставила на место и до сих пор наполняет меня смирением всякий раз, как я вспоминаю ее.

— Да, — сказал он, — но вы-то не «в законе», с вас и взятки гладки.

Вести самолет предстояло де Гашу. У него было триста летных часов, целое состояние. Со своими усиками, формой от Ланвена и породистой внешностью — сразу видно, что из хорошей семьи, — он в некотором смысле давал нашему дезертирству ради продолжения борьбы благословение добропорядочной французской католической буржуазии.

Как видите, ничего общего, кроме нежелания признать себя побежденными, между нами не было. Но мы черпали во всем, что нас разделяло, какое-то воодушевление, а то единственное, что связывало, еще больше укрепляло нашу веру. Окажись среди нас убийца, мы бы и в этом усмотрели доказательство священного, назидательного, исключительного характера нашей миссии, нашего подспудного братства.

Де Гаш залез в «Ден», чтобы получить от механика последние инструкции по управлению машиной, о которой мы ничегошеньки не знали. Нам предстояло сделать пробный круг, чтобы свыкнуться с приборами, приземлиться, высадить механика на поле и снова взлететь, взяв курс на Англию. Де Гаш подал нам знак из самолета, и мы стали застегивать свои парашютные ремни. Красавчик и Жан-Пьер залезли первыми: у меня с лямками что-то заедало. Я уже поставил ногу на ступеньку, как вдруг увидел приближавшегося к нам велосипедиста, крутящего педали изо всех сил и машущего рукой. Я подождал.

— Сержант, вас вызывают на вышку. К телефону. Срочно.

Я застыл. Это казалось почти сверхъестественным: среди катастрофы, когда все дороги, телеграфные линии, все средства сообщения погружены в полнейший хаос, когда командиры не имеют сведений о своих войсках и последние следы какого-либо порядка исчезли под натиском немецких танков и люфтваффе, ко мне смог пробиться голос моей матери. Ибо в этом у меня не было ни малейшего сомнения: звонила наверняка она. В момент Седанского прорыва и позже, когда первые немецкие мотоциклисты уже добрались до луарских замков, я тоже пытался благодаря дружбе одного сержанта-телефониста с командного пункта передать ей что-нибудь обнадеживающее, напомнить о Жоффре, Петене, Фоше и о прочих священных именах, о которых она мне столько раз твердила, когда нам приходилось туго, когда наше материальное положение вызывало у меня тревогу или когда с ней случался приступ гипогликемии. Но тогда у связистов еще имелось что-то похожее на порядок, приказы еще уважались, однако я так и не смог до нее дозвониться.

Я крикнул де Гашу, чтобы они делали пробный круг без меня и вернулись за мной к ангару. Потом я позаимствовал велосипед у капрала и нажал на педали.

Я был в нескольких метрах от вышки, когда «Ден» помчался по взлетной полосе. Я слез с велосипеда и, прежде чем войти, бросил рассеянный взгляд на самолет. «Ден» был уже метрах в двадцати над землей. И вдруг он словно завис в воздухе, заколебался, встал торчком, завалился на крыло, спикировал и, врезавшись в землю, взорвался. Я застыл, уставившись на столб черного дыма, который мне потом придется столько раз видеть над погибшими самолетами. Я пережил тогда первый из тех ожогов внезапного и полного одиночества, ожогов, которыми гибель более сотни товарищей позже пометит меня; так что теперь приходится жить с отсутствующим видом, потому что меня самого среди них нет. После четырех лет в эскадрилье пустота стала для меня самым населенным местом. Все новые дружеские связи, которые я пытался завести со времени войны, только сделали еще более ощутимым это отсутствие, живущее со мной бок о бок. Я порой забывал их лица, отдалились их смех и голоса, но даже то, что я забыл о них, делает для меня эту пустоту еще более братской. Небо, Океан, пустынный до самого горизонта пляж Биг Сура: в своих странствиях по земле я всегда останавливаюсь там, где хватит места для всех, кого уж нет. Я без конца пытаюсь заселить их отсутствие животными, птицами, и всякий раз, когда какой-нибудь тюлень бросается со своей скалы и плывет к берегу или бакланы и крачки чуть теснее сжимают кольцо вокруг меня, моя потребность в дружбе и чьем-то обществе усугубляется нелепой и невозможной надеждой, и я не могу не улыбнуться и не протянуть руку.

Я протолкался через двадцать—тридцать генералов, бродивших вокруг вышки, как цапли, и проник на телефонную станцию.

Телефонный узел Мериньяка вместе с узлом города Бордо был тогда, собственно говоря, последним дыханием страны. Именно из Бордо рассылались послания Черчилля, спешившего помешать перемирию, приказы генералов, пытавшихся определить размах катастрофы, сообщения журналистов и послов всего мира, последовавших за правительством в тыл. Теперь все уже более-менее кончилось и линии как-то странно умолкли; в разбросанную по всей территории армию, где ответственность за принятие решений в окруженных подразделениях упала до уровня роты, а то и взвода, перестали поступать приказы; последними судорогами агонии стал безмолвный и трагичный героизм отдельных боев, длившихся всего несколько часов или минут, где один был против сотни; они не отмечены ни на карте, ни в каком-либо отчете.

На станции я разыскал своего друга сержанта Дюфура, уже сутки не сменявшегося с дежурства. Его лицо было залито июньским потом, вытекавшим, казалось, из пор отчизны. Упрямый лоб, окурок меж губ, заросшее щетиной лицо, казавшееся каким-то особенно жестким и колючим, — я уверен, что тот же дерзкий и насмешливый вид был у него и три года спустя, среди партизан, когда он пал под вражескими пулями.

Десять дней назад я пытался добиться от него, чтобы он соединил нас с матерью, и он ответил, цинично скривившись, что «пока рановато, положение еще не оправдывает столь крайней меры». Теперь он сам меня вызвал, и этот простой факт говорил о положении больше, чем все слухи, ходившие насчет перемирия. Он глядел на меня, расхристанный до неприличия, в расстегнутых штанах; возмущение, презрение и непокорство сквозили во всем его облике, вплоть до зияющей ширинки; лоб перечеркивали три горизонтальные складки — и именно эти незабвенные детали я позаимствовал пятнадцать лет спустя, когда искал для «Корней неба» образ Мореля, человека, который не умел отчаиваться. Он смотрел на меня, прижав наушник к уху. Казалось, будто он наслаждается музыкой. Я ждал, а он все смотрел на меня, и под его веками, опаленными бессонницей, еще оставалось довольно места для веселой искорки. Мне стало любопытно, что за разговор он подслушивает. Может, главнокомандующего с передовыми частями? Но быстро понял, в чем дело.

— Боссар летит в Англию, чтобы драться, — сказал он мне. — Я ему устроил прощальный разговор с женой. Ты-то не передумал?

Я покачал головой. Он сделал одобрительный жест, и тут я узнал, что сержант Дюфур уже несколько часов блокировал все телефонные линии, чтобы дать некоторым из тех, кто отказывался покориться и улетал продолжать борьбу, обменяться последним криком нежности и мужества с теми, кого покидал, без сомнения, навсегда.

Я не держу зла на тех, кто принял поражение и перемирие 40-го. Я хорошо понимаю отказавшихся последовать за де Голлем. Они слишком погрязли в своем уюте, в том, что называлось у них «жить по-человечески». Они научились сами и учили других «благоразумию», этому отравленному отвару из ромашки со слащавым вкусом покорности и соглашательства, который привычка жить по капле вливает нам в глотку. Образованные, мыслящие, мечтательные, тонкие, культурные, скептичные, удачно родившиеся, хорошо воспитанные, влюбленные в человечество, они тайно, где-то в глубине души, всегда знали, что быть человеком — невозможное искушение, и, таким образом, приняли победу Гитлера как нечто само собой разумеющееся. При очевидности нашего биологического и метафизического рабства они совершенно естественно согласились дать ему политическое и социальное продолжение. Я пойду даже дальше, не желая никого оскорбить: они были *правы*, и этого одного было достаточно, чтобы насторожиться. Они были правы в смысле ловкости, осторожности, желания выйти сухими из воды, избежать риска — в том смысле, который избавил бы Иисуса от смерти на кресте, Ван Гога от живописи, моего Мореля от защиты слонов, французов от расстрела, и что объединило бы в едином небытии соборы и музеи, империи и цивилизации, помешав им родиться.

И само собой разумеется, они не были одержимы тем наивным представлением о Франции, которое составила себе моя мать. Им незачем было защищать волшебную сказку, засевшую в голове какой-то старухи. Я не могу сердиться на людей, которые не были рождены на окраине русской степи, в ком не смешалась еврейская, казачья и татарская кровь, и потому они взирали на Францию гораздо более спокойно и взвешенно.

Через несколько мгновений в телефонной трубке послышался голос матери. Я не способен описать, что мы говорили друг другу. Это была череда каких-то вскрикиваний, отрывочных слов, рыданий, ничуть не похожая на членораздельную речь. С тех пор мне всегда казалось, что я понимаю животных. Когда я слышал в африканской ночи звериные голоса, мое сердце не раз сжималось, узнавая крики боли, ужаса, тоски; и после того телефонного разговора я в любом лесу мира сумею распознать голос самки, потерявшей детеныша.

Единственные внятные слова — несуразные, позаимствованные из самого убогого, избитого словаря, — были последними. Когда на линии уже воцарилась глубокая тишина, не нарушаемая даже обычными потрескиваниями, поглотившая, казалось, всю страну, я вдруг услышал нелепый голос, прорыдавший где-то вдалеке:

— Мы им еще покажем!

Этот последний глупый крик простейшего человеческого мужества вошел в мое сердце и остался там навсегда — он *и есть* мое сердце. Я знаю, он переживет меня, и когда-нибудь люди познают более великую победу, чем все те, о которых мечтали до сих пор.

Я постоял там еще секунду, в фуражке набекрень, в своей кожанке, такой же одинокий, как миллионы и миллионы людей перед лицом общей судьбы. Сержант Дюфур смотрел на меня поверх дымка от окурка с той веселой искоркой во взгляде, которая всякий раз, когда я встречал ее в человеческих глазах, была для меня словно гарантией выживания.

Я занялся поисками другого экипажа и другого самолета.

Часами блуждал по аэродрому от машины к машине, от экипажа к экипажу.

Когда многие пилоты из тех, кого я пытался подстрекать к дезертирству, отшили меня, я вдруг вспомнил про огромный четырехмоторный, совершенно черный «Фарман», прибывший на аэродром накануне. Он казался мне подходящим, чтобы перенести меня в Англию. Наверняка это был самый большой самолет из виденных мною. Чудовище выглядело необитаемым. Из простого любопытства я вскарабкался по лесенке и просунул голову внутрь, желая взглянуть, на что же это похоже.

За откидным столом сидел какой-то генерал с двумя звездами и писал, покуривая трубку. Большой револьвер с барабаном лежал у него под рукой, на листе бумаги. У генерала было моложавое лицо, седоватые волосы ежиком, и, когда моя голова появилась внутри самолета, он поднял на меня отсутствующий взгляд, потом опустил его обратно, к бумаге, и продолжил писать. Первым моим рефлексом было отдать ему честь, но он не ответил.

Я несколько удивленно воззрился на револьвер и вдруг понял, что происходит. Побежденный генерал писал прощальную записку, прежде чем покончить с собой. Признаюсь, я испытал волнение и глубокую признательность. Мне показалось, что пока есть генералы, способные так реагировать на поражение, для нас еще не все потеряно. Было в этом какое-то величие, ощущение трагедии, к чему я тогда, в том возрасте, был крайне чувствителен.

Так что я козырнул еще раз, деликатно удалился и пошел прогуляться по полю, ожидая выстрела. Через полчаса я начал терять терпение и, вернувшись к «Фарману», опять заглянул внутрь.

Генерал все еще писал. Его тонкая, изящная рука бегала по бумаге. Рядом с револьвером я заметил два-три уже заклеенных конверта. Он снова бросил на меня взгляд, и я снова, отдав честь, почтительно удалился. Мне надо было в кого-то верить, а этот генерал с его моложавым и благородным лицом внушал доверие: поэтому я стал терпеливо ждать рядом с самолетом, когда же он поднимет мне дух. Поскольку ничего не происходило, я решил обойти летный отряд, желая узнать, как там с их планом лететь сначала в Португалию, а уже оттуда в Англию. Я вернулся через полчаса и взобрался по лесенке — генерал по-прежнему писал. Под большим револьвером накопилась уже стопка листков, исписанных ровным почерком. И тут вдруг до меня дошло, что у бравого генерала вовсе не было возвышенных и достойных героя греческой трагедии намерений: он попросту писал письма, пользуясь револьвером как пресс-папье. Видно, мы с ним жили в разных вселенных. Глубоко раздосадованный и обескураженный, я удалился от «Фармана», повесив нос. Выдающегося военачальника я вновь увидел некоторое время спустя, когда он преспокойно направлялся к офицерской столовой с револьвером в кобуре, с портфелем в руке и с чувством выполненного долга на безмятежном лице.

Солнце все светило на несуразную воздушную фауну аэродрома. Вооруженные сенегальцы, расставленные вокруг самолетов, дабы уберечь их от гипотетических диверсий, глазели на странные и порой слегка пугающие штуковины, спускавшиеся с небес. Особенно запомнился мне один пузатый «Бреге», фюзеляж которого оканчивался каким-то брусом, очень похожим на деревянную ногу, нелепый и гротескный, как некоторые африканские фетиши. В звене «Потезов» непобежденные и мстительные дедули Первой мировой продолжали выписывать круги над полем, готовя себя к чуду; они прилежно гудели в голубом небе, а по приземлении выражали твердую надежду оказаться готовыми вовремя.

Помню, как один из них, вынырнувший из кабины «Потеза» — совершенный и законченный образ воздушного рыцаря времен Райхтоффена и Гинемера, с шелковой сеточкой на голове и в кавалерийских галифе, — бросил мне сквозь треск винта, еще немного отдуваясь после акробатического трюка, которым для человека его комплекции был спуск из кабины:

— Не беспокойся, дурень, мы здесь!

Он энергично оттолкнул двоих приятелей, которые помогали ему спуститься, и взял курс прямо на бутылки с пивом, поджидавшие их в траве. Из приятелей один был в шлеме и сапогах, затянутый в китель цвета хаки с болтающимися на груди наградами; другой в берете, с очками на лбу, в сомюрской куртке и в обмотках. Он дружески хлопнул меня по спине и уверил:

— Мы им еще покажем!

Они явно переживали лучшие мгновения своей жизни. Они были одновременно трогательные и смешные, и все же, со своими обмотками, шелковыми сеточками на голове и чуть заплывшими, но решительными лицами, они, вылезая из кабины, напоминали о более славных временах; а я к тому же никогда так не нуждался в отце, как в тот момент. Это было чувство, которое тогда испытывала вся Франция, и почти единодушная поддержка, которую она оказала старому маршалу, не имела другой причины. Так что я постарался быть им полезным: помогал забраться в кабину, запускал винт, бегал за новыми бутылками пива в столовую. Они, понимающе подмигивая, говорили мне о чуде на Марне, о Гинемере, о Жоффре, о Фоше, о Вердене, короче, говорили мне о моей матери, а мне другого и не надо было. Особенно запомнился один из них, в лосинах, в шлеме, очках, при кожаной портупее и всех своих регалиях — сам не знаю почему, при взгляде на него вспоминались бессмертные строки довольно известной школьной песенки: «На мотоцикле мандавошка ошиблась дорожкой совсем немножко: везла пакет про смерть генерала, да вместо штаба в ж... попала»; в конце концов он воскликнул, запросто перекрывая голосом рев винтов:

— Мать их так и растак, это мы еще поглядим, кто кого!

После чего, подталкиваемый мною, вскарабкался в «Потез», опустил очки на глаза, взялся за штурвал и взлетел. Может, я немного несправедлив, но думаю, что эти милые старые летяги прежде всего брали реванш над французским командованием, которое не пускало их в воздух, по крайней мере все эти «мы им еще покажем» были направлены не только против немцев.

Во второй половине дня, когда я еще раз наведался в канцелярию отряда, чтобы узнать новости, один товарищ сказал, что меня на пропускном пункте спрашивала какая-то молодая женщина. Я суеверно боялся отходить от аэродрома, уверенный, что стоит мне повернуться к нему спиной, как отряд немедленно поднимется в воздух и возьмет курс на Англию, но молодая женщина — это молодая женщина, и мое воображение, как всегда, немедленно воспламенилось. Я отправился на пост, где был немало разочарован, обнаружив весьма посредственную девицу с худыми плечами и талией, но толстоватую в икрах и бедрах, чье лицо и покрасневшие от слез глаза выражали глубокое горе, а также своего рода упрямую, туповатую решимость, которая проявлялась даже в чрезмерной энергии, с которой она стискивала ручку чемодана. Она мне сказала, что ее зовут Анник, что она подружка сержанта Клемана по прозвищу Красавчик, который часто ей обо мне говорил как о своем друге «дипломате и писателе». Я видел ее впервые, но Красавчик тоже упоминал про нее, и в весьма хвалебных выражениях. В «доме» было две-три его девицы, но предпочтение он все же отдавал Анник, которую перевез в Бордо, когда его самого распределили в Мериньяк. Красавчик никогда не скрывал, что не в ладах с законом, и во время немецкого наступления даже угодил под дисциплинарное расследование по этому поводу, с угрозой исключения из списков. Мы с ним были в довольно неплохих отношениях, может, как раз потому, что не имели ничего общего, зато все разделявшее нас создавало между нами своего рода узы — по контрасту. Должен признаться также, что его достойное сожалений «ремесло», помимо отвращения, вызывало у меня еще и какое-то влечение, даже зависть, поскольку я предполагал у того, кто им занимается, высокую степень бесчувствия, безразличия и черствости — необходимых для жизни качеств, которыми, к своей досаде, я был обделен. Он мне часто хвастался серьезностью и преданностью Анник, в которую, как я догадывался, был влюблен. Поэтому я смотрел на девицу с большим любопытством. Это был довольно банальный тип молоденькой крестьянки, не привыкшей упиваться своим горем, но в ее светлых глазах под низким упрямым лбом было что-то еще, выходившее за рамки всего, чем она была и чем занималась. Она мне сразу же понравилась, просто потому, что в состоянии нервного напряжения, в котором я пребывал, любое женское присутствие меня ободряло и успокаивало. Она прервала меня, когда я начал говорить об аварии: да, она знает, что Клеман разбился сегодня утром. Он ей не раз говорил, что собирается лететь в Англию, чтобы продолжать сражаться. Ей предстояло перебраться к нему позже, через Испанию. Теперь Клемана больше нет, но она все равно хочет перебраться в Англию. Не собирается работать на немцев. Хочет уйти с теми, кто продолжит сражаться. Она знает, что могла бы пригодиться в Англии, по крайней мере ее совесть будет спокойна: мол, сделала все, что могла. Не могу ли я ей помочь? Она смотрела на меня с немой собачьей мольбой, решительно стискивая ручку своего чемоданчика, — ореховые волосы, упрямый лоб, огромное желание поступить хорошо, — и чувствовалось, что она действительно решила преодолеть все препятствия. Невозможно было не увидеть тут исконной чистоты и благородства, которые не мог запятнать никакой преходящий и ничего не значащий позор тела. Думаю, у нее это было не столько верностью памяти моего приятеля, сколько своего рода инстинктивной преданностью чему-то большему, нежели то, чем мы являемся и чем занимаемся, и что невозможно ни растлить, ни осквернить. Среди всеобщего предательства и уныния это было глубоко тронувшим меня образом постоянства и стремления поступить хорошо. Я никогда не мог согласиться с теми, кто ищет критерий добра и зла в сексуальном поведении людей, для меня человеческое достоинство всегда помещалось выше пояса, на уровне сердца, ума и души, где обычно и творится самая гнусная проституция, и мне показалось, что у этой маленькой бретоночки гораздо больше инстинктивного понимания того, что важно, а что нет, чем у всех поборников традиционной морали. Должно быть, она увидела в моих глазах какой-то знак симпатии, потому что удвоила усилия, чтобы меня убедить, будто меня надо было убеждать. Французским военным будет в Англии довольно одиноко, им надо будет помочь, а ее работа не пугает — может, Клеман об этом говорил. Она на какое-то время умолкла, видимо беспокоясь, оказал ли Красавчик ей эту честь или не вспомнил. Да, поторопился я ее уверить, он мне говорил много хорошего. Она покраснела от удовольствия. Стало быть, к работе ей не привыкать, крестец у нее крепкий, так что я вполне мог бы взять ее с собой в Англию, в своем самолете, а раз уж я был приятелем Клемана, то она работала бы на меня, летчику ведь нужен кто-то в тылу, на земле, это известно. Я ее поблагодарил и сказал, что почти невозможно найти самолет в Англию, я сам только что пытался, а человеку гражданскому, тем более женщине, не стоит об этом даже и думать. Но эта девица так легко не сдавалась. А когда я попытался отделаться от нее с помощью какого-то вздора — мол, во Франции она могла бы принести не меньше пользы, чем в Англии, дескать, здесь тоже понадобятся такие девушки, как она, — она мне мило улыбнулась, желая показать, что не сердится, и, не говоря ни слова, ушла в сторону аэродрома с чемоданом в руке. Четверть часа спустя я заметил ее среди экипажей «Потезов-63», где она твердо на чем-то настаивала, потом потерял из виду. Не знаю, что с ней стало. Надеюсь, что она все еще жива, что смогла добраться до Англии и стать полезной, что вернулась во Францию и что у нее много детей. Нам нужны девушки и юноши с сердцами такого же закала, как у нее.

Ближе к вечеру распространился слух, что на базе Мериньяк ожидается нехватка горючего, поэтому экипажи больше не отходили от своих машин из опасения, что пропустят свою очередь на заправку, либо что у них «отсосут» горючее, либо попросту украдут самолет — какой-нибудь бродяга вроде меня, который крутится тут, пытаясь сбежать. Они ждали приказов, указаний, разъяснений ситуации, советовались друг с другом, колебались, гадали, какое решение принять, или ни о чем не гадали, а просто ждали неизвестно чего. Большинство было уверено, что война продолжится в Северной Африке. Некоторые запутались настолько, что малейший вопрос о намерениях выводил их из себя. Мое предложение лететь в Англию по-прежнему принимали очень дурно. Англичане были непопулярны. Это они втянули нас в войну. Теперь сами отваливают, а нас оставили расхлебывать. Трое унтер-офицеров «Потеза-63», которых я неосторожно пытался переубедить, сгрудились вокруг меня со злобными лицами и готовы были отдать под арест за попытку дезертирства. К счастью, самый старший по званию из этих унтеров оказался ко мне гораздо снисходительнее и человечнее. Пока двое других крепко меня держали, он ограничился тем, что бил меня кулаком в лицо, пока мой нос, губы и все остальное не залило кровью. После чего мне выплеснули на голову бутылку пива и отпустили. Револьвер по-прежнему торчал у меня за поясом, и соблазн воспользоваться им был очень велик, один из самых больших за всю мою жизнь. Но было бы довольно нелепо начать войну с убийства французов; так что я удалился, размазывая по лицу кровь и пиво, раздосадованный как человек, не удовлетворивший естественную потребность. Впрочем, мне всегда было трудно убивать французов, насколько знаю, я так и не убил ни одного; боюсь, что в гражданской войне моя страна не может на меня рассчитывать; и я всегда неукоснительно отказывался командовать малейшей расстрельной командой, что, возможно, вызвано каким-то неясным комплексом, полученным при натурализации.

Потерпев крушение в качестве летающего переводчика, я с тех пор довольно плохо переношу удары по носу, поэтому много дней ужасно мучился. Тем не менее я проявил бы неблагодарность, если бы отказался признать, что это чисто физическое страдание изрядно меня выручило, поскольку немного смягчило и помогло забыть другое, настоящее и гораздо более тяжкое, позволив чуть менее остро ощутить падение Франции и мысль, что наверняка увижу мать не раньше, чем через несколько лет. Моя голова раскалывалась, я беспрестанно утирал кровь из носа и губ, меня постоянно тошнило. Короче, я был в таком состоянии, что если говорить исключительно обо мне, то Гитлер и вправду чуть не выиграл войну. Тем не менее я продолжал влачиться от самолета к самолету в поисках экипажа.

Один из пилотов, которого я пытался таким образом убедить, оставил о себе неизгладимое воспоминание. Он был владельцем «Амио-372», недавно прибывшего на аэродром. Я сказал «владелец», потому что он сидел на траве рядом со своим самолетом словно крестьянин, который бдительно сторожит свою корову. Впечатляющее количество бутербродов громоздилось перед ним на газете, и он поглощал их один за другим. Внешне он напоминал Сент-Экзюпери — некоторой округлостью черт и грузным телосложением, но сходство на этом и кончалось. Он казался недоверчивым и держался начеку, судя по расстегнутой кобуре револьвера, наверняка уверенный в том, что на аэродроме Мериньяка полно жуликов, которые только и ждут, как бы увести его корову, в чем не ошибался. Я ему сказал напрямик, что ищу экипаж и самолет, чтобы лететь в Англию, продолжать войну оттуда, из страны, величие и мужество которой стал ему расписывать в эпическом духе.

Он меня не перебивал, продолжая подкрепляться и поглядывая с некоторым интересом на мое распухшее лицо и заляпанный кровью платок, который я прижимал к носу. Я ему выдал довольно неплохую речь — патриотическую, волнующую, вдохновенную, хотя меня жутко мутило, я едва стоял на ногах и голова разламывалась на куски, тем не менее я сделал все что мог, и, судя по довольной физиономии публики, контраст между моей жалкой наружностью и вдохновенными речами, видимо, приятно его развлек. Во всяком случае, толстый пилот весьма любезно позволил мне высказаться. Во-первых, мое старание наверняка ему льстило — таким типам нравится чувствовать свою значительность, — а потом, мой патриотический пыл с рукой, прижатой к сердцу, тоже, видимо, не был ему неприятен, поскольку облегчал пищеварение. Время от времени я останавливался, ожидая его реакции, но поскольку он ничего не говорил, а просто брал следующий бутерброд, я возобновлял свою лирическую импровизацию, настоящую песнь, которую не охаял бы и сам Дерулед. Один раз, когда я дошел до чего-то вроде «умереть за отчизну — самая прекрасная, самая завидная участь», он едва уловимо кивнул в знак одобрения, потом, перестав жевать, выковырял застрявший в зубах кусочек ветчины. Когда я на мгновение прервался, чтобы перевести дух, он посмотрел на меня, как мне показалось, с некоторым упреком, ожидая продолжения, — этот человек явно давал мне возможность показать себя во всей красе. Когда в конце концов я закончил разливаться — не подберешь другого слова — и умолк, и он увидел, что все кончено, что из меня уже ничего не вытянешь, то отвел взгляд, взял новый бутерброд и стал искать в небе что-нибудь другое, заслуживающее его внимания. Он не проронил ни единого слова. Я так и не узнаю никогда, был ли это не в меру осторожный нормандец, или просто ужасный скот, напрочь лишенный всякой чувствительности, полный идиот или очень решительный человек, в точности знавший, что ему делать, но не доверявший свое решение никому, или тип, совершенно ошарашенный событиями и неспособный ни на какую другую реакцию, кроме как обжираться, или толстый крестьянин, который больше всего на свете дорожил своей коровой и потому решил оставаться рядом с ней до конца, в любую бурю и шторм. Его маленькие глазки смотрели на меня без малейшего выражения, пока я, положив руку на сердце, воспевал красоту родины-матери, нашу твердую волю продолжать борьбу, честь, мужество и славное завтра. Как представитель крупного рогатого скота он, несомненно, обладал величием. Всякий раз, как мне случается вычитать, что какой-то бык получил первую премию на сельскохозяйственной выставке, я вспоминаю о нем. Я покинул его, когда он взялся за свой последний бутерброд.

Сам я не ел со вчерашнего дня. Меню в унтерофицерской столовой после разгрома стало каким-то особенно изощренным. Нас баловали настоящей французской кухней, достойной наших лучших традиций, чтобы этим обращением к неизменным ценностям поднять наш дух и успокоить сомнения. Но я не осмеливался уйти с поля из боязни упустить какую-нибудь возможность отлета. Особенно меня мучила жажда, и я, сидя на цементе в тени крыла, с благодарностью согласился глотнуть красного, которым меня угостил экипаж «Потеза-63». Быть может, отчасти под воздействием опьянения я позволил себе одну из своих пламенных речей. Я говорил об Англии, этом авианосце победы, упоминал

Гинемера, Жанну д'Арк и Баярда, жестикулировал, возлагал руку на сердце и вдохновенно потрясал кулаком. На самом деле я полагаю, что это голос матери завладел моим, потому что, по мере того как я говорил, меня самого изумляло невероятное количество извергнутых мною штампов и многого другого, что я смог высказать без малейшего стеснения. И сколько бы я ни возмущался подобным неприличием со своей стороны, виной которому был какой-то странный, совершенно неподвластный мне феномен, усугубленный, конечно, усталостью и опьянением, но в первую очередь тем фактом, что личность и воля матери всегда пересиливали меня, я шпарил и шпарил дальше, с чувством и жестом. Думаю, что даже голос мой изменился и в нем стал явственно слышен сильный русский акцент, когда мать моими устами поминала «бессмертное Отечество» и призывала увлеченно слушавших унтеров отдать жизнь «за Францию, вечно возрождающуюся Францию». Время от времени, когда я слабел, они подталкивали ко мне литровую бутыль, и я устремлялся в новую тираду, так что мать, пользуясь моим состоянием, смогла по-настоящему блеснуть в наиболее вдохновенных сценах своего патриотического репертуара. В конце концов три унтера сжалились надо мной и заставили поесть крутых яиц, хлеба и колбасы, что меня немного отрезвило; подкрепившись, я поставил на место и вынудил умолкнуть эту восторженную русскую, вздумавшую учить нас патриотизму. Три унтера предложили мне еще чернослива, но в Англию лететь отказались; по их разумению, Северная Африка с генералом Норгесом продолжит войну, поэтому они предполагали направиться в Марокко, как только смогут доверху заправить баки его самолета, чего решили добиться во что бы то ни стало, даже если придется с оружием в руках захватить бензовоз.

За этот бензовоз дрались уже многие, и машина передвигалась теперь только под охраной вооруженных сенегальцев, сидевших на цистерне с примкнутыми штыками.

Мой нос был забит сгустками крови, и я с трудом дышал. У меня было только одно желание: лечь в траву и не шевелиться. Тем не менее жизненная сила и необычайная воля моей матери толкали меня вперед, и на самом-то деле это не я ходил от самолета к самолету, но старая решительная дама в сером, с палкой в руке и сигаретой «голуаз» в зубах; это она решила добраться до Англии и оттуда продолжить войну.

Глава XXXI

Все ж таки я примкнул к общему мнению, согласно которому Северная Африка не сложит оружия, и, поскольку отряд получил наконец приказ лететь в Мекнес, я покинул Мериньяк в пять часов пополудни и с наступлением ночи прибыл в Саланк на берегу Средиземного моря, подоспев как раз вовремя, чтобы узнать, что любому самолету, находящемуся на аэродроме, взлет запрещен. Воздушные передвижения над Африкой уже несколько часов контролировала новая власть, и все предыдущие приказы объявлялись недействительными. Я достаточно знал свою мать, чтобы не сомневаться, что она без колебаний погонит меня через Средиземное море вплавь, так что сразу же договорился со старшим унтер-офицером отряда, и, не дожидаясь новых приказов и контрприказов нашего любимого начальства, мы с рассвета взяли курс на Алжир.

У нашего «Потеза» были петрелевские моторы, что не давало ему возможности продержаться в воздухе до самого Алжира без дополнительных баков. Был большой риск, что наши вертушки остановятся в каких-нибудь сорока минутах лету до африканского побережья.

Все же мы взлетели. Я-то знал, что со мной ничего не могло случиться, ибо меня оберегала великая сила любви, а также потому, что все мое стремление к шедевру, мое инстинктивное отношение к жизни как художественному творчеству, скрытая, но непреложная логика которого всегда является логикой красоты, побуждали меня мысленно упорядочить будущее согласно строгому соотношению тонов и пропорций, света и тени, словно человеческой судьбой движет некое властное, классически-средиземноморское вдохновение, заботящееся прежде всего о равновесии и гармонии.

Такой взгляд на жизнь, превращая справедливость в своего рода эстетический императив, делал меня в собственных глазах неуязвимым, покуда жива моя мать — ведь я был ее *happy end*, — и обеспечивал мне победное возвращение домой. Что касается старшего унтер-офицера Дельво, хоть и наверняка не склонного наделять жизнь тайной и счастливой логичностью произведения искусства, то он тоже не поколебался устремиться поверх волн на слишком слабых моторах, со своим флегматичным «поживем — увидим», без малейшей помощи литературы, всего лишь с двумя надутыми камерами в кабине, которые послужили бы нам спасательными кругами в случае надобности.

К счастью, в то утро подул ниспосланный самим провидением ветер, да и моя мать тоже, наверное, подула немного для большей надежности, и мы приземлились на аэродроме Мезон-Бланш в Алжире с приличным — минут на десять — запасом горючего в баках.

Затем направились в Мекнес, куда была временно эвакуирована авиационная школа, и поспели как раз к известию, что власти Северной Африки не только приняли перемирие, но после того как первые «дезертиры» стали угонять самолеты на Гибралтар, еще и отдали приказ вывести из строя все машины.

Моя мать была вне себя. Ни минуты не оставляла меня в покое. Возмущалась, бушевала, негодовала. Мне никак не удавалось ее утихомирить. Она пылала в каждом шарике моей крови, клокотала в каждом ударе моего сердца и не давала спать по ночам, беспрестанно тормоша и требуя предпринять что-нибудь. Я отводил глаза от ее лица, пытаясь не видеть больше это выражение возмущенного непонимания перед совершенно новым для нее явлением: приятием поражения, будто человека вообще можно победить. Так что напрасно я умолял ее успокоиться, позволить мне дышать, довериться мне, проявить терпение, я отлично чувствовал, что она меня даже не слышит. Разумеется, не из-за разделявшего нас расстояния, поскольку она и не покидала меня ни на мгновение все эти ужасные часы. Но она была возмущена отказом Северной Африки откликнуться на ее призыв.

Призыв генерала де Голля к продолжению борьбы датируется 18 июня 1940 года. Не собираясь усложнять задачу историкам, хочу, тем не менее, уточнить, что моя мать призвала к этому же 15—16 июня, то есть по крайней мере на два дня раньше. На сей счет существуют многочисленные свидетельства, их и сегодня еще можно получить на рынке Буффа.

Два десятка человек поведали мне об ошеломляющей сцене, наблюдать которую мне, благодарение небу, не довелось, но я все еще краснею от стыда, стоит только о ней подумать. Моя мать, взобравшись на стул перед овощным лотком г-на Панталеони и потрясая палкой, призывала честной люд отвергнуть перемирие и отправляться в Англию, продолжать войну бок о бок с ее сыном, знаменитым писателем, который уже наносит врагу смертельные удары. Бедная женщина. Слезы наворачиваются мне на глаза, когда я думаю, что несчастная, закончив свою тираду, открыла сумку и пустила по кругу газетный листок с моим рассказом. Я на них не сержусь. Сержусь только на себя, что мне не хватило таланта, героизма, что я смог стать лишь тем, что я есть. Не это я хотел ей подарить.

Вывод из строя самолетов на аэродромах Северной Африки нас потряс. Мать рвала и метала, возмущалась, набрасывалась на меня, бранила за бесхребетность, стыдила за то, что валяюсь на раскладушке, вместо того чтобы энергично действовать, пойти, например, к генералу Норгесу и высказать ему в нескольких хорошо прочувствованных фразах, что я обо всем этом думаю. Я пытался втолковать ей, что генерал меня даже не примет, но уже видел ее, вооруженную своей палкой, на ступенях Ставки, и я отлично знал, что уж она-то нашла бы средство, чтобы ее выслушали. Я чувствовал себя недостойным.

Никогда ее присутствие не было для меня более реальным, более ощутимым, чем в те долгие часы, что я провел, бесцельно блуждая по Медине — туземным кварталам Мекнеса — среди арабской толпы, совершенно ошеломившей меня своими красками, звуками, запахами, пытаясь забыть хотя бы на мгновение, под внезапным натиском всей этой обрушившейся на меня экзотики, голос моей крови, который беспрестанно звал меня в бой с невыносимой выспренностью, щеголяя самыми затертыми штампами ура-патриотического репертуара. Воспользовавшись моим крайним нервным истощением и упадком сил, мать заполнила собой все; моя глубокая растерянность, моя потребность в любви и опеке, порожденная слишком долгой привычкой к материнскому крылу, которое выпустило меня в смутной надежде, что некая ниспосланная провидением женская нежность позаботится обо мне, целиком отдавали меня во власть ее образа, не оставлявшего меня ни на миг. Думаю, именно в эти долгие часы одинокого блуждания в чужой и пестрой толпе все самое сильное в натуре моей матери окончательно возобладало над моей слабостью и нерешительностью; ее дыхание, войдя в меня, заменило мое собственное, и она по-настоящему воплотилась во мне со всей своей вспыльчивостью, перепадами настроения, отсутствием меры, задиристостью, позами, пристрастием к драме и прочими чертами своего неуемного характера, из-за которых я, в конце концов, приобрел у товарищей и командиров репутацию сорвиголовы.

Признаюсь, я пытался отделаться от этого подавляющего присутствия, пытался сбежать от него в кишащую и пеструю вселенную Медины; бродил по базарам; разглядывал кожи и металлы, обработанные с каким-то новым для меня искусством, склонялся над тысячей предметов под пристальным и отстраненным взглядом торговцев, сидящих на своих прилавках, скрестив ноги и привалившись к стене, с чубуком меж губ, окутанных ароматами ладана и мяты; блуждал по «заповедному» кварталу, даже не догадываясь, что там меня поджидает самое гнусное приключение в моей жизни; сидел на террасах арабских кафе, курил сигары и попивал зеленый чай, по старой привычке пытаясь с помощью комфорта перебороть душевное смятение; однако мать следовала за мной повсюду, куда бы я ни пошел, и ее голос звучал во мне с хлесткой иронией. Значит, немножко побаловал себя туризмом? Чтобы отвлечься, конечно? Пока Франция моих предков лежит растерзанная беспощадным врагом и покорившимся ему правительством? Ну-ну! Если я, ее сын, так повзрослел, то с таким же успехом можно было остаться в Вильно, незачем было во Францию приезжать, я и впрямь недостоин быть французом.

Поднявшись на ноги, я углубился в какую-то улочку, широко шагая среди укутанных покрывалами женщин, попрошаек, торговцев, ослов, военных, и, ей-богу, смиренно признаю, что в этом беспрерывном обновлении впечатлений, форм и красок мне раза два удалось оторваться от матери.

Вот тогда я и пережил то, что, без сомнения, было самой короткой любовной историей всех времен.

В одном баре европейского квартала, куда я зашел выпить стаканчик, белокурую официантку, которой я, разумеется, уже через две минуты стал признаваться в любви, особенно тронула моя пылкая серенада. Ее взгляд стал блуждать по моему лицу, задерживаясь на каждой черте с выражением нежности и внимания, отчего я почувствовал, как вдруг перестал быть недомерком и становлюсь наконец полновесным мужчиной. Пока она мечтательно переводила взгляд от моего уха к глазам, потом к корням волос, моя грудь стала шире вдвое, сердце наполнилось храбростью, мускулы налились силой, которую не смогли им дать целых десять лет упражнений, и вся земля стала мне пьедесталом. Поскольку я поделился с ней своим намерением перебраться в Англию, она сняла со своей шеи цепочку с маленьким золотым крестиком и протянула мне. У меня вдруг появился необоримый соблазн послать подальше мою мать, Францию, Англию и весь духовный багаж, которым я был тяжко навьючен, и остаться рядом с этим уникальным существом, понимавшим меня так хорошо. Официантка оказалась полькой, добравшейся сюда из России через Памир и Иран; я надел цепочку себе на шею и попросил свою возлюбленную выйти за меня замуж. Мы к тому времени были знакомы уже минут десять. Она согласилась. Сказала, что ее муж и брат были убиты в Польше во время войны, и с тех пор она одна, если не считать неизбежных интрижек, на которые приходилось идти, чтобы удержаться на плаву и получить документы. Было в ее лице что-то болезненное и патетическое, усиливавшее желание помогать ей и покровительствовать, хотя все было совсем наоборот — это я сам пытался уцепиться за первую попавшуюся женщину, видя в ней плывущий мне навстречу спасательный круг. Чтобы противостоять жизни, я всегда нуждался в поддержке женственности, одновременно уязвимой и преданной, немного покорной и признательной, внушающей чувство, будто я даю, в то время как сам беру, будто поддерживаю, в то время как сам опираюсь. Впору задуматься, откуда такая любопытная потребность. Затянутый, несмотря на гнетущий зной, в свою кожаную куртку, как в броню, в фуражке набекрень, с самоуверенным и по-мужски покровительственным видом, я цеплялся за ее руку. Мир, рушившийся вокруг нас, толкал нас друг к другу с головокружительной скоростью, с той самой скоростью, с какой рушился.

Было два часа пополудни, час сиесты, священный в Африке, и бар был пуст. Мы поднялись в ее комнату и провели полчаса, впившись друг в друга; никогда еще двое тонущих не совершали бо́льших усилий, чтобы взаимно друг друга поддержать. Мы решили немедленно пожениться, а затем вместе лететь в Англию. На половину четвертого у меня была назначена встреча с одним товарищем, который собирался повидать английского консула в Касе и попросить у него помощи. Я ушел из бара в три, чтобы предупредить товарища, что нас будет трое, а не двое, как мы договорились ранее. Когда в половине пятого я вернулся в бар, там уже оказалось людно и моя суженая была очень занята. Не знаю, что такого могло произойти за время моего отсутствия — должно быть, она встретила кого-то, — но я сразу понял, что между нами все кончено. Наверняка не смогла вынести разлуки. Она как раз говорила с красивым лейтенантом спаги: предполагаю, что он вошел в ее жизнь, пока она меня дожидалась.

Я сам виноват: никогда нельзя оставлять любимую женщину, ее охватывает чувство одиночества, сомнение, уныние — и готово. Должно быть, она потеряла доверие ко мне, вообразив, быть может, что я уже не вернусь, и решила начать жизнь сызнова. Я был очень несчастен, но не мог на нее сердиться. Я поторчал там немного, сидя перед своим пивом, все-таки ужасно разочарованный, поскольку думал, что уже решил все свои проблемы. Полька и вправду была хорошенькая, с какой-то покинутостью и беззащитностью в выражении лица, что так меня вдохновляет, и еще она как-то по-особому откидывала со лба свои белокурые волосы — этот жест волнует меня и сейчас, когда я о нем вспоминаю. Я очень легко привязываюсь. Я понаблюдал за ними обоими какое-то время, чтобы проверить, нет ли надежды. Но ее не было. Я сказал ей пару слов по-польски, пытаясь задеть патриотическую струнку, но она меня оборвала, заявив, что выйдет замуж за лейтенанта, он тут колонист, и осядет в Северной Африке, хватит с нее этой войны, впрочем, она и так уже кончилась, маршал Петен спас Францию и все уладит. Она добавила, что англичане нас предали. Я бросил тоскливый взгляд на лейтенанта спаги — куда там тягаться с его красным плащом — и смирился с судьбой. Бедняжка пыталась ухватиться за кого угодно, лишь бы тот предложил ей хотя бы видимость какой-то надежности среди всеобщего краха, так что я не мог на нее сердиться. Я расплатился за пиво и оставил в блюдце вместе с чаевыми тоненькую золотую цепочку с золотым крестиком. Либо ты джентльмен, либо нет.

Родители моего товарища жили в Фесе, и мы поехали к ним на автобусе. Дверь нам открыла его сестра, и тут я увидел перед собой спасательный круг, немедленно затмивший тот, с которым я так промахнулся в Мекнесе. Симона была из тех североафриканских француженок, кого отличают матовая кожа, тонкая кость и томные глаза — восхитительные и весьма известные прелести. Она была веселая, образованная, подзадоривала нас продолжать борьбу и порой так значительно на меня смотрела, что во мне все переворачивалось. Под этим взглядом я снова чувствовал себя полноценным, прямо и крепко стоящим на ногах, и я решил тотчас же попросить ее руки. Прошение было принято благосклонно, мы поцеловались на глазах у растроганных родителей и условились, что она приедет ко мне в Англию при первой же возможности. Шесть недель спустя в Лондоне ее брат передал мне письмо, в котором Симона извещала меня, что вышла замуж за молодого архитектора из Касы. Это было для меня страшным ударом, поскольку я не только считал ее женщиной своей мечты, но и напрочь о ней забыл, так что ее письмо стало для меня вдвойне мучительным откровением о себе самом.

Наши усилия убедить английского консула, чтобы тот выхлопотал нам фальшивые документы, не дали результата, и я решился захватить на аэродроме Мекнеса «Моран-315» и лететь на Гибралтар. При этом еще надо было найти неиспорченный самолет или сочувствующего механика, так что я стал рыскать по взлетному полю и пристально вглядываться в каждого механика, пытаясь сообразить, что у него за душой. Я уже собрался было подкатить к одному, чья открытая курносая физиономия внушила мне доверие, когда увидел заходящий на посадку «Симун». Самолет остановился в двадцати шагах от меня. Из него вылез пилот в чине лейтенанта и направился к ангару. Казалось, само небо сообщнически и по-дружески мне подмигнуло, поэтому никак нельзя было упустить такой шанс. Меня прошиб холодный пот, живот свело от страха: я был отнюдь не уверен, что смогу взлететь, а затем управлять «Симуном». Во время своих «левых» тренировок я никогда не превосходил уровень «Моранов» и «Потезов-540». Но отступать было никак нельзя: некуда. Я чувствовал на себе восхищенный и гордый взгляд матери. Подумал вдруг, что из-за поражения и оккупации во Франции может не хватить инсулина. Она и трех дней не протянет без своих уколов. Может, я смогу договориться с лондонским Красным Крестом, чтобы ей доставляли его из Швейцарии.

Я подошел к «Симуну», поднялся на борт, устроился за штурвалом. Мне казалось, что никто меня не видел.

Я ошибался. Повсеместно, почти в каждом ангаре, командование разместило жандармов и летную полицию, чтобы помешать участившимся воздушным «дезертирствам», которые совершались при пособничестве механиков. Не далее как в то самое утро улетели на Гибралтар «Моран-230» и «Гоелан». Едва я устроился в кресле, как увидел двух жандармов, которые выскочили из ангара и бросились в мою сторону, — один уже вытаскивал револьвер из кобуры. Они были в тридцати метрах от меня, а винт все еще не крутился. Я сделал последнюю отчаянную попытку запустить его, потом выпрыгнул из машины. Человек десять солдат, вышедших из ангара, с любопытством наблюдали за мной. Они не сделали ни малейшей попытки меня перехватить, пока я мчался, как кролик, перед этим войсковым фронтом, но вполне успели рассмотреть мое лицо. В довершение собственной глупости, в основном под воздействием той атмосферы «победить или умереть», в которой я купался уже несколько дней подряд, я, выпрыгнув из «Симуна», вытащил свой револьвер и держал его в руке, убегая со всех ног; незачем и говорить, что это не облегчило бы мою участь перед военным судом. Но я решил, что никакого военного суда не будет. Искренне полагаю, что в том состоянии духа, в каком я тогда находился, вряд ли бы меня смогли взять живьем. А поскольку я был очень хорошим стрелком, то до сих пор содрогаюсь при мысли, что бы натворил, если бы не удалось улизнуть. Однако это не составило труда. В конце концов я спрятал револьвер и, несмотря на свистки за спиной, замедлил шаг и преспокойно покинул аэродром, пройдя мимо поста охраны. Стоило выйти на дорогу, как в пятидесяти метрах от меня появился автобус. Я поднял руку, решительно преградив ему путь, и он остановился. Я в него залез и устроился рядом с двумя закутанными в покрывало женщинами и чистильщиком обуви в белоснежном одеянии. Мощно перевел дух. Я здорово влип, но ничуть не беспокоился. Наоборот, меня охватила настоящая эйфория. Наконец-то я разорвал перемирие, наконец-то избавился от покорства, стал крутым, настоящим, бывалым — война только что возобновилась и назад пути не было. Я чувствовал на своем лице восхищенный взгляд матери и не смог помешать себе улыбнуться с некоторой толикой превосходства, и даже откровенно рассмеялся. Думаю даже, прости, Господи, что сказал ей что-то довольно претенциозное, что-то вроде «погоди, это только начало, то ли еще увидишь». Сидя в грязном автобусе, среди закутанных женщин и белых бурнусов, я скрестил руки на груди и почувствовал себя наконец на той высоте, которая от меня ожидалась. Я закурил «вольтижер», чтобы довести свое неповиновение до предела — в автобусах курить было запрещено, — и мы с матерью некоторое время покуривали, молча поздравляя друг друга. У меня не было ни малейшего представления о том, что делать дальше, но я напустил на себя такой крутой вид, что сам испугался, вдруг заметив собственную физиономию в зеркальце заднего обзора; даже сигара выпала изо рта.

Единственное, о чем я мучительно сожалел, это о своей кожаной куртке, оставленной в казарме; без нее мне было довольно одиноко. Я плохо переношу одиночество и был сильно привязан к своей кожанке. Как я уже говорил, я легко привязываюсь. Только это и омрачало горизонт. Я ухватился за сигару, но сигары надолго не хватает, а моя в сухом африканском воздухе тлела как-то особенно быстро и с минуты на минуту собиралась оставить меня совсем одного.

Попыхивая своим «вольтижером», я строил планы. Наверняка военные патрули прочешут весь город, разыскивая меня, стало быть, мне надо любой ценой избегать мест, где моя форма будет чересчур выделяться на туземном фоне. Наилучшим решением мне показалось схорониться где-нибудь на несколько дней, а затем направиться в Касу и попытаться сесть на какое-нибудь отходящее судно. Говорили, что польские войска с согласия правительства эвакуируются в Англию и за ними в порт пришли английские суда. Прежде всего надо, чтобы обо мне немного подзабыли. Я решил провести первые сорок восемь часов в *бусбире*, заповедном квартале публичных домов, где в непрерывном потоке всех родов войск, прибывавших сюда за облегчением, у меня были неплохие шансы пройти незамеченным. Казалось, подобный выбор убежища несколько встревожил мою мать, но я немедленно дал ей все необходимые заверения. Так что я сошел с автобуса в арабском городе и направился в заповедный квартал.

Глава XXXII

Бусбир Мекнеса, настоящий город, окруженный крепостной стеной, насчитывал тогда не знаю сколько тысяч проституток, распределенных между несколькими сотнями «домов». Двери охранялись вооруженными часовыми, а улочки обходили полицейские патрули, но они были слишком заняты предотвращением драк между солдатами различных родов войск, чтобы возиться с одиночками вроде меня.

На следующий день после перемирия *бусбир* буквально клокотал от активности — столь же неуемной, сколь и не слишком разнообразной. Физические потребности солдат, уже немалые в мирное время, во время войны возрастают еще больше, а поражение доводит их до какого-то исступления. Улочки между домами были забиты военными — для гражданского населения отводились два дня в неделю, но мне повезло попасть туда в счастливый день: белые кепи Иностранного легиона, защитного цвета чалмы арабских конников, красные накидки спаги, матросские помпоны, алые фески сенегальцев, одеяния верблюжьей кавалерии, орлы летчиков, бежевые тюрбаны аннамитов, лица желтые, черные и белые — вся империя была здесь, в оглушительном реве патефонов, извергавших свою музыку из окон; особенно мне запомнился голос Рины Кетти, уверявшей, что будет «жда-ать, ве-ечно жда-а-ать тебя, днем и ночью, любовь моя». А тем временем армия, разочарованная своими военными победами, избавлялась в этих битвах от нерастраченной мужской силы, обрушивая ее на тела девиц — берберок, негритянок, евреек, армянок, гречанок, полек, белых, черных, желтых, из-за скачков которых предусмотрительные «мадам» запретили использовать кровати и велели стелить матрацы прямо на полу, дабы ограничить ущерб и расходы на починку. От профилактических центров, отмеченных красным крестом, несло вонью перманганата, черного мыла и какой-то особенно гнусной мази на основе каломели, а сенегальские санитары в белых халатах лошадиными дозами отбивали натиск спирохет и гонококков, грозивших прорвать эту санитарную линию Мажино и нанести еще одно поражение уже поверженной армии. Между родами войск беспрестанно вспыхивали потасовки, особенно между легионерами, спаги и арабскими кавалеристами, оспаривавшими друг у друга право первенства, но обычно кто угодно шел за кем угодно, заплатив сто су плюс десять су за полотенце; в шикарных заведениях, где девочки были одеты, а не просто ждали голышом на лестнице, сумма доходила до двенадцати и двадцати франков. Иногда какая-нибудь девица, в истерике из-за переутомления или гашиша, с воплями выскакивала на улочку и закатывала публичное представление, которое немедленно пресекалось патрулем военной полиции, пекшейся о благопристойности. Вот в таком-то живописном и вполне отвечавшем моим намерениям месте, в заведении матушки Зубиды, я и искал приюта, весьма здраво рассудив, что среди этого апокалипсиса я гораздо лучше уберегусь от военной полиции, чем где-либо еще, тем более что церковь с некоторых пор утратила свое древнее право убежища. Там я и грыз удила от нетерпения один день и две ночи в особо трудных условиях.

В самом деле, для человека, одухотворенного возвышенными чувствами и героическими намерениями, да еще под удрученным взглядом собственной матери, чьи чувства и намерения еще более возвышенны, положение мое было — гаже не придумаешь. Обычно *бусбир* закрывал двери в два часа ночи, решетки запирались, а девицы отправлялись отдыхать, кроме тех, что сверхурочно обслуживали клиентов, оставшихся на ночь; военные власти это не разрешали, но терпели, и если ночной пропуск был в порядке, полиция, улаживая дело с «мадам», соглашалась за простую мзду закрыть глаза. Все это разъяснила мне матушка Зубида около половины первого, незадолго до закрытия ее заведения. Можно без труда представить себе вставшую передо мной дилемму. До сих пор я щепетильно воздерживался от «услуг». Я хотел добраться до Англии в исправном состоянии и не был расположен рисковать своим здоровьем в этой клоаке. За семь лет солдатской жизни я чего только не насмотрелся, чего только не делал; приключения нас не пугали, зато торопила жизнь, потому что в любой момент могла быть отнята у нас, что и случалось в девяти случаях из десяти, так что единственное, чего мы не искали, желая забыться, это общества девиц из хороших семейств. Тем не менее, отставив в сторону прочие соображения, наименее серьезное из которых — слишком малая на мой

267

вкус привлекательность предприимчивых «пансионерок», самая элементарная осторожность не сове-
товала мне бросаться в эти воды, где и без меня
хватало пловцов. Я и в самом деле не хотел предстать перед вождем воюющей Франции в состоянии, грозившем вызвать его удивление. Однако от-
казу от «услуг» была только одна альтернатива: дверь
и проверка документов военными патрулями на почти пустынных в этот час улочках. В моем случае
это означало арест и военно-полевой суд. Стало быть,
мне неизбежно требовались услуги, причем не просто «на время», а «на всю ночь», чтобы мамаша
Зубида могла по-свойски договориться с полицией.
И не только это, поскольку, если я хотел отсидеть-
ся в заведении, пережидая, пока уляжется шум, вызванный моим поспешным бегством с револьвером
в руке, мне требовалось засвидетельствовать образ-
цовый пыл и усердие, дабы не возбудить подозре-
ний и оправдать свое беспрерывное присутствие в
течение дня и двух ночей. Однако трудно испытывать к этому меньше вдохновения, чем испытывал
я в тех обстоятельствах. Я был озабочен совсем другим. Из-за своей тревоги, нервозности, раздражения, разгоряченного нетерпения возвыситься до трагедии, которую переживала Франция, из-за тысячи назойливых вопросов, лезших в голову, я меньше
всего годился для роли жизнерадостного ухаря. Самое малое, что могу об этом сказать: мне было не до
того. Легко можно догадаться, как растерянно мы
с матерью переглянулись. Я сделал жест покорности судьбе, показывая, что выбора у меня нет и что
опять, будь что будет, решился сделать все, что
смогу, хотя ничего подобного и в самом деле не
ожидал. Затем, собрав свое мужество, ринулся в
разнузданный поток. Боги моего детства, должно
быть, помирали со смеху, любуясь на меня. Я ви-

дел, как эти ценители потешались, держась за бока, выпятив брюхо и жмурясь от хохота, с хлыстами укротителей в руках, в кольчугах и шишаках, поблескивающих в мутном свете их низменного неба, изредка насмешливо тыча пальцем в ученика-идеалиста, который отправился покорять незапятнанные вершины, а сам теперь обладает миром, обнимая нечто, что не имеет никакого, даже самого отдаленного отношения к благородными трофеям, на которые уповал. Никогда еще мое желание сдержать слово и когда-нибудь вернуться домой увенчанным лаврами, чтобы даровать матери счастливое завершение ее жизни, не получало более ехидного отклика, чем в бесконечные часы, потерянные в этой трясине.

Двадцать лет прошло, и человек, которым я теперь стал, уже давно расставшийся со своей юностью, вспоминает гораздо менее серьезно и несколько более иронично того, кем я был тогда, — такого строгого, такого убежденного. Мы друг другу уже все высказали, хотя мне кажется, что были едва знакомы. Был ли и вправду мною этот взволнованный и пылкий мальчишка, так наивно преданный волшебной сказке и так стремящийся к чудесной власти над своей судьбой? Мать рассказала мне слишком много красивых историй, слишком талантливо, и в эти лепечущие рассветные часы, когда ребенок каждой фиброй навсегда запечатлевает след, оставленный в его душе, мы дали друг другу слишком ком много обещаний, и я чувствовал, что связан ими. При такой душевной потребности в возвышенном все становилось пропастью и падением. Сегодня, когда падение и в самом деле свершилось, я знаю, что талант моей матери долго побуждал меня относиться к жизни как к материалу для творчества, и я надорвался, желая упорядочить жизнь согласно некоему золотому правилу. Стремление к шедевру, мастерству, красоте вынуждало меня яростно месить нетерпеливыми руками бесформенную массу, лепить из которой не может никакая человеческая воля, но которая сама обладает коварной силой, незаметно формируя вас на свой лад; при каждой вашей попытке отпечатать на ней свой след она чуть больше навязывает вам трагическую, гротескную, убогую или несуразную форму, пока вы не окажетесь, например, лежащим, раскинув руки, на берегу Океана, в одиночестве, которое порой нарушает тявканье тюленей да крики чаек, среди тысяч неподвижных морских птиц, отражающихся в зеркале залитого водой песка. Вместо того чтобы жонглировать, по своим способностям, пятью, шестью, семью мячиками, как все выдающиеся артисты, я гробил себя, желая пережить то, о чем в крайнем случае можно было только спеть. Я блуждал, гоняясь за тем, чего заставляло жаждать искусство, но не могла утолить жизнь. Моему вдохновению уже давно не провести меня, и если я мечтаю порой преобразить мир в счастливый сад, то теперь-то знаю — это не столько из любви к людям, сколько к садам. И хотя, конечно, я по-прежнему ощущаю на своих губах вкус к искусству — и нынешнему, и былому, — но скорее как улыбку: наверняка это и будет моим последним литературным творением, если у меня к тому времени еще останется какой-то талант.

Иногда я закуривал сигару и недоуменно пялился в потолок, ломая голову, как очутился здесь, вместо того чтобы выписывать своим самолетом героические арабески в небе славы. В тех арабесках, которые мне приходилось выписывать тут, не было ничего героического, а слава, которую я снискал в заведении под конец своего марафона, была вовсе не та, что дает возможность после кончины опочить в Пантеоне. Да, боги наверняка ликовали. Их нравоучительности и назидательности тут было чем поживиться. Попирая ногами мою спину, они довольно склонялись над возжелавшей похитить у них горнее пламя человеческой рукой, в которую они подсунули жалкий комок земной грязи. Их грубый хохот порой достигал моих ушей, но не знаю, они ли это вовсю веселились или солдаты в общем зале. Мне было все равно. Я еще не был побежден.

Глава XXXIII

Само Провидение захотело освободить меня от каторжных работ, устроив неожиданную встречу с одним товарищем, ожидавшим своей очереди в санитарном пункте при заведении. Он мне сообщил, что серьезная опасность для меня уже миновала и что подполковник Амель, командир нашего авиаотряда, не только отказался сообщить о моем исчезновении, но и упорно, вопреки всякой очевидности утверждал, что к попытке угона самолета я не мог иметь никакого отношения по той превосходной причине, что никогда не прилетал в Северную Африку на борту его машин. Благодаря этому свидетельству, за которое я выражаю здесь этому французу свою благодарность, меня не стали объявлять дезертиром, перестали разыскивать и не побеспокоили мою мать. Тем не менее этот новый поворот событий, весьма благоприятный сам по себе, воспрещал мне появляться на поверхности и обрекал на подполье. Поскольку я был без гроша, оставив все, что имел, в руках мамаши Зубиды, то занял у своего приятеля денег на автобус до Касы, где рассчитывал пробраться на борт какого-нибудь отплывающего судна.

Все же я не мог смириться с тем, что покину Мекнес, не заглянув на авиационную базу. Вы наверняка уже заметили, что я так просто не расстаюсь с тем, что мне дорого, а мысль бросить в Африке свою кожаную куртку была мне нестерпима. Никогда я в ней так не нуждался, как в тот момент. Она была привычной защитной оболочкой, броней, дававшей мне ощущение безопасности и неуязвимости, и, придавая чуть угрожающий, решительный и даже немного опасный вид, отбивала охоту связываться со мной и в итоге позволяла оставаться незамеченным. Однако мне уже не суждено было ее увидеть. Прибыв в расположение части, я обнаружил в комнате, которую занимал, только пустой гвоздь: куртка исчезла.

Я сел на койку и заплакал. Не знаю, сколько времени я плакал, глядя на пустой гвоздь. Теперь у меня точно отняли все.

Наконец я заснул в состоянии такого физического и нервного изнеможения, что проспал кряду шестнадцать часов и проснулся в той же позе, в какой упал, — поперек кровати и с фуражкой на глазах. Я принял холодный душ и вышел из лагеря в поисках автобуса до Касы. На дороге меня поджидал приятный сюрприз: я обнаружил там бродячего торговца, предлагавшего помимо других лакомств соленые огурцы в банках. Наконец-то я получил доказательство, что охранительная сила любви все еще меня не покинула. Я сел на обочине и умял полдюжины огурцов на завтрак. Почувствовал себя лучше. Посидел какое-то время на солнышке, разрываясь между желанием продолжить дегустацию и чувством, что в трагических обстоятельствах, которые переживала Франция, надо проявить стоицизм и воздержанность. Мне было нелегко расстаться с торговцем и его банками, я даже смутно размечтался, нет ли у того дочки на выданье. Я вполне представлял себе, как сам торгую солеными огурцами рядом с любящей, преданной подругой и трудолюбивым, признательным тестем. На меня накатили такая нерешительность и чувство одиночества, что я чуть было не упустил автобус на Касу. Все же я остановил его, ощутив прилив энергии, и, прихватив с собой изрядный запас завернутых в газету огурцов, сел в автобус уже не один, а прижимая к сердцу верных друзей. Любопытно, до чего живуч ребенок во взрослом.

Я высадился в Касабланке на площади Франции, где почти сразу же встретил двух выпускников летной школы, младших офицеров Форсана и Далиго, ищущих, как и я, какого-нибудь средства для побега в Англию. Мы решили объединить наши усилия и провели день, болтаясь по городу. Доступ в порт охранялся жандармами, а на улицах не было и следа польских мундиров: последний английский военный транспорт, должно быть, уже давно ушел. Около одиннадцати вечера мы в унынии остановились под газовым фонарем. Я слабел. Говорил себе, что и в самом деле сделал все, что смог, дескать на нет и суда нет. И еще я чувствовал, что где-то что-то не сошлось. Проснувшийся во мне фатализм азиатской степи стал нашептывать отравленные слова. Либо судьба существует и все карты в ее руках, либо же нет ничего, и тогда все равно, можно спокойно лежать в уголке. Если некая светлая и справедливая сила действительно заботится обо мне, ну что ж, ей остается лишь как-нибудь проявить себя. Мать беспрестанно твердила мне о победах и лаврах, которые меня ждут, в общем-то, давала некоторые обещания — так пусть сейчас сама и выпутывается.

Не знаю, как ей это удалось, но я вдруг увидел идущего прямо на нас и взявшегося, как мне показалось, ниоткуда бравого польского капрала. Мы бросились к нему на шею: это был первый капрал, которого мне довелось целовать. Он нам сообщил, что британское грузовое судно «Оукрест», перевозящее польский воинский контингент из Северной Африки, поднимет якорь в полночь. Он добавил, что сошел на берег купить какой-нибудь провизии в придачу к пайку. По крайней мере он сам так считал, но я-то знал, какая сила согнала его с корабля и привела к газовому фонарю, освещавшему нашу меланхолию. Видимо, артистический нрав моей матери, постоянно и порой столь трагически побуждавший ее сочинять наше будущее по канонам назидательной литературы, точно так же проявлялся и во мне, и я, еще не покорившись искусству как неизбежности, упрямо искал вокруг себя, в самой жизни, какой-нибудь творческий порыв, стремящийся поудачнее устроить нашу судьбу.

Так что капрал оказался как нельзя кстати. Форсан позаимствовал у него китель, Далиго фуражку; что касается меня, то я попросту остался в рубашке и зычным голосом отдавал своим товарищам приказы по-польски. Мы без всякого труда прошли через жандармский кордон, охранявший ворота в порт, и по сходням поднялись на борт, не без помощи, надо сказать, двух польских дежурных офицеров, которым я объяснил наше положение в нескольких драматических и ясно выраженных на прекрасном языке Мицкевича словах:

— Особое связное задание. Уинстон Черчилль. Капитан Мезон-Руж, второй отдел.

Мы провели спокойную ночь в море, в угольном трюме, убаюканные грезами о неслыханной славе. К несчастью, как раз когда я уже собирался въехать в Берлин на белом коне, прозвучал сигнал побудки.

Настроение было довольно бодрое и даже охотно склонялось к высокопарности: наши верные английские союзники ждут нас с распростертыми объятиями; вместе обратив наши клинки и кулаки против вражеских богов, считающих, что человека можно победить, мы, подобно древнейшим защитникам народа, навеки заклеймим шрамами их сатрапские лица, утвердив свое достоинство.

Мы поспели в Гибралтар как раз к возвращению британского флота, только что доблестно потопившего наши лучшие боевые корабли при Мерс-эль-Кебире. Можно вообразить, что́ эта новость означала для нас: наша последняя надежда ответила нам подлым ударом.

В блистающем и прозрачном воздухе, там, где Испания встречается с Африкой, мне довольно было поднять глаза, чтобы увидеть над собой гигантскую тушу Тотоша, бога глупости: стоя на рейде, расставив ноги в синей воде, едва доходившей ему до щиколоток, откинув голову назад и держась за брюхо, он раскатисто хохотал, затмевая собою небо, и по случаю на нем была фуражка английского адмирала.

Затем я подумал о матери. Представил, как она выходит на улицу и отправляется бить стекла британского консульства в Ницце, на бульваре Виктора Гюго. Представил, как в своей криво сидящей на седых волосах шляпке, с сигаретой, с палкой в руке, она призывает прохожих присоединиться к ней и выразить свое негодование.

Поскольку в таких условиях я не мог долее оставаться на борту английского корабля, то, заметив на рейде небольшое посыльное судно под трехцветным флагом, я разделся и нырнул в воду.

Я был в полнейшей растерянности и, не зная, какое решение принять, какому святому довериться, инстинктивно бросился по направлению к национальному флагу. Пока я плыл, мне впервые пришла в голову мысль о самоубийстве. Но я отнюдь не из покорных и свою левую щеку никому не подставляю. Так что я решил прихватить с собой английского адмирала, учинившего бойню в Мерс-эль-Кебире. Проще всего было бы испросить у него аудиенцию в Гибралтаре и, расшаркавшись, разрядить ему револьвер прямо в ордена. А потом я с легким сердцем дал бы себя расстрелять: расстрельный взвод — отнюдь не самое неприятное. Мой тип красоты неплохо смотрится на его фоне.

Оставалось проплыть два километра, и прохладная вода немного меня остудила. В конце концов, я ведь собирался сражаться не за Англию. Подлому удару, который она нам нанесла, нет прощения, но он по крайней мере доказывал, что она твердо намеревалась продолжать войну. Я решил, что незачем менять свои планы и надо добраться до Англии, несмотря на англичан. Тем не менее, оказавшись уже в двух сотнях метров от французского судна, я нуждался в некоторой передышке, прежде чем проделать еще два километра в обратную сторону.

Так что, сплюнув в воздух — я всегда плаваю на спине — и избавившись таким образом от британского адмирала, лорда Мерс-эль-Кебир, я продолжил путь к французскому суденышку. Доплыл до трапа и вскарабкался на борт. На палубе сидел сержант-летчик и чистил картошку. Он посмотрел, как я голышом вылезаю из воды, и не проявил ни малейшего удивления. Если ты видел, как Франция проиграла войну, а Великобритания потопила флот своих союзников, уже ничто не должно удивлять.

— Ну как там? — спросил он учтиво.

Я объяснил ему свою ситуацию и в свою очередь узнал, что судно направлялось в Англию с дюжиной сержантов-летчиков на борту, чтобы присоединиться к генералу де Голлю. Мы дружно осудили позицию британского флота и равным же образом согласились, что англичане продолжат войну и откажутся подписать перемирие с немцами, а важно, в конце концов, было только это.

Сержант Канеппа — подполковник Канеппа, боец Освобождения, командор Почетного легиона, получивший двенадцать наград и павший в бою восемнадцать лет спустя в Алжире, после того как беспрестанно дрался на всех фронтах, где Франция проливала свою кровь,— сержант Канеппа предложил мне остаться на борту, чтобы не плыть под британским флагом, и объявил, что тем более рад моему прибытию, что в наряде по чистке картошки одним рекрутом будет больше. Я поразмыслил со всей подобавшей этому новому и непредвиденному обстоятельству серьезностью и рассудил, что, сколь бы ни было велико мое негодование против англичан, лучше уж плыть под их флагом, чем отдаться хозяйственным работам, столь противным моей вдохновенной натуре. Поэтому я сделал ему ручкой и вновь погрузился в волны.

Путешествие от Гибралтара до Глазго длилось семнадцать дней, и я обнаружил, что корабль перевозил и других французских «дезертиров». Мы познакомились. Был там Шату, сбитый потом над Северным морем; Жанти, сбитый, должно быть, на своем «Харрикейне» в бою один против десяти; Лустро, павший на Крите; два брата Ланже, младший из которых был моим пилотом, прежде чем погиб от удара молнии во время полета в африканском небе (старший брат все еще жив); Мильски-Латур, вероятно сменивший свою фамилию на Латур-Прангард и, должно быть, разбившийся на своем «Боуфайтере» где-то в море у берегов Норвегии; марселец Рабинович, он же Оливка, убитый во время тренировочного полета; Шарнак, взорвавшийся со своими бомбами над Руром; невозмутимый Стоун, который все еще летает; были и другие, все с более-менее выдуманными именами, чтобы уберечь свои оставшиеся во Франции семьи или чтобы просто перечеркнуть прошлое, но, главное, был среди всех этих оказавшихся на борту «Оукреста» непокорных один, чье имя никогда не изгладится из моего сердца, невзирая на вопросы, сомнения, уныние.

Он звался Букийяр и в свои тридцать пять был намного старше нас. Довольно приземистый, немного сутулый, с темными глазами на длинном дружелюбном лице и в неизменном берете. За его спокойствием и мягкостью таилось пламя — то, что порой делает Францию самым освещенным местом в мире.

Он стал первым французским асом в битве за Англию, прежде чем погиб после своей шестой победы, и двадцать пилотов, столпившихся на командном пункте, не отводя глаз от черного зева громкоговорителя, слышали, как он вплоть до финального взрыва напевал великий французский припев; и теперь, когда я царапаю эти строки лицом к Океану, чье волнение заглушило столько других призывов, столько других вызовов, песнь сама собой выплескивается с моих губ — так я пытаюсь возродить былое, голос друга — и вот он снова встает рядом со мной, живой, улыбающийся, и всего одиночества Биг Сура едва хватает, чтобы вместить его.

В Париже нет улицы, названной в его честь, но для меня все улицы Франции носят его имя.

Глава XXXIV

В Глазго нас встретили под звуки волынки шотландского полка, прошедшего перед нами парадным строем в пунцовых мундирах. Моя мать очень любила военные марши, но мы еще не опомнились от ужаса Мерс-эль-Кебира, так что, повернувшись спиной к дударям да барабанщикам, важно выступавшим по аллеям парка, в котором нас расквартировали, все французские летчики молча вернулись в свои палатки, а бравые шотландцы, задетые за живое и от этого еще более пунцовые, чем когда-либо, продолжали с истинно британским упрямством гонять по пустым аллеям эхо своих бодрящих мелодий. Из пятидесяти летчиков, оказавшихся там, только трое уцелели к концу войны. В последовавшие суровые месяцы все они, разбросанные по английским, французским, русским, африканским небесам, порознь сбили более ста пятидесяти вражеских самолетов, прежде чем самим погибнуть. Мушотт — пять побед, Кастелен — девять, Марки — двенадцать, Леон — десять, Познански — пять, Далиго... Зачем шептать про себя эти имена, которые уже ничего никому не говорят? И правда, зачем, ведь на самом-то деле они меня никогда и не покидали. Все, что осталось во мне живого, принадлежит им. Мне порой кажется, что сам я продолжаю жить только из вежливости, и если еще позволяю биться моему сердцу, то единственно из-за своей неизменной любви к животным.

Вскоре после прибытия в Глазго мать помешала мне совершить непоправимую глупость, из-за которой я бы потом угрызался и травил себе душу всю жизнь. Помните, при каких обстоятельствах меня лишили нашивок младшего лейтенанта по окончании летной школы в Аворе? Рана от этой несправедливости еще не затянулась и болела в моем сердце. Однако теперь нс было ничего проще, как исправить ее самому. Стоит только пришить галупы младшего лейтенанта на рукава, и готово дело. В конце концов, я ведь имел на них право и был ограблен только по злокозненности каких-то мерзавцев. Так почему не восстановить справедливость?

Но, само собой разумеется, мать немедленно вмешалась. Не то чтобы я с ней советовался, вовсе нет. Я даже сделал все возможное, чтобы удержать ее в неведении насчет этой задумки, услать подальше из своей головы. Тщетно: в мгновение ока она возвращалась обратно, с палкой в руке, и вела крайне обидные речи. Дескать, не так она меня воспитывала, не того ждала от меня. Никогда, никогда не пустит она меня на порог, если я совершу подобный поступок. Умрет от стыда и горя. И напрасно я, поджав хвост, пытался бежать от нее по улицам Глазго, она повсюду меня преследовала, размахивая своей палкой, и я отчетливо видел ее лицо, то умоляющее и негодующее, то с выражением непонимания, которое я так хорошо знал. Она по-прежнему была в своем сером пальто и серо-лиловой шляпке, с ниткой жемчуга на шее. Шея-то и стареет у женщин быстрее всего.

Я остался сержантом.

В лондонский «Олимпия-холл», куда были приглашены первые французские добровольцы, явились поболтать с нами девушки и дамы из лучшего английского общества. Одна из них, прелестная блондинка в военной форме, сыграла со мной бесчисленное количество партий в шахматы. Казалось, она твердо решила поднять дух бедным французским добровольцам, поэтому все время мы с ней провели не вставая из-за шахматной доски. Она была превосходным игроком и всякий раз разбивала меня в пух и прах, тотчас же предлагая новую партию. После семнадцати дней плавания коротать время, играя в шахматы с очень красивой девушкой, когда умираешь от желания драться, — одно из самых раздражающих занятий, которые мне известны. В конце концов я решил сбежать от нее и издали смотрел, как она меряется силой с артиллерийским сержантом, и этот вскоре тоже как-то приуныл и скис, как я. А она, белокурая и прелестная, все двигала фигуры по доске с садистской улыбочкой. Растлительница. Никогда не видел, чтобы девушка из приличной семьи так подрывала боевой дух армии.

Я тогда ни слова не говорил по-английски, и мои контакты с туземцами были затруднены; к счастью, порой удавалось добиться понимания с помощью жестов. Сами англичане жестикулируют мало, но все же им вполне можно втолковать, чего от них хотят. В некотором смысле незнание языка может даже упростить отношения, сводя их к сути и избавляя от разных экивоков.

Я подружился в «Олимпия-холле» с одним парнем, которого назову здесь Люсьеном; после нескольких особенно насыщенных дней и ночей любви он вдруг пустил себе пулю в сердце. За три дня и четыре ночи он успел безумно влюбиться в платную партнершу для танцев из «Веллингтона», кабака, который прилежно посещали королевские ВВС, и когда та изменила ему с другим клиентом, он познал такую муку, что смерть показалась ему единственным выходом. На самом деле большинство из нас покинули Францию и свои семьи в таких чрезвычайных обстоятельствах и так поспешно, что нервная реакция часто проявлялась лишь через много недель и порой совершенно неожиданным образом. Некоторые пытались тогда ухватиться за первый попавшийся спасательный круг, и в случае с моим товарищем, когда круг ускользнул от него, точнее, перешел к другому, Люсьен камнем пошел ко дну под грузом накопившегося отчаяния. Что касается меня, то я хоть и на расстоянии, но зато совершенно надежно был привязан к особо испытанному кругу — к матери, которая редко отпускает нас от себя. Тем не менее и мне случалось тогда выдуть за ночь бутылку виски в одном из тех мест, куда мы тащим свое нетерпение и неудовлетворенность. Мы были раздражены тем, что нас медлили посадить на самолеты и отправить в бой. Чаще всего я бывал с Линьоном, с де Мезийи, Бегеном, Перье, Барбероном, Рокером, Мельвиль-Линчем. Линьон потерял ногу в Африке, продолжал летать с искусственной и был сбит на своем «Москито» в Англии. Беген погиб в Англии после девяти побед на русском фронте. Де Мезийи оставил половину левой руки в Тибести, в госпитале королевских ВВС ему сделали протез, и он был убит на своем «Спитфайре» в Англии. Пижо был сбит в Ливии; сильно обгорев, он прошел пятьдесят километров пешком через пустыню и упал замертво, добравшись до наших позиций. Рокер был подбит в открытом море у Фритауна и сожран акулами на глазах у своей жены. Астье де Вийат, Сен-Перез, Барберон, Перье, Ланже, великолепный Эзанно — типичный сорвиголова — и Мельвиль-Линч — живы. Мы иногда видимся. Редко: все, что у нас было сказать друг другу, убито.

Я выполнил для королевских ВВС несколько ночных заданий над Веллингтоном и Бленхеймом, что позволило Би-Би-Си всерьез объявить в июне, что французская авиация, вылетев с британских баз, бомбила Германию. «Французской авиацией» был один товарищ по имени Морель и я. Сообщение Би-Би-Си несказанно воодушевило мою мать. Ибо у нее не возникло ни малейшего сомнения, что означает «французская авиация, вылетевшая с британских баз». Это был я. Позже я узнал, что она не один день расхаживала по рядам рынка Буффа с сияющим лицом и разносила благую весть: наконец-то я взял дело в свои руки.

Затем меня отправили в Сент-Этэн, и как раз когда мы с Люсьеном, получив увольнительную, приехали в Лондон, он мне вдруг позвонил по телефону в гостиницу и сказал, что все будет хорошо, что дух его высок, повесил трубку и застрелился. Я тогда был очень зол на него, но мой гнев недолог, и, когда вместе с двумя капралами меня отрядили сопровождать ящик с его телом до маленького военного кладбища в П., я уже вполне отошел.

В Ридинге бомбежка повредила железнодорожный путь, и нам пришлось ждать несколько часов. Я сдал груз в камеру хранения, и, получив квитанцию по всей форме, мы пошли прогуляться по городу. Город Ридинг оказался довольно унылым местом, поэтому, борясь с его гнетущей атмосферой, нам пришлось выпить чуть больше, чем надо, так что, вернувшись на вокзал, мы были не в состоянии тащить свою ношу. Я кликнул двух носильщиков, доверил им квитанцию и поручил поместить ящик в багажный вагон. Прибыв на место назначения во время полного затемнения и располагая лишь тремя минутами, чтобы забрать тело нашего приятеля, мы ринулись в багажный вагон и едва успели схватить ящик, как поезд тронулся. После еще одного часа в грузовике мы смогли наконец доставить наш груз на кладбищенский пропускной пункт и оставили его там на ночь вместе с флагом, который предполагалось задействовать в церемонии. На следующий день, прибыв на пост, мы обнаружили там оторопевшего английского унтер-офицера, пялившегося на нас совершенно круглыми глазами. Оказывается, поправляя трехцветный флаг на ящике, он заметил там надпись черными буквами, рекламирующую весьма известную марку пива: *Guiness is good for you*. Не знаю, кто тут виноват, то ли носильщики (нервничали из-за бомбежки), то ли мы сами (из-за затемнения), но по крайней мере одно было ясно: кто-то перепутал ящики. Мы, естественно, очень расстроились, тем более что нас уже дожидались капеллан и шестеро солдат, выстроившихся на краю могилы для последнего салюта. В конце концов, заботясь прежде всего о том, чтобы нас не обвинили в легкомыслии, в котором наши британские союзники и без того были слишком склонны упрекать представителей Свободной Франции, мы решили, что отступать уже слишком поздно и что на кон поставлена честь мундира. Я пристально посмотрел английскому сержанту прямо в глаза, тот кратко кивнул, показывая, что прекрасно все понял, и мы, торопливо накрыв ящик флагом, понесли его на плечах к могиле и приступили к погребению. Священник сказал несколько слов, мы отдали честь, вытянувшись по стойке «смирно», в голубое небо грянул залп, и я вдруг так разозлился на своего неверного друга, поддавшегося врагу, наплевавшего на братство и уклонившегося от нашего сурового товарищества, что кулаки сжались сами собой и, если бы горло не перехватило, с моего языка сорвалось бы ругательство.

Мы так никогда и не узнали, куда подевался другой ящик, тот самый. Порой в голову приходят всякие интересные гипотезы.

Глава XXXV

Наконец меня отправили на тренировочные полеты в Андовер, вместе с эскадрильей бомбардировщиков, которая готовилась лететь в Африку под командованием Астье де Вийята. Тогда над нашими головами разворачивались исторические бои, в ходе которых английская молодежь, с улыбкой противопоставив ожесточенному врагу свое мужество, изменяла судьбу мира. Вот это были ребята! Попадались среди них и французы: Букийяр, Мушотт, Блез... Я не был в их числе. Я бродил по залитой солнцем сельской местности, не отрывая глаз от неба. Иногда какой-нибудь молодой англичанин приземлялся на своем изрешеченном пулями «Харрикейне», заправлял полный бак, пополнял боезапас и снова улетал в бой. Они все носили на шее разноцветные шарфы, и я тоже стал обматывать шею шарфом. Это был мой единственный вклад в битву за Англию. Я пытался не думать о матери и обо всем, что ей обещал. Я также проникся к Англии дружбой и уважением, от которых ни один из тех, кто имел честь ходить по ее земле в июле 40-го, никогда не отступится.

По окончании тренировочных полетов нас перед отправкой в Африку на четыре дня отпустили в Лондон. Здесь со мной произошла история, беспримерная по своей глупости даже для моей чемпионской жизни.

На второй день своего отпуска, во время особенно яростной бомбежки, я в обществе одной молодой поэтессы из Челси коротал время в «Веллингтоне», где назначали свои свидания все союзные летчики. Моя поэтесса крайне меня разочаровала, ибо только и делала, что трещала без умолку, причем не о чем-нибудь, а о Т. С. Элиоте, об Эзре Паунде и вдобавок еще об Одене, обратив ко мне голубой взгляд, буквально искрящийся кретинизмом. Мне стало невмоготу, и я возненавидел ее всем сердцем. Время от времени я нежно целовал ее в губы, чтобы заставить умолкнуть, но, поскольку мой поврежденный нос был по-прежнему заложен, мне приходилось каждую минуту отпускать ее губы, чтобы глотнуть воздуху, — и она тут же набрасывалась на Э. Каммингса и Уолта Уитмена. Я уже подумывал, не разыграть ли мне эпилептический припадок, что всегда делаю в подобных обстоятельствах, но я был в форме, а это несколько неудобно; так что я удовлетворился тем, что легонько ласкал ей губы кончиками пальцев, чтобы хоть как-то прервать поток ее слов, и при этом выразительным взглядом призывал к нежному и томному молчанию, единственному языку души. Но все напрасно. Стиснув мои пальцы в своих, она вновь пустилась в разглагольствования о символизме Джойса. Я вдруг понял, что моя последняя четверть часа будет исключительно литературной. Никогда не мог выносить скучных бесед и интеллектуальных глупостей, поэтому, уже ощущая, как пот струится по моему челу, я уставился горячечным взглядом на этот ротовой сфинктер, не перестававший открываться и закрываться, открываться и закрываться, и опять припал к нему, пылко и отчаянно, тщетно пытаясь закупорить его своими поцелуями. Поэтому я испытал огромное облегчение, увидев, что к нашему столику приблизился красивый польский офицер-летчик из армии Андерса и, поклонившись молодой особе, пригласил ее на танец. Хотя действовавший тогда кодекс чести и запрещал приглашать даму, пришедшую со спутником, я признательно ему улыбнулся и, рухнув на банкетку, осушил один за другим два бокала, потом стал отчаянными жестами подзывать официантку, чтобы оплатить счет и незаметно скрыться в ночи. Я как раз размахивал руками, словно утопающий, чтобы привлечь ее внимание, когда малышка Эзра Паунд вернулась к столику и тотчас же заговорила об Э. Каммингсе и о литературном журнале «Горизонт», главным редактором которого безмерно восхищалась. Обычно вежливый, я в этот раз рухнул на стол, обхватив голову руками и затыкая уши, решив не слушать ни слова из ее болтовни. Тут подоспел второй польский офицер. Я ему поощрительно улыбнулся: если чуточку повезет, то крошка Эзра Паунд может найти с ним и другие точки соприкосновения, нежели литература, а я бы от нее избавился. Но куда там! Едва ушла, как тотчас же вернулась. А когда я поднялся ей навстречу, повинуясь своей старофранцузской галантности, появился третий польский офицер. Я вдруг заметил, что на меня смотрят. Заметил также, что все происходит совершенно обдуманно и что трое польских офицеров намеренно стараются оскорбить и унизить меня. Они даже не давали моей партнерше времени присесть и перехватывали ее друг у друга, бросая на меня ироничные и презрительные взгляды. Как я уже сказал, в «Веллингтоне» было полным-полно союзных офицеров — англичан, канадцев, норвежцев, голландцев, чехов, поляков, австралийцев, и все они начали посмеиваться на мой счет, тем более что мои нежные поцелуи отнюдь не остались незамеченными: у меня уводили девицу, а я даже не защищался. Моя кровь разом вскипела: на карту была поставлена честь мундира. Таким образом, я оказался в нелепейшем положении: приходилось драться за девицу, от которой сам мечтал избавиться. Но выбора не было. Ситуация могла быть вполне идиотской, но уклониться я не имел права. Так что я с улыбкой встал и, произнеся очень громко, по-английски, несколько хорошо прочувствованных слов, которые от меня ожидались, для начала отправил стакан с виски в физиономию одному поручику, потом вкатил оплеуху другому и, спасши таким образом свою честь, сел, и мать смотрела на меня с удовлетворением и гордостью. Я думал, что дело закончено. Как бы не так! Третий поляк, которому я ничего не сделал, потому что руки были заняты, счел себя оскорбленным. Когда нас пытались разнять, он стал поливать бранью французскую авиацию и во все-услышанье изобличать Францию, унижавшую геро-ическую польскую авиацию. Я даже ненадолго про-никся к нему симпатией. В конце концов, я ведь тоже был немного поляк, если не по крови, то хотя бы по годам, прожитым в его стране, — у меня даже был какое-то время польский паспорт. Я чуть было не пожал ему руку, но вместо этого, повинуясь ко-дексу чести и не имея возможности высвободить свои руки, одну из которых держал австралиец, дру-гую норвежец, очснь удачно врезал ему головой в лицо. Ведь, в конце-то концов, кто я такой, чтобы выступать против традиций польского кодекса че-сти? Он с явным удовлетворением рухнул. Я ду-мал, что с этим покончено. Как бы не так! Двое его товарищей пригласили меня последовать за ними. Я с радостью согласился — думал, что избавлюсь от малышки Эзры Паунд. Опять-таки, как бы не так! Малышка, чуя безошибочным инстинктом, что вовсю «переживает опыт», решительно вцепилась в мою руку. Мы оказались снаружи, все впятером, при затемнении. Густо падали бомбы. Проносились кареты «скорой помощи» со своими сладковато-при-торными колокольчиками.

— Так. И что дальше? — спросил я.

— Дуэль! — сказал один из троих поручиков.

— Чего ради? — сказал я им. — Публики боль-ше нет. Повсюду затемнение. Никто не полюбует-ся. Так что незачем делать красивые жесты. Понят-но, дурачье?

— Все французы трусы, — сказал другой поль-ский поручик.

— Ладно, дуэль так дуэль.

Я собирался предложить им решить дело в Гайд-Парке. В грохоте зенитных орудий, которыми още-тинился парк, наши скромные выстрелы никто бы не услышал, и к тому же мы могли совершенно спокойно оставить труп в темноте. Я вовсе не собирался подставлять себя под дисциплинарные санкции из-за истории с пьяным поляком. С другой стороны, в потемках был риск плохо прицелиться, и, хотя в последние годы я несколько пренебрегал стрельбой из пистолета, уроки поручика Свердловского еще не совсем забылись, и я был уверен, что в цивилизованном месте смогу воздать должное своей мишени.

— Так где дуэль? — спросил я.

Я воздерживался говорить с ними по-польски. Это грозило запутать ситуацию. Они намеревались отомстить Франции в моем лице, и я не собирался усложнять им психологические условия.

Они посоветовались.

— В «Риджентс-Парк отеле», — решили они наконец.

— На крыше?

— Нет. В номере. На пистолетах с пяти шагов.

Я сообразил, что в шикарных лондонских палас-отелях девицам обычно не позволяют подниматься в номера с четырьмя мужчинами, и увидел в этом нежданный случай избавиться от малышки Эзры Паунд. Она же вцепилась в мою руку: дуэль на пистолетах с пяти метров — вот это литература! Мяукала от возбуждения, словно кошка. Мы сели в такси, после долгой учтивой дискуссии, кто сядет первым, и заехали в клуб королевских ВВС, где остановились поляки, чтобы взять их табельные револьверы. У меня при себе был только мой 6,35-миллиметровый, который я всегда носил под мышкой. Затем мы велели отвезти себя в «Риджентс-Парк». Поскольку малышка Эзра Паунд настаивала, чтобы подняться с нами, нам пришлось сброситься и нанять апартаменты с гостиной. Прежде чем подняться, один из польских поручиков поднял палец.

— Секундант! — сказал он.

Я огляделся в поисках французского мундира. Не оказалось ни одного. Холл отеля был битком набит гражданскими, по большей части в пижамах, теми, кто не осмелился остаться в своих комнатах во время бомбежки; они толпились в фойе, кутаясь в свои платки и халаты, а стены содрогались от разрывов бомб. Какой-то английский капитан как раз заполнял регистрационную карточку у стойки. Я направился к нему.

— Сударь, — сказал я. — У меня сейчас дуэль, в пятьсот двадцатом номере, на шестом этаже. Не соблаговолите ли быть моим секундантом?

Он устало улыбнулся.

— Ох уж эти французы! — сказал он. — Спасибо, но я совсем не любопытен.

— Сударь, — настаивал я. — Это совсем не то, что вы думаете. Настоящая дуэль. С пяти метров, на пистолетах, с тремя польскими патриотами. Я и сам немного польский патриот, но, поскольку задета честь Франции, не имею права уклониться. Понимаете?

— Прекрасно, — сказал он. — В мире полно польских патриотов. К несчастью, есть также патриоты немецкие, французские и английские. Из-за этого бывают войны. Увы, сударь, не могу вам помочь. Видите ту молодую особу?

Она сидела на банкетке, белокурая и все такое прочее, как раз что надо для отпускника. Капитан поправил свой монокль и вздохнул.

— Я потратил пять часов, чтобы ее уговорить. Мне пришлось три часа танцевать, потратить много денег, блистать, умолять, нежно шептать в такси, и наконец она сказала «да». Не могу же я теперь объяснять ей, что должен сперва отлучиться на какую-то дуэль, прежде чем подняться в номер. Впрочем, мне уже не двадцать лет, сейчас два часа ночи, я уламывал ее пять часов и теперь совершенно выдохся. У меня уже нет никакого желания, но я тоже немного польский патриот и не имею права уклониться. Короче, сударь, поищите себе другого секунданта: у меня самого дуэль на носу. Спросите у портье.

Я снова огляделся. Среди людей, сидящих на расставленных по кругу банкетках в центре, был один господин в пижаме, пальто, тапочках, шляпе, с шейным платком и унылым носом, сцеплявший руки и воздевавший глаза к небу всякий раз, когда где-нибудь неподалеку свистела бомба, падая, казалось, прямо на нас. В ту ночь бомбежка была особенно обстоятельная. Стены сотрясались. Лопались стекла. Падали предметы. Я внимательно разглядывал господина. Я умею инстинктивно распознавать людей, которым один вид военного мундира внушает сильный и почтительный страх. Они ни в чем не могут отказать представителю власти. Я направился прямо к нему и объяснил, что веские причины требуют его присутствия в качестве свидетеля при дуэли на пистолетах, которая состоится на шестом этаже гостиницы. Он бросил на меня испуганный и умоляющий взгляд, но, видя мой залихватский и воинственный вид, со вздохом поднялся. Даже нашел приличествовавшую обстоятельствам фразу:

— Рад способствовать военным усилиям союзников.

Мы поднялись пешком: во время воздушной тревоги лифты не работали. Худосочные растения сотрясались в своих горшках на каждой площадке. Повисшая на моей руке малышка Эзра Паунд под воздействием отвратительного литературного возбуждения шептала, поднимая на меня мокрые глаза:

— Вы собираетесь убить человека! Я чувствую: вы собираетесь убить человека!

Мой секундант вжимался в стену при свисте каждой падающей бомбы. Все трое поляков были антисемиты и расценили мой выбор секунданта как дополнительное оскорбление. Бедняга, тем не менее, продолжал подниматься по лестнице, словно спускаясь в ад, закрывая глаза и бормоча молитвы. Верхние этажи, оставленные своими обитателями, были совершенно пустынны, и я сказал польским патриотам, что коридор мне кажется идеальным местом для поединка. Я потребовал также, чтобы расстояние было увеличено до десяти шагов. Они объявили, что согласны, и начали отмерять дистанцию. Я рассчитывал выпутаться из этой истории без малейшей царапины, вовсе не намереваясь убить своего противника или слишком серьезно ранить, чтобы избежать лишних неприятностей. Труп в гостинице рано или поздно всегда попадается на глаза, а тяжелораненый не может спуститься по лестнице самостоятельно. С другой стороны, зная польские представления о чести — *honor polski*, я потребовал заверений, что мне не придется драться по очереди с каждым из патриотов, если первый будет выведен из строя. Должен добавить еще, что, покуда длилась, вся эта история, моя мать не чинила мне ни малейшего препятствия. Наверное, рада была сознавать, что я наконец-то делаю что-то ради Франции. А дуэль на пистолетах с десяти шагов была совершенно в ее вкусе. Она ведь прекрасно знала, что и Пушкин, и Лермонтов, оба погибли на дуэли, стреляясь из пистолетов, недаром же она с восьмилетнего возраста таскала меня к поручику Свердловскому.

Я приготовился. Должен признаться, что был недостаточно хладнокровен; с одной стороны, потому что малышка Эзра Паунд выводила меня из себя, а с другой — потому что опасался, как бы в момент выстрела, из-за слишком близко упавшей бомбы, не дрогнула моя рука — с досадными последствиями для цели.

Наконец мы встали в позицию в коридоре, я как можно лучше прицелился, но условия были не идеальные, вокруг сплошные взрывы и свист бомб, так что, когда распорядитель поединка, один из поляков, воспользовавшись затишьем подал сигнал, я ранил своего противника немного серьезнее, чем предполагалось. Мы удобно расположились в снятых покоях, и малышка Эзра Паунд тут же, экспромтом, превратила себя в санитарку и медсестру — поручик, в конце концов, был ранен только в плечо. После чего настал миг моего торжества. Я козырнул своим противникам, те козырнули в ответ, по-прусски щелкнув каблуками, после чего, с чистейшим варшавским выговором, открыто и четко я высказал им все, что о них думаю. Выражение идиотизма, застывшее на их лицах, когда на них излился поток брани на их богатом родном языке, был одним из самых прекрасных моментов в моей карьере польского патриота и с лихвой вознаградил за сильнейшее раздражение, которое они у меня вызвали. Но на этом сюрпризы того вечера не кончились. Мой секундант, во время обмена выстрелами исчезнувший в одной из пустых комнат, теперь, сияя, последовал за мной на лестницу. Казалось, он забыл и свой страх, и бомбы. С улыбкой, растянувшей его лицо до такой степени, что приходилось опасаться за уши, он вытащил из своего бумажника четыре красивых пятифунтовых билета и попытался всунуть их мне в руку. Поскольку я отвергал подношение, он кивнул в сторону номера, где я оставил троих поляков, и сказал на плохом французском:

— Все антиссмиты! Я сам поляк, уж я-то знаю! Берите, берите!

— Сударь, — сказал я по-польски, когда он попытался засунуть свои банкноты мне в карман, —

судары, моя польская честь, *moj honor polski*, не позволяет мне принять эти деньги. Да здравствует Польша, сударь, давняя союзница моей страны!

Его рот безмерно открылся, глаза выразили то монументальное недоумение, которое я так люблю видеть в человеческих глазах, и я оставил его там, с банкнотами, а сам, насвистывая и перескакивая через ступеньки, спустился вприпрыжку по лестнице и исчез в ночи.

На следующее утро меня из «Одихема» забрала полицейская машина, и после нескольких довольно неприятных моментов, связанных со Скотланд-ярдом, я был возвращен французским властям, штабу адмирала Мюзелье, где меня по-дружески допросил капитан-лейтенант д'Ассаньяк. Накануне мы договорились с поляками, что раненый поручик уйдет из отеля, притворяясь пьяным, при поддержке своих товарищей, но малышка Эзра Паунд не смогла удержаться от желания вызвать «скорую», так что я влип. Мне помогло то, что прошедший хорошую подготовку летный состав был тогда в Свободной Франции немногочислен, и во мне, стало быть, нуждались, а тут еще моя эскадрилья неизбежно отбывала под другие небеса. Но я думаю, что и моя мать наверняка похлопотала немного за кулисами, поскольку я отделался всего лишь выговором, а от этого еще никто не умер. В общем, через несколько дней я как ни в чем не бывало отправился в Африку.

Глава XXXVI

На борту «Арэндел Кэстл» была сотня молодых англичанок из хороших семей, добровольно записавшихся в женский корпус машинистками, и за две недели плавания при затемнении, строго соблюдавшемся на борту, они произвели на нас наилучшее впечатление. До сих пор не пойму, как только корабль не загорелся.

Как-то вечером я вышел на палубу и, облокотившись о борт, смотрел на светящийся кильватерный след за кормой, но вдруг услышал, что кто-то на цыпочках подходит ко мне и берет за руку. Едва мои глаза, привыкшие к темноте, успели узнать старшего унтер-офицера, ответственного за дисциплину в нашем подразделении, как он уже поднес мою руку к своим губам и стал покрывать ее поцелуями. Очевидно, на том самом месте, где я находился, у него было назначено свидание с какой-нибудь очаровательной машинисткой, но, выйдя из хорошо освещенного салона и вдруг оказавшись в кромешной тьме, он вполне простительно обознался. Какое-то время я ему снисходительно не мешал — очень любопытно было видеть старшего унтер-офицера по дисциплине при исполнении, — но, когда его губы добрались до уровня моей ключицы, я все же рассудил за благо прояснить ситуацию и своим красивым басом сказал:

— Я вовсе не та, за кого вы меня принимаете.

Он взвыл, как раненый зверь, и начал отплевываться, что мне показалось не слишком вежливым. Несколько дней он багровел всякий раз, как сталкивался со мной на палубе, хотя я расточал ему самые любезные улыбки. Жизнь тогда была молода, и хотя мы в большинстве своем уже мертвы — Рок сбит в Египте, Мезоннев пропал в море, Кастелен убит в России, Крузе в Габоне, Гуменк на Крите, Канеппа сбит в Алжире, Мальчарски погиб в Ливии, Деларош сбит в Эль Фашере вместе с Флюри-Эраром и Гогеном, Сен-Перез все еще жив, но без одной ноги, Сандре сбит в Африке, Грассе в Тобруке, Пербо погиб в Ливии, Кларьон пропал в пустыне, — хотя сегодня почти все мы мертвы, остается наша веселость, и мы вновь порой обретаем друг друга во взгляде молодых людей вокруг нас. Жизнь молода. Старея, она замедляет ход, тянет время, прощается. Она все у вас отняла, и ей больше нечего вам дать. Я часто хожу туда, где бывает молодежь, пытаясь вновь обрести то, что утратил. Иногда узнаю лицо товарища, убитого в двадцать лет. Порой это те же жесты, тот же смех, те же глаза. Что-то всегда остается. Тогда я почти верю — почти, — что и во мне что-то осталось от того, кем я был двадцать лет назад, что я еще не совсем исчез. Я тогда немного распрямляюсь, хватаю свою рапиру, иду энергичным шагом в сад, смотрю на небо и поднимаю клинок. Иногда также взбираюсь на холм и жонглирую тремя-четырьмя мячиками, чтобы показать им, что еще не разучился и что они еще должны считаться со мной. Им? Они? Я знаю, что никто на меня не смотрит, но мне необходимо самому себе доказать, что я еще способен на наивность. Истина в том, что я был побежден, но всего лишь побежден, и это меня ничему не научило. Ни благоразумию, ни покорности. Я ложусь на солнышке, на песке Биг Сура, и чувствую в своем теле молодость и мужество всех тех, что придут после меня, и доверчиво жду их, глядя на тюленей и китов, которые в это время года сотнями проплывают мимо, выбрасывая фонтаны воды, и слушаю Океан; я закрываю глаза, улыбаюсь и знаю, что мы все здесь собрались и готовы начать сначала.

Почти каждый вечер мать приходила на палубу составить мне компанию, и мы вместе, облокотившись на борт, смотрели на белоснежную струю за кормой, откуда прорастала ночь и звезды. Прянув из этого светящегося следа, ночь взмывала ввысь и распускалась по небу гроздьями звезд, заставляя нас склоняться к волнам до первых рассветных лучей; близ Африки заря одним взмахом выметала Океан от края до края, и небо вдруг раскрывалось во всей своей ясности, хотя мое сердце еще билось в ритме ночи, а глаза верили в темноту. Но я старый звездо-гляд и ночи доверяюсь легче всего. Мать все так же много курила, и, когда мы вот так стояли, облоко-тившись о борт ночи, я не раз готов был напомнить ей, что сейчас затемнение и на палубе запрещено ку-рить из-за подводных лодок. А потом сам улыбался своей наивности, потому что уж я-то должен был знать, что, пока она рядом, с нами ничего не может случиться, хоть окажись там подлодки, хоть нет.

— Ты уже несколько месяцев ничего не писал, — говорила она мне с упреком.

— Так ведь война.

— Это не причина. Надо писать.

Она вздыхала.

— Я всегда хотела стать великой актрисой.

Мое сердце сжималось.

— Не беспокойся, мама, — говорил я ей. — Бу-дешь ты великой актрисой, будешь и знаменитой. Это я устрою.

Она ненадолго умолкала. Я почти видел ее си-луэт, ореол седых волос, красную точку сигареты. Я воображал ее рядом с собой всей силой своей любви и верности, на которую был способен.

— Знаешь, мне надо тебе кое в чем признаться. Я не сказала тебе правду.

— Правду о чем?

— На самом деле я не была великой трагической актрисой. Все было не совсем так. В театре я играла, это правда. Но не более того.

— Знаю, — говорил я ей мягко. — Ты будешь великой актрисой, обещаю. Твои произведения бу-дут переведены на все языки мира.

— Но ты не работаешь, — возражала она грустно. — Как, по-твоему, это случится, если ты ничего не делаешь?

И я взялся за работу. Трудно было в самый разгар войны на палубе корабля или в крохотной каюте, которую я делил с двумя товарищами, засесть за какое-нибудь длинное произведение, так что я решил написать четыре-пять рассказов, каждый из которых восславил бы мужество людей в их борьбе против несправедливости и притеснений. Когда рассказы будут готовы, я введу их в состав более обширного повествования, своего рода фрески, живописующей Сопротивление и наш отказ от покорности, вкладывая свои истории в уста разных персонажей, согласно давней традиции плутовских романов. Таким образом, если я погибну до того, как закончу всю книгу, то по крайней мере оставлю после себя несколько рассказов, все из моей жизни, и мать увидит, что я, как и она, старался изо всех сил. Вот так и был написан первый рассказ из «Европейского воспитания» — на борту корабля, уносившего нас навстречу боям в африканском небе. Я немедленно прочитал его матери, на палубе, при первых проблесках зари. Казалось, она была довольна.

— Толстой! — заявила он попросту. — Горький!

А потом, из вежливости к моей стране, добавила:

— Проспер Мериме!

Этими ночами она говорила со мной гораздо непринужденнее и доверительнее, чем прежде. Быть может, решила, что я уже не ребенок. Быть может, просто потому, что море и небо способствовали откровениям и ничто вокруг нас, казалось, не оставляло следа, только белела струя за кормой, такая эфемерная в тишине. Может, также потому, что я уезжал сражаться за нее и она хотела дать новую силу моей руке, на которую ей еще не довелось опереться. Склонившись к волнам, я черпал из прошлого полными пригоршнями: обрывки фраз из разговоров, слышанные тысячу раз слова, позы и жесты, запечатлевшиеся в моей памяти, главные темы, пронизавшие ее жизнь подобно световым нитям, которые она сама выткала и за которые не переставала цепляться.

— Франция — самое прекрасное, что есть в мире, — говорила она со своей обычной наивной улыбкой. — Потому-то я и хотела, чтобы ты стал французом.

— Ну вот, дело сделано, верно?

Она умолкала. Потом слегка улыбалась.

— Тебе придется много воевать.

— Я был ранен в ногу, — напоминал я ей. — Вот, можешь потрогать.

Я выставлял ногу с тем маленьким кусочком свинца в бедре. Я так и не дал его удалить. Она очень им дорожила.

— Все-таки поберегись.

— Поберегусь.

Часто во время заданий, предшествовавших высадке, когда осколки и взрывные волны бились о корпус самолета с грохотом прибоя, я вспоминал материнское «поберегись!» и не мог сдержать улыбки.

— Куда ты подевал свой юридический лиценциат?

— Ты хочешь сказать — диплом?

— Да. Ты его не потерял?

— Нет. Лежит где-то в чемодане.

Уж я-то знал, что у нее на уме. Море вокруг нас спало, и корабль следовал за его вздохами. Слышался глухой перестук машин. Откровенно признаюсь, я немного побаивался вступления моей матери в дипломатический мир, куда пресловутый юридический диплом должен был, как она полагала, однажды открыть мне двери. Уже десять лет она тщательно полировала наше старинное императорское серебро в пред-вкушении того дня, когда мне придется «принимать». Я тогда не был знаком ни с послами, ни, того меньше, с их супругами, поэтому воображал их всех как само воплощение такта, светских правил, сдержанности и умения держать себя. С тех пор, учитывая мой пятнадцатилетний опыт, я приобрел более человечный взгляд на вещи. Но в те времена у меня о дипломатической карьере было весьма восторженное представление. Так что я не без опасений задавался вопросом, а не будет ли матушка несколько стеснять меня при исполнении моих обязанностей. Боже сохрани, я никогда не делился с ней вслух своими сомнениями, но она умела читать и мое молчание.

— Не беспокойся, — уверяла она меня. — Я умею принимать.

— Послушай, мама, речь не об этом...

— Если стыдишься своей матери, так и скажи.

— Мама, я тебя умоляю...

— Но потребуется много денег. Надо, чтобы отец Илоны дал за ней хорошее приданое... Ты не невесть кто. Я с ним повидаюсь. Поговорим. Я прекрасно знаю, что ты любишь Илону, но голову терять незачем. Я ему скажу: «Вот что у нас есть, вот что мы даем. А вы что даете?»

Я хватался за голову. Улыбался, но по моим щекам текли слезы.

— Ну да, мама, ну да. Так и будет. Так и будет. Я сделаю, что захочешь. Стану послом. Стану великим поэтом. Стану Гинемером. Но дай мне время. Лечись хорошенько. Регулярно бывай у врача.

— Я старая кляча. Вон докуда дотянула и дальше протяну.

— Я договорился, чтобы тебе доставляли инсулин, через Швейцарию. Самый лучший. Одна девушка тут на борту обещала этим заняться.

Мне обещала этим заняться Мэри Бойд, и, хотя с тех пор я больше не видел ее, из Швейцарии в отель-пансион «Мермон» несколько лет подряд, включая год после войны, исправно поступал инсулин. Я не смог отыскать Мэри Бойд, чтобы ее поблагодарить. Надеюсь, она все еще жива. Надеюсь, она прочтет эти строки.

Я вытер лицо и глубоко вздохнул. Не было большей пустоты, чем на палубе возле меня. Уже подступал рассвет со своими летающими рыбами. И вдруг я с невероятной ясностью и отчетливостью услышал, как тишина шепнула мне в ухо:

— Поторопись. Поторопись.

Какое-то время я стоял на палубе, пытаясь успокоиться или, быть может, ища противника. Но противник не показывался. Были только немцы. Я ощущал в своих кулаках пустоту, а над моей головой все, что есть бесконечного, вечного, недостижимого, окружало арену миллиардом улыбок, безразличных к нашей извечной схватке.

Глава XXXVII

Ее первые письма я получил вскоре после своего прибытия в Англию. Их тайно переправляли в Швейцарию, откуда мне их регулярно пересылала одна подруга моей матери. Ни на одном не было даты. Вплоть до моего возвращения в Ниццу через три года и шесть месяцев, вплоть до самого моего возвращения домой эти письма без даты, без времени преданно следовали за мной повсюду. Три с половиной года меня поддерживали душевная сила и воля, превосходившие мои собственные; через эту пуповину в мою кровь поступало мужество гораздо более закаленного сердца. Было в этих записках своего рода лирическое крещендо, и моя мать, казалось, была уверена, что я совершаю чудеса ловкости, демонстрируя человеческую непобедимость, что я сильнее жонглера Растелли, великолепнее теннисиста Тилдена, доблестнее Гинемера. На самом деле мои подвиги еще не осуществились, но я старался как мог, чтобы поддерживать себя в форме. Я каждый день полчаса занимался физической культурой, полчаса бегом и четверть часа гирями и гантелями. Продолжал жонглировать шестью мячиками и не отчаивался поймать седьмой. Продолжал также работать над своим романом «Европейское воспитание», и четыре рассказа, которые предполагалось ввести в его состав, были уже закончены. Я твердо верил, что в литературе, как и в жизни, можно подчинить мир своему вдохновению и вернуть ему его истинное назначение, присущее хорошо сделанному и хорошо продуманному произведению искусства. Я верил в красоту, а стало быть, в справедливость. Талант моей матери побуждал меня к тому, чтобы преподнести ей шедевр искусства и жизни, о котором она так мечтала для меня, в который так страстно верила и ради которого трудилась. Что в справедливом исполнении этой мечты ей отказано, казалось мне невозможным, потому что не могла ведь жизнь быть до такой степени лишена искусства. Ее наивность, воображение и эта вера в чудо, заставлявшая ее видеть в ребенке, прозябающем где-то на восточной польской окраине, будущего великого французского писателя и посла Франции, продолжали жить во мне со всей силой прекрасных, хорошо рассказанных историй. Я еще принимал жизнь за некий литературный жанр.

В своих письмах мать расписывала мое геройство, что, признаюсь, доставляло мне некоторое удовольствие. «Мой доблестный и возлюбленный сын, — писала она. — Мы с восхищением и благодарностью читаем в газетах рассказы о твоих героических подвигах. В небе Кёльна, Бремена, Гамбурга твои распростертые крылья вселяют ужас в сердца врагов». Я хорошо ее знал и потому отлично понимал, что она хотела сказать. Для нее всякий раз, когда самолет королевских ВВС что-нибудь бомбил, на его борту был я. В каждой бомбе она узнавала мой голос. Я был на всех фронтах и повергал противника в трепет. Летал одновременно на истребителях и бомбардировщиках, и всякий раз, когда английская авиация сбивала немецкий самолет, она, разумеется, приписывала эту победу мне. Ряды рынка Буффа наверняка хранят отголоски моих героических деяний. Уж она-то знала, что это я выиграл чемпионат Ниццы по пинг-понгу в 1932 году.

«Мой обожаемый сын, вся Ницца гордится тобой. Я ходила к преподавателям лицея и поставила их в известность. По лондонскому радио сообщают о потоках огня и пламени, которые ты обрушил на Германию, но они хорошо делают, что не упоминают твое имя. Это могло бы доставить мне неприятности». Для пожилой женщины из отеля-пансиона «Мермон» мое имя было в каждой фронтовой сводке, в каждом яростном вопле Гитлера. Сидя в своей каморке, она слушала Би-Би-Си, которое говорило ей только обо мне, и я почти видел ее восхищенную улыбку. Она ничуть не удивлялась. Как раз этого она от меня и ждала. Она всегда это знала. Всегда знала, кто я такой.

Только одно было досадно: все это время мне так и не удавалось скрестить клинок с врагом. С первых же моих полетов в Африке стало ясно: мне отказано сдержать обещание, и небо вокруг меня вновь превратилось в теннисный корт Императорского парка, где юный клоун очумело выплясывал потешную джигу, гоняясь за неуловимыми мячами на глазах у веселящейся публики.

В Кано, в Нигерии, попав в песчаную бурю, наш самолет зацепился за дерево и врезался в землю, уйдя в нее на метр; мы вылезли оттуда оглушенные, но невредимые, к великому негодованию личного состава королевских ВВС, поскольку летной техники не хватало и она очень ценилась, гораздо больше, чем жизнь этих неуклюжих французов.

На следующий день, заняв место на борту другого самолета и с другим пилотом, я угодил в новую аварию; пойдя на взлет, наш «Бленхейм» перевернулся и запылал; мы едва успели выбраться из пламени, немного обгорев.

Теперь на все наши экипажи не хватало самолетов. Томясь ожиданием в Майдагури, где единственным спасением от полнейшего безделья были долгие скачки по заросшей колючками пустыне, я добивался участия в сопроводительных полетах по большой воздушной дороге Золотой берег—Нигерия—Чад—Судан—Египет. Самолеты прибывали в ящиках в Такоради, где их собирали, а потом перегоняли через всю Африку в Ливию, к местам боев.

Мне удалось совершить только один сопроводительный полет, и мой «Бленхейм» опять не долетел до Каира. Он разбился к северу от Лагоса, рухнув в лесную чащу. Я был на борту пассажиром, летел, чтобы свыкнуться с маршрутом. Пилот-новозеландец и штурман погибли. У меня — ни царапины, но от этого было не легче. Вид расплющенной головы, вдавленного лица и мушиных полчищ, которыми джунгли вдруг облепляют вас, нагоняет жуть. И люди, когда приходится закапывать их голыми руками, вам кажутся необычайно крупными. И в стремительности, с которой прибывают мухи, переливаясь на солнце всеми возможными сочетаниями синего и зеленого с ярко-красным, тоже есть что-то пугающее.

Через несколько часов в этом гудящем столпотворении мои нервы начали сдавать. Когда прилетели искавшие нас самолеты и стали кружить надо мной, я замахал руками, пытаясь их отогнать, спутав звук моторов с гудением насекомых, пытавшихся усесться на мои губы и лоб.

Я видел свою мать. Она склоняла голову набок, полузакрыв глаза. Прижимала руку к сердцу. Я видел ее в той же позе, что и несколько лет назад, когда с ней случился первый приступ инсулиновой комы. У нее было серое лицо. Ей приходилось делать над собой невероятное усилие, но, чтобы спасти всех сыновей на свете, ей не хватало сил. Она могла спасти только своего.

— Мама,— сказал я ей, поднимая глаза.— Мама. Она смотрела на меня.

— Ты мне обещал поберечься,— сказала она.

— Не я вел самолет.

И тут я испытал прилив бодрости. Среди нашей провизии на борту был мешок зеленых африканских апельсинов. Я пошел за ним к кабине. До сих пор вижу, как стою рядом с разбившимся самолетом и жонглирую пятью апельсинами, несмотря на слезы, порой затуманивавшие зрение. Всякий раз, когда у меня начинался приступ паники, я хватал апельсины и принимался жонглировать. Речь шла не только о том, чтобы взять себя в руки. Это было все, что я мог сделать, чтобы заявить о своем достоинстве, о превосходстве человека над всем, что с ним случается.

Я провел там тридцать восемь часов. Меня пасли внутри наглухо закрытой кабины, в адской жаре, без сознания от обезвоживания, но без единой мухи на теле.

И так все время, пока я был в Африке. Всякий раз, как я взлетал, небо с лязгом отбрасывало меня, и в грохоте моего падения мне слышался чей-то тупой и насмешливый хохот. Я падал на землю с удивительной регулярностью — сидя на заднице у перевернутой машины, с последним письмом от матери в кармане, где она с несокрушимой верой говорила о моих подвигах, я вешал нос, вздыхал, потом вставал и предпринимал еще попытку, стараясь изо всех сил.

Не думаю, что за пять лет войны, половину которых я провел в эскадрилье, прерываясь лишь на госпиталь, я выполнил больше четырех-пяти боевых заданий, о которых вспоминаю сегодня со смутным ощущением, что все-таки был хорошим сыном. Целые месяцы протекали в рутине будничных полетов, напоминавших скорее поездки в общественном транспорте, нежели золотую легенду. Когда нас с товарищами отправили в Банги, во Французскую колониальную Африку, чтобы обеспечить воздушную оборону территории, которой никто кроме комаров не угрожал, мы в своем раздражении вскоре дошли до того, что бомбили гипсовыми бомбами губернаторский дворец, скромно надеясь, что власти все же заметят наше нетерпение. Нас даже не наказали. Тогда мы попытались стать нежелательными, устраивая на улицах маленького городка шествия чернокожих граждан с плакатами: «Мирное население Банги требует: летчиков — на фронт!» Наше нервное напряжение искало разрядки в двух играх, часто приводивших к трагическим последствиям. Безумное трюкачество на изношенных машинах и намеренный поиск опасности стоили жизни многим из нас. В Бельгийском Конго, пролетая с одним товарищем на бреющем полете над стадом слонов, мы врезались в одну из этих зверюшек; погибли и слон, и пилот. А когда я вылезал из-под обломков

«Люсиоля», меня вдобавок еще отделал своим посохом и наполовину оглушил местный смотритель, чьи возмущенные слова «Ни у кого нет права так относиться к жизни!» надолго врезались мне в память. Меня почтили пятнадцатью сутками строгого ареста, во время которых я пропалывал сад у своего бунгало, где трава каждое утро вырастала быстрее, чем щетина на моих щеках, потом вернулся в Банги и томился там, пока Астье де Вийятт по-дружески не вернул мне наконец мое место в эскадрилье, действовавшей тогда на абиссинском фронте.

Так что хочу ясно сказать: я ничего не совершил. Ничего, особенно когда думаю, с какой надеждой и верой ждала меня старая женщина. Я всего лишь отбивался. Даже не бился по-настоящему.

Кое-что из того, что я пережил тогда, будто полностью выпало из моей памяти. Один товарищ, Перье, чье слово я никогда не поставлю под сомнение, рассказал мне много лет спустя после войны, что как-то раз, вернувшись поздно ночью в бунгало, которое делил тогда со мной в Фор-Лами, он обнаружил, что я лежу под москитной сеткой, прижав дуло револьвера к виску; он едва успел подскочить, чтобы отвести выстрел. Вроде бы я объяснил ему свой жест отчаянием, дескать, оставил во Франции без средств старую больную мать, и все ради того, чтобы бессмысленно гнить вдали от фронта, в какой-то африканской дыре. Сам я не помню этого постыдного случая; вдобавок, на меня это ничуть не похоже, поскольку во время приступов отчаяния, всегда довольно яростных, но и быстро проходящих, я склонен ополчиться не против самого себя, но против внешнего мира, поэтому, честно говоря, я не стал бы резать себе ухо, как Ван Гог, а уж скорее прельстился бы в такой момент чьими-нибудь чужими ушами. Тем не менее должен добавить, что месяцы, предшествовавшие сентябрю 1941 года, довольно смутно сохранились в моей памяти из-за гнуснейшего брюшного тифа, которым я в то время болел. Болезнь стоила мне соборования, стерла некоторые эпизоды из памяти и заставила врачей утверждать, что даже если я и выживу, то никогда не верну себе рассудка.

Итак, я присоединился к своей эскадрилье в Судане, но эфиопская кампания уже заканчивалась; взлетая с аэродрома Гордонс-Три в Хартуме, мы не встречали итальянских истребителей, а редкие завитки дыма от зенитных орудий, видимые на горизонте, походили на последнее издыхание побежденного. Возвращаясь на закате, мы таскались по ночным кабакам, куда англичане «интернировали» две труппы венгерских танцовщиц, оказавшихся в Египте как раз когда их страна вступила в войну против союзников, и на заре снова вылетали на прогулку, не встречая видимого противника. Я ничего не мог дать матери. Вообразите, с каким чувством горечи и стыда я читал ее письма, где она пела мне о своей вере и восхищении. Я не только не возвысился до всего того, чего она от меня ожидала, но скатился к обществу бедных девиц, чьи хорошенькие личики таяли на глазах под безжалостным в мае суданским солнцем. Меня постоянно мучило ужасное чувство бессилия, и я старался, как мог, обмануть себя и доказать, что во мне еще осталось что-то мужское.

Глава XXXVIII

Мой упадок усугублялся навязчивым и саднящим воспоминанием о мимолетном счастье, пережитом недавно. Если я о нем еще не упоминал, то лишь по недостатку таланта. Всякий раз, когда я подымаю голову и вновь берусь за свой блокнот, слабость моего голоса и убожество моих средств кажутся мне оскорблением всему, что я пытаюсь высказать, всему, что я любил. Быть может, однажды какой-нибудь великий писатель почерпнет из того, что я пережил, вдохновение под стать своему дару, а значит, я все же не напрасно начертал эти строки.

В Банги я жил в маленьком бунгало, затерянном среди банановых деревьев у подножия холма, где каждую ночь, словно светящаяся сова на ветке, сидела луна. Каждый вечер я устраивался на клубной террасе у берега реки, лицом к Конго, начинавшемуся на другом берегу, и слушал единственную пластинку, которая там имелась: *Remember our forgotten men*.

Однажды я увидел, как она шла по дороге с обнаженной грудью и несла на голове корзину фруктов.

Вся прелесть женского тела в его нежной юности, вся красота жизни, надежды, улыбки и такая безмятежная поступь, словно ничего плохого просто не может случиться. Луизон было шестнадцать лет, и, когда ее груди льнули ко мне, у меня порой возникало чувство, будто я уже всего достиг и все совершил. Я навестил ее родителей, и мы отметили наш союз по обычаю племени; лейтенант Штаренберг, австрийский князь, из-за превратностей бурной судьбы ставший пилотом нашей эскадрильи, был моим свидетелем. Луизон перебралась ко мне. Никогда в жизни мне не доставляло большего наслаждения смотреть и слушать. Она совершенно не говорила по-французски, а я ничего не понимал из ее слов, разве только, что жизнь прекрасна, счастлива, чиста. Ее голос делал тебя навсегда безразличным к любой другой музыке. Я не сводил с нее глаз. Изящество черт и небывалая хрупкость, веселые глаза и мягкие волосы — как описать ее, не предав памяти о дарованном мне совершенстве? А потом я вдруг заметил, что она немного покашливает, и в крайнем беспокойстве, уже решив, что туберкулез поразил это тело, слишком прекрасное, а потому слишком уязвимое, отправил ее на обследование к майору Виню, военному врачу. Кашель оказался пустяком, но у Луизон обнаружилось на руке странное пятно, поразившее врача. Тем же вечером он пришел ко мне в бунгало. Казался смущенным. Все знали, что я счастлив. Это бросалось в глаза. Он сказал, что у малышки проказа и что я должен с ней расстаться. Говорил как-то неубедительно. Я отвергал все. Отвергал просто и ясно. Не мог поверить в подобное злодейство. Я провел с Луизон ужасную ночь, глядя, как она спит в моих объятиях, ее лицо даже во сне светилось радостью. И сегодня еще не знаю, любил ли я ее или же просто не мог отвести от нее глаз. Я долго, пока мог, не выпускал Луизон из своих объятий. Винь ничего мне не говорил, ни в чем не упрекал. Просто пожимал плечами, когда я ругался, богохульствовал, угрожал. Луизон начала лечиться, но каждый вечер приходила спать подле меня. Никого и никогда я не прижимал к себе с большей нежностью и болью. Я согласился расстаться с ней, только когда мне растолковали, подкрепив слова газетной статьей — я ничему не доверял, — что недавно в Леопольдвиле было испытано новое лекарство против бациллы Хансена и удалось несколько стабилизировать, а возможно, и излечить болезнь. Я посадил Луизон на борт знаменитого «летающего крыла», курсировавшего между Браззавилем и Банги, которое тогда вел старший унтер-офицер Субабер. Она покинула меня, а я остался стоять на аэродроме, сжав кулаки. Ощущение было такое, будто меня ограбили, будто не только Франция, но и вся земля захвачена врагом.

Каждые две неделе военную связь с Браззавилем осуществлял на своем «Бленхейме» пилот Ирлеман, и мы договорились, что он возьмет меня в следующий рейс. Мое тело казалось мне опустелым: я ощущал отсутствие Луизон каждой клеточкой своей кожи. Мои руки казались мне чем-то бесполезным.

Самолет Ирлемана, который я ждал в Банги, потерял винт над Конго и разбился в затопленном лесу. Ирлеман, Бекар, Крузе погибли при падении. Механику Курсьо раздробило ногу; целым остался только радист Грассе. Чтобы подать знак о своем местонахождении, он додумался каждые полчаса стрелять из пулемета. Жители соседней деревушки, видевшие, как упал самолет, и поспешившие на помощь, всякий раз в ужасе разбегались. Механик и радист проторчали там трое суток, и Курсьо, который не мог двигаться из-за ноги, чуть не сошел с ума, день и ночь отгоняя красных муравьев, пытавшихся добраться до его раны. Я часто летал с экипажем Ирлемана и Бекара; к счастью, ниспосланный самим провидением приступ малярии позволил мне все забыть на целую неделю.

Таким образом, мой полет в Браззавиль был отложен на следующий месяц, до возвращения Субабера. Но Субабер тоже исчез в конголезском лесу вместе со своим странным «летающим крылом», которое только он да американец Джим Моллисон умели пилотировать. Я получил приказ присоединиться к своей эскадрилье на абиссинском фронте. Я тогда еще не знал, что бои с итальянцами были уже, можно сказать, закончены и что толку от меня там не будет никакого. Я подчинился. Я никогда больше не видел Луизон. Раза два-три товарищи передавали мне новости о ней. Ее хорошо лечили. Была надежда. Она все спрашивала, когда я вернусь. Была весела. А потом — глухая стена. Я писал письма, делал запросы по инстанциям, отправил несколько довольно дерзких телеграмм. Ничего. Я бушевал, негодовал: прелестнейший в мире голос взывал ко мне из какого-то тоскливого африканского лазарета. Меня перебросили в Ливию. Обследовали, нет ли и у меня проказы. Не оказалось. Но мне от этого не стало легче. Никогда не представлял себе, что голос, шея, плечи, руки могут стать таким наваждением. Я хочу сказать, мне было так хорошо жить в свете ее глаз, что с тех пор я не знал, куда деться.

Глава XXXIX

Письма от матери становились все короче; нацарапанные в спешке, карандашом, они приходили ко мне по четыре-пять сразу. Она чувствовала себя хорошо. Инсулина хватало. «Мой доблестный сын, я горжусь тобой... Да здравствует Франция!» Я устраивался за столиком на крыше «Ройяла», откуда видны были нильские воды и миражи, из-за которых город плыл в тысяче раскаленных озер, и сидел там, с пачкой писем в руке, среди венгерских танцовщиц, канадских, южноафриканских, австралийских летчиков, толпившихся на танцевальной площадке и вокруг бара, пытаясь добиться благосклонности красоток нынешней ночью — им платили все, кроме французов, и это вполне доказывает, что даже после поражения Франция сохранила весь свой престиж. Я читал и перечитывал нежные и доверительные слова, а малышка Ариана, сердечная подружка одного из наших старших и самых доблестных унтеров, порой подсаживалась за мой столик между двумя танцами и с любопытством на меня смотрела.

— Она тебя любит? — спрашивала она.

Я подтверждал это без ложной скромности.

— А ты ее?

Как обычно, я изображал из себя крутого и лихого.

— О! Знаешь, как у меня с женщинами, — отвечал я. — Одну потерял, десять нашел.

— А не боишься, что она тебе изменяет, пока ты здесь?

— Еще чего! Нет, конечно, — отвечал я.

— Даже если это затянется на годы?

— Даже если это затянется на годы.

— Но ведь не думаешь же ты, что нормальная женщина может годами оставаться одна, без мужчины, только ради твоих красивых глаз?

— Представь себе, думаю, — говорил ей я. — Сам такое видел. Знал женщину, которая долгие годы оставалась без мужчины как раз ради чьих-то красивых глаз.

Итак, нас перебросили в Ливию для второй схватки с Роммелем, и в первые же дни шестеро французских товарищей и девять англичан погибли в нашей самой трагической аварии. В то утро дул свирепый *хамсин*, и, идя на взлет против ветра, пилоты трех наших «Бленхеймов» под командованием Сен-Переза вдруг увидели, как из-за песчаных вихрей неожиданно выскочили три английских «Бленхейма», которые ошиблись направлением и мчались прямо им навстречу, подгоняемые ветром. На борту самолетов было три тонны бомб, и обе тройки как раз достигли взлетной скорости, того момента между воздухом и землей, когда маневрировать уже невозможно. Одному только Сен-Перезу, у которого наблюдателем был Бимон, удалось избежать столкновения. Всех остальных разнесло в прах. Еще долго потом видели собак, бегавших с кусками мяса в зубах.

По счастью, в тот день меня на борту не было. Когда случился взрыв, меня как раз соборовали в военном госпитале в Дамаске.

Я подцепил брюшной тиф с кишечным кровотечением, и лечившие меня врачи, капитан Гийон и майор Винь, полагали, что нет и одного шанса из тысячи, что я выкарабкаюсь. Я вынес пять переливаний крови, но кровотечение не прекращалось, и товарищи сменяли друг друга у моего изголовья, чтобы дать мне свою кровь. Меня с поистине христианской самоотверженностью выхаживала молодая монахиня-армянка, сестра Фелициана из ордена Малого Явления Св. Иосифа, которая живет теперь в своей обители рядом с Вифлеемом. Моя горячка длилась пятнадцать дней, но понадобилось еще больше шести недель, чтобы рассудок вернулся ко мне окончательно: я долго хранил рапорт, в котором обращался к генералу де Голлю, протестуя против административной ошибки, вследствие которой, как я утверждал, меня вычеркнули из списка живых, что, в свою очередь, привело к тому, подчеркивал я, что рядовой состав и унтер-офицеры мне больше не отдают честь, делая вид, будто я не существую. Надо сказать, что как раз незадолго до того я получил чин младшего лейтенанта и, памятуя о злоключении в Аворе, очень дорожил своими галунами и внешними знаками уважения, которые мне полагались.

Наконец врачам показалось, что мне осталось жить всего несколько часов, и моих товарищей с авиабазы в Дамаске пригласили нести почетный караул у моего тела в часовне госпиталя, а санитар-сенегалец притащил в мою палату гроб. Придя в сознание на какой-то миг, что обычно случалось после кровотечения, снижавшего жар благодаря сбросу крови, я заметил в изножье своей кровати гроб и, усмотрев в этом какой-то подвох, немедленно пустился в бегство; я нашел в себе силы встать и дотащиться на собственных, тонких, как спички, ногах до сада, где грелся на солнышке молодой выздоравли-

314

вающий тифозник; увидев, что к нему, качаясь, идет совершенно голый призрак в одной лишь офицерской фуражке, несчастный испустил вопль и бросился к пропускному пункту: в тот же вечер у него случился рецидив. В бреду я напялил свою фуражку младшего лейтенанта с новехоньким, свежеприобретенным галуном и никак не хотел с ней расставаться; видно, потрясение, испытанное три года назад, когда меня унизили в Аворе, было даже сильнее, чем я подозревал. Мои предсмертные хрипы в точности напоминали звуки, которые издает пустой сифон, из которого выходят остатки воздуха. И дружище Бимон, примчавшийся из Ливии, чтобы повидаться со мной, сказал мне позже, что его слегка шокировала и даже показалась неприличной моя цепкость. Я был слишком упрям. Совершенно пренебрегал элегантностью и хорошими манерами. Как говорят, отбрыкивался руками и ногами. Это было даже немного противно. Будто скупердяй цепляется за свою кубышку. И с этой насмешливой улыбочкой, которая была ему так к лицу и которую он, надеюсь, сохранил, несмотря на прошедшие годы, в своей Экваториальной Африке, где теперь живет, он мне сказал:

— Похоже было, что ты держишься за жизнь.

Уже неделя прошла, как мне прописали последнее миропомазание, и я признаю, что не должен был доставлять столько хлопот. Но я был плохим игроком. Отказывался признать себя побежденным. Я не принадлежал себе. Мне надо было сдержать свое обещание, вернуться домой покрытым славой после сотни победоносных битв, написать «Войну и мир», стать французским посланником, короче, дать таланту моей матери полностью раскрыться. Кроме того, я отказывался уступить бесформенности. Настоящий художник не позволяет материалу победить себя, он пытается превозмочь своим вдохновением косную материю, пытается придать этому месиву некую форму, направленность, выражение. Я не мог допустить, чтобы жизнь моей матери глупо закончилась в инфекционном отделении дамасского госпиталя. Вся моя потребность в искусстве и моя тяга к прекрасному, то есть к справедливости, запрещали мне бросать свое прожитое произведение прежде, чем я увижу, как оно примет форму, прежде чем осветит мир вокруг меня, пусть хоть на мгновение, каким-нибудь братским и волнующим смыслом. Я не собирался ставить свое имя под документом, который мне протягивали боги, свидетельством ничтожества, небытия и нелепости. Я не мог быть бесталанным до такой степени.

Тем не менее соблазн сдаться был ужасен. Мое тело покрылось гнойными ранами. Иглы, через которые мне по капле вводили сыворотку, часами торчали из моих вен, наводя на мысль, что я катался по колючей проволоке. На растрескавшемся языке образовалась язва, левая сторона челюсти, треснувшая во время аварии в Мериньяке, загноилась, и отколовшийся от нее кусок кости пронзил мне десну. Его не осмеливались трогать из-за опасности нового кровотечения, и я по-прежнему извергал под себя кровь, и жар был такой, что, даже когда меня заворачивали в ледяные простыни, тело вновь набирало температуру всего за несколько минут — и, сверх того, врачи с интересом обнаружили, что во мне приютился огромный ленточный глист, который как раз начал выходить метр за метром из моей утробы. Когда много лет спустя после своей болезни я встречал кого-либо из лечивших меня врачей, они смотрели на меня с недоверием и говорили:

— Вам никогда не понять, откуда вы вернулись.

Возможно, но боги забыли перерезать пуповину. Ревнуя к любой руке человеческой, которая пытается придать судьбе форму и смысл, они ярились надо мной, пока все мое тело не превратилось в одну кровоточащую рану, но так ничего и не поняли в моей любви. Они забыли перерезать пуповину, и я выжил. Воля, жизненная сила и мужество моей матери продолжали поступать в меня и подпитывать.

Еще теплившаяся искра жизни вдруг запылала всем пламенем праведного гнева, когда я увидел священника, входящего в палату, чтобы соборовать меня.

При виде этого бородача, одетого в белое и фиолетовое, идущего прямо ко мне твердым шагом, выставив вперед распятие, я понял, что он мне предлагает, и решил, что вижу самого сатану. К удивлению милосердной сестры, которая меня поддерживала, я, до сих пор только хрипевший, вдруг сказал громко и внятно:

— Зря стараешься — ничего не получишь.

Затем я исчез на несколько минут, а когда снова вынырнул на поверхность, благое дело уже свершилось. Но меня не убедили. Я был твердо намерен вернуться в Ниццу, на рынок Буффа, в своем офицерском мундире, вся грудь в орденах, с матерью под руку. После чего мы, быть может, пойдем прогуляться по Английскому променаду под рукоплескания. «Воздайте честь этой выдающейся французской даме из отеля-пансиона «Мермон», она вернулась с войны, получив пятнадцать наград, покрыв себя славой в авиации, сын может гордиться ею!» Пожилые господа почтительно обнажат головы, грянет «Марсельеза», кто-то шепнет: «Они все еще связаны пуповиной». И я в самом деле отлично вижу длинную резиновую трубку, торчащую из моих вен, и торжествующе улыбаюсь. Вот это искусство! Вот это сдержанное обсщание! И они хотят, чтобы я отказался от своей миссии под тем предлогом, что врачи меня приговорили, что меня уже причастили

317

святых тайн и что товарищи в белых перчатках уже готовятся нести почетный караул в раскаленной часовне? Ну нет, никогда! Уж лучше жить — как видите, я не отступал ни перед какой крайностью.

Я так и не умер. Выздоровел. Хотя не сразу. Жар спал, потом исчез, но я продолжал нести бред. Впрочем, мой бред выражался лишь бессвязным лепетом, поскольку я наполовину лишился языка из-за язвы. После чего разразился флебит, и стали бояться за мою ногу. На левой нижней стороне моей физиономии, в том месте, где загноилась челюсть, окончательно обосновался лицевой паралич, что еще и сегодня придает моей внешности интересную асимметричность. У меня было поражение пузыря, стойкий миокардит, я никого не узнавал, не мог говорить, но пуповина продолжала делать свое дело. И самое главное по-настоящему не было задето: когда сознание полностью ко мне вернулось и я смог наконец ворочать языком, ужасно шепелявя, первое, что я попытался выяснить, это когда смогу вернуться в строй.

Врачи развеселились. Для меня война закончена. Они не совсем уверены, что я и ходить-то смогу нормально, а сердце, возможно, так и останется больным. Что же до фантазий снова сесть в боевой самолет — они пожимали плечами и вежливо улыбались.

Три месяца спустя я снова оказался на борту своего «Бленхейма», гоняясь за подводными лодками в восточной части Средиземного моря вместе с Тюизи, погибшим через несколько месяцев в Англии на «Москито».

Я должен выразить здесь свою благодарность Ахмеду, безвестному египетскому таксисту, который за скромную сумму в пять фунтов согласился надеть мою форму и пройти вместо меня медицинский осмотр в госпитале королевских ВВС в Каире.

Он не был красавцем, от него не слишком приятно пахло горячим песком, но он с блеском прошел медкомиссию, и мы отметили это событие, полакомившись мороженым на террасе Гропи.

Мне оставалось пробиться только через врачей дамасской базы, майора Фитуччи и капитана Берко. Тут ни о каком жульничестве и речи быть не могло. Они-то меня знали как облупленного. Видели, так сказать, в деле, на госпитальной койке. Знали также, что у меня порой темнело в глазах и я терял сознание без малейшей причины. Короче, меня попросили согласиться на месяц отпуска в Долине царей, в Луксоре, прежде чем вновь помышлять о возвращении в экипаж. Так я посетил гробницы фараонов и глубоко влюбился в Нил, по которому дважды спускался и поднимался на всем его судоходном участке. Этот пейзаж и сегодня кажется мне самым прекрасным в мире. Там душа отдыхает. Моя в этом и правда нуждалась. Я долгими часами стоял на балконе «Винтер Паласа», глядя, как проплывают фелуки. Снова начал работать над книгой. Написал несколько писем матери, наверстывая три месяца молчания. Тем не менее в ее доходивших до меня записках не было и следа беспокойства. Она не удивлялась моему затянувшемуся молчанию. Мне это показалось даже немного странным. Судя по дате, последнюю записку отправили из Ниццы, когда мать по крайней мере три месяца не получала обо мне известий. Но она будто ничего не замечала. Наверняка относила это на счет окольных путей, которыми велась наша переписка. И к тому же, чего греха таить, она ведь знала, что я всегда преодолею любую трудность. Однако некоторая печаль сквозила теперь в ее письмах. Впервые я почувствовал какую-то новую ноту, что-то недосказанное, и это меня взволновало и странно смутило.

«Дорогой мой малыш. Умоляю тебя не думать обо мне, не бояться за меня, быть храбрым. Вспомни, что ты уже не нуждаешься во мне, что ты теперь мужчина, а не ребенок, и можешь сам стоять на своих ногах. Мой мальчик, женись поскорее, потому что тебе всегда будет нужна женщина рядом. Быть может, именно тут я причиняю тебе боль. Но главное, постарайся поскорее написать прекрасную книгу, потому что это утешит тебя во всем. Ты всегда был художником. Не думай обо мне слишком много. С моим здоровьем все хорошо. Старый доктор Розанов очень мной доволен. Шлет тебе приветы. Дорогой мой малыш, надо быть мужественным. Твоя мать». Я сто раз читал и перечитывал это письмо на своем балконе, над плавно текущим Нилом. Было оно как-то по-новому серьезно и сдержанно, в нем даже звучало что-то вроде отчаяния. И впервые мать в своем письме не говорила о Франции. Мое сердце сжалось. Что-то было не так, о чем-то это письмо недоговаривало. А этот несколько странный призыв к мужеству, все настойчивей звучавший в ее записках! Это даже слегка раздражало: уж она-то должна была знать, что я никогда ничего не боялся. Но, в конце концов, главное, что она еще жива, поэтому моя надежда успеть вернуться возрастала с каждым новым днем.

Глава XL

Я снова занял свое место в эскадрилье и отдался неспешной охоте на итальянские подводные лодки у берегов Палестины. Это было вполне безопасное занятие, и я всегда брал с собой корзину для пикников. Как-то раз мы атаковали у берегов Кипра всплывшую подводную лодку. Нам ее подали как

320

на блюдечке, но мы промазали. Наши глубинные бомбы упали слишком далеко.

Я хочу сказать, что с того дня понимаю смысл угрызений совести.

Много фильмов и еще больше романов посвящено этой теме: как воина неотступно преследуют воспоминания о том, что он совершил. Я не исключение. Мне до сих пор случается просыпаться с криком, в холодном поту: я вижу во сне, как опять упустил подводную лодку. Кошмар всегда один и тот же: я промахиваюсь и не отправляю на дно двадцать человек экипажа, вдобавок итальянского — хотя мне очень нравится Италия и итальянцы. Факт простой и грубый: мои угрызения и ночные страхи вызваны тем, что я *не убил*, — это крайне неприятно для цельной натуры, и я смиренно прошу прощения у всех, кого оскорбило подобное признание. Я немного утешаюсь, пытаясь убедить себя, что я просто плохой человек, а другие — хорошие, настоящие — совсем не такие, и это немного поднимает мой дух, поскольку мне, помимо всего прочего, требуется верить в человечество.

Половина «Европейского воспитания» была уже закончена, и все свое свободное время я посвятил чтению. Когда нашу эскадрилью в августе 1943-го перебросили в Англию, я заторопился: это попахивало высадкой, а ведь не мог же я вернуться домой с пустыми руками. Я предвкушал радость и гордость матери, когда она увидит мое имя на обложке книги. Придется ей удовлетвориться литературной славой, за отсутствием славы Гинемера. По крайней мере осуществятся наконец, ее артистические амбиции.

Условия для литературного труда на авиабазе в Хартфорд-Бридже почти отсутствовали. Было очень холодно. Я писал по ночам в хибарке из рифленого железа, которую делил с тремя товарищами; надевал свою летную куртку и сапоги на меху, устраивался на кровати и писал до рассвета; пальцы коченели; дыхание в ледяном воздухе клубилось паром; мне не стоило никакого труда воссоздать атмосферу заснеженных польских равнин, где происходило действие романа. Около трех-четырех часов утра я откладывал ручку, садился на велосипед и отправлялся в столовую выпить чашку чая; затем поднимался в свой самолет и сереньким ранним утром вылетал на задание, навстречу мощно обороняемым объектам. По возвращении мы почти всегда не досчитывались кого-нибудь из товарищей; однажды, вылетев к Шарлеруа, мы потеряли сразу семь самолетов, пересекая побережье. Трудно было в таких условиях заниматься литературой. Правда, я не унывал: все это было для меня частью одной и той же битвы, одного и того же произведения. Ночью, когда товарищи засыпали, я снова принимался писать. Всего лишь раз я остался в хибарке один — когда Пети погиб со всем экипажем.

Небо вокруг меня пустело все больше.

Исчезли один за другим Шлезинг, Беген, Мушотт, Маридор, Губи и легендарный Макс Геди, а потом и другие ушли в свой черед: де Тюизи, Мартель, Кольканап, де Мемон, Мае. Наконец настал день, когда из всех, кого я знал со времени прибытия в Англию, остались только Барберон, два брата Ланже, Стоун и Перье. Мы часто переглядывались молча.

Я закончил «Европейское воспитание» и отправил Муре Будберг, дружившей с Горьким и Г. Уэллсом, рукопись. Больше я о ней не слышал. Как-то утром, вернувшись с особенно непростого задания — пришлось лететь на бреющем полете, в десяти метрах над землей, и трое товарищей в тот день разбились, — я обнаружил телеграмму от некоего английского издателя, объявлявшего мне о своем намерении перевести мой роман и опубликовать в кратчайшие сроки. Я снял шлем, перчатки и надолго застыл в своем летном комбинезоне, уставясь на телеграмму. Я только что родился.

Я поспешил сообщить новость матери, телеграммой через Швейцарию. С нетерпением ждал ее реакции. У меня было чувство, что наконец-то я что-то для нее сделал, и уже предвкушал, с какой радостью она будет переворачивать страницы книги, автором которой была сама. Ее давние артистические надежды начали наконец сбываться, и, кто знает, если немного повезет, она, может, даже прославится. Она поздно дебютировала: сейчас ей был шестьдесят один год. Я не стал ни героем, ни французским посланником, ни даже секретарем посольства, но все же начал сдерживать обещание — придать смысл ее жертвам и борьбе, и моя книжка, пусть даже такая тонкая и легкая, все-таки, как мне казалось, что-нибудь да весила на чаше весов. Потом я ждал. Читал и перечитывал ее письульки в поисках какого-нибудь намека на мою первую победу. Но она, казалось, игнорировала ее. Я думал сначала, что понял смысл ее молчаливого упрека, которым был этот явный отказ говорить о моей книге. Пока Франция оккупирована, она ждала от меня не литературы, а военных действий.

Хотя в том, что мое участие в войне оказалось не блестящим, не я был виноват. Я делал, что мог. Каждый день взлетал в небо навстречу врагу, и мой самолет часто возвращался изрешеченный осколками. Я воевал не в истребительной авиации, а в бомбардировочной, и наше ремесло было не таким эффектным. Мы сбрасывали бомбы на цель и возвращались. Или не возвращались. Я дошел до того, что стал задумываться, не узнала ли мать про историю с подводной лодкой, которую я упустил у берегов Палестины, и не сердится ли на меня за это.

Публикация «Европейского воспитания» в Англии сделала меня чуть ли не знаменитым. Всякий раз, возвращаясь с задания, я находил новые газетные вырезки, а агентства направляли ко мне своих репортеров, чтобы сфотографировать, как я вылезаю из самолета. Я принимал выигрышную позу — в летном комбинезоне, со шлемом под мышкой — и не забывал поднимать глаза к небу; только сожалел немного, что не сохранилась моя старая черкеска, которая была мне так к лицу. Но я был уверен, что эти фото, очень похожие, матери понравятся, поэтому заботливо собирал их для нее. Меня пригласила к чаю миссис Эден, жена британского министра, и я тщательно следил, чтобы не оттопыривать мизинец, держа чашку.

Еще я целыми часами лежал на летном поле, подложив под голову парашют, и пытался унять свою вечную неудовлетворенность, возмущенное бурление в крови, свою потребность возродиться, победить, возвыситься, вырваться отсюда. До сих пор не знаю, что, собственно, я разумел под этим «отсюда». Предполагаю, что удел человеческий. В любом случае, я не хочу, чтобы были покинутые.

...Иногда я поднимаю голову и по-дружески смотрю на брата своего Океан: он притворяется, будто бесконечен, но я-то знаю, что он тоже повсюду наталкивается на свои пределы, и вот отчего, конечно, весь этот шум, весь этот грохот.

Я выполнил еще заданий пятнадцать, но так ничего и не произошло.

Все-таки однажды полет выдался чуть более беспокойным, чем обычно. В нескольких минутах лету от цели, когда мы плясали меж облаками и снарядами, я услышал в наушниках, как мой пилот Арно Ланже вскрикнул. Потом, после короткого молчания, его голос холодно сообщил:

— Мне попало по глазам. Я ослеп.

На «Бостоне» пилот отделен от штурмана и пулеметчика броневыми пластинами, так что в воздухе мы ничем не могли друг другу помочь. И в тот самый миг, когда Арно объявил о своем ранении в глаза, меня что-то сильно хлестнуло по животу. В одну секунду кровью залило руки и приклеило штаны к сиденью. К счастью, незадолго до того нам раздали стальные каски, чтобы защищать голову. Разумеется, английские и американские экипажи так их и надевали, на голову, но французы дружно прикрывали другие части тела, которые почитали более ценными. Я быстро приподнял каску и удостоверился, что главное цело. Мне так полегчало, что серьезность нашего положения не произвела на меня особого впечатления. Я всегда умел различать, что в жизни важно, а что нет. Переведя дух, я осмотрелся. Пулеметчика Бодена не задело, но пилот ослеп; мы еще держались в строю, и я был ведущим штурманом, то есть ответственность за общее бомбометание лежала на мне. Мы были всего лишь в нескольких минутах лета от цели, и мне показалось, что проще всего и дальше лететь по прямой, сбросить наши бомбы на цель и уже после этого оценить ситуацию (если еще будет что оценивать). Что мы и сделали, не без того, правда, чтобы нас еще пару раз не задело. На сей раз мне досталось по спине, и, когда я говорю «по спине», я просто стараюсь быть вежливым. Все же я смог сбросить свои бомбы на цель — с удовлетворением, которое доставляет благое дело.

Какое-то время мы продолжали лететь прямо вперед, потом стали направлять Арно голосом и отдалились от группы, командование которой перешло к экипажу Аллегре. Я потерял немало крови, и вид моих липких штанов вызывал у меня тошноту. Один из двух моторов больше не тянул. Пилот попытался вытащить осколки из глаз. Оттянув веко пальцами, он смог различить контур своей руки, и это вроде бы указывало, что зрительный нерв не задет. Мы решили прыгать с парашютом, как только самолет достигнет английского берега, но Арно вдруг обнаружил, что отодвигающийся колпак его кабины поврежден снарядами и не открывается. И речи быть не могло, чтобы оставить слепого пилота одного на борту; стало быть, нам надо остаться вместе с ним и попробовать приземлиться, направляя его голосом. Наши усилия были не слишком успешны, и мы дважды промахнулись, проскочив мимо полосы. Помню, что в третий раз, когда земля плясала вокруг, а я в своей стеклянной клетке на носу самолета чувствовал себя как яйцо, которое вытряхивают из скорлупы на сковородку, вдруг послышался голос Арно, как-то по-детски крикнувший мне в наушники: «Господи Иисусе, Мария, спасите меня!»; и я еще огорчился и был изрядно раздосадован, что он молится только за себя, забыв о приятелях. Помню также, что в момент, когда самолет чуть не врезался в землю, я улыбался — и эта улыбка, конечно, была одним из самых моих продуманных литературных творений. Я ее здесь упоминаю в надежде, что она войдет в полное собрание моих сочинений.

Думаю, что впервые за всю историю королевских ВВС слепой на три четверти пилот сумел посадить машину. В сводке указывалось только, что «во время приземления пилоту удалось приоткрыть веки одной рукой, несмотря на застрявшие в них многочисленные осколки». За этот подвиг Арно Ланже был немедленно награжден британским крестом «За летные заслуги». Его зрение потом полностью восстановилось; осколки плексигласа пригвоздили

326

веки к глазному яблоку, но зрительный нерв остался цел. После войны он стал пилотом транспортной авиации. В июне 1955 года, когда его самолет уже заходил на посадку в Фор-Лами, на несколько секунд обогнав надвигавшийся на город тропический торнадо, свидетели вдруг увидели, как из туч вырвалась молния и, словно кулаком, ударила прямо в кабину пилота. Арно Ланже погиб мгновенно. Только подлый удар судьбы заставил его выпустить штурвал.

Меня поместили в госпиталь, где бюллетень определил мою рану как «проникающее ранение брюшной полости». Но ничего важного задето не было, и рана быстро зарубцевалась. Досаднее всего оказалось то, что во время различных обследований стало очевидным не слишком благополучное состояние моих органов, и главврач подал рапорт, требуя моего отчисления из летного состава. Тем временем я успел покинуть госпиталь и благодаря всеобщему дружескому расположению смог быстренько слетать еще на несколько заданий.

И вот тут произошло самое чудесное событие в моей жизни, в которое мне и сегодня еще не удается поверить до конца.

За несколько дней до него нас вместе с Арно Ланже пригласили на Би-Би-Си и долго интервьюировали о нашем приключении. Я знал и о потребностях пропаганды, и о том, с какой жадностью французская публика ждет новостей о своих летчиках, так что не придал этому большого значения. Тем не менее был весьма удивлен, увидев на следующий день, что в «Ивнинг Стандард» напечатана статья о нашем «подвиге».

Затем вернулся на базу в Хартфорд-Бридж. Я был в столовой, когда дневальный протянул мне телеграмму. Я бросил взгляд на подпись: Шарль де Голль.

Я только что получил крест «За Освобождение».

Не знаю, остался ли еще кто-нибудь, кто понимает, чтó тогда значила для нас эта черно-зеленая ленточка. Почти единственными, кто получил этот крест, были лучшие из наших павших в.бою товарищей. Не скажу даже, наберется ли сегодня более шестисот его обладателей — и живых, и мертвых. Судя по вопросам, которые мне задают, я часто и уже без удивления замечаю, насколько редки те, кто вообще знает, что такое крест «За Освобождение» и что означает эта ленточка. И очень хорошо, что это так. Хорошо, что, когда почти все забыто или опошлено, память, верность и дружба защищены хотя бы неведением.

Мной овладело какое-то отупение. Я ходил туда-сюда, пожимал протянутые ко мне руки, пытался чуть ли не оправдываться, защищаться, потому что уж они-то, мои товарищи, прекрасно знали, что я вовсе не достоин такой чести.

Но встречал только братские объятия и радостные лица.

Я и сегодня еще хочу, считаю себя обязанным объясниться на сей счет. Честно говоря, не вижу в своих жалких усилиях ничего, что могло бы оправдать такое отличие. Все, что я пытался, едва наметил и смог сделать, — смешно и убого, просто ничто по сравнению с тем, чего ожидала от меня мать, чему учила, рассказывая о моей стране.

Крест «За Освобождение» был приколот на мою грудь несколько месяцев спустя, под Триумфальной аркой, самим генералом де Голлем.

Само собой, я поспешил телеграфировать в Швейцарию, чтобы сообщить эту новость матери хотя бы скромным намеком. Для большей надежности написал еще в Португалию, одному служащему британского посольства, попросив его при первой же возможности переправить мое осторожное письмо в Ниццу.

Наконец-то я мог вернуться домой с высоко поднятой головой: моя книга принесла матери немного артистической славы, о которой она мечтала, и вдобавок я смогу вручить ей высочайший во Франции знак воинского отличия, которого она была так достойна.

Вскоре состоялась высадка, война подходила к концу, и в записках, приходивших мне из Ниццы, чувствовалась своего рода безмятежная радость, словно мать знала, что уже близка к цели. Был там даже какой-то нежный, не слишком понятный мне юмор. «Дорогой мой сын, вот уже немало лет, как мы расстались, и я надеюсь, что теперь ты привык не видеть меня — ведь не навечно же я здесь, в конце концов. Помни, что я никогда не сомневалась в тебе. Надеюсь, когда ты вернешься домой и все узнаешь, то простишь меня. Я не могла иначе». Чего не могла? Что я должен простить? Вдруг мне пришла мне в голову дурацкая мысль, что она снова вышла замуж. Но в шестьдесят один год это маловероятно. Я чувствовал за всем этим какую-то нежную иронию и почти видел чуть виноватое выражение ее лица, какое у нее бывало всякий раз, когда она предавалась какому-нибудь своему сумасбродству. Она уже доставила мне столько хлопот! Почти во всех записках чувствовалась теперь эта смущенная нотка, и я прекрасно догадывался, что наверняка она опять учудила что-то несусветное. Но что именно? «Все, что я делала, я делала потому, что ты нуждался во мне. Не надо на меня сердиться. Чувствую себя хорошо. Жду тебя». Я тщетно ломал голову.

Глава XLI

Я теперь совсем близок к конечному слову, и, чем ближе развязка, тем больше соблазн бросить свой блокнот и уткнуться головой в песок. Конечные слова всегда одни и те же, так что хотелось бы, по крайней мере, иметь право не участвовать в хоре побежденных. Обойдутся и без моего голоса. Но мне осталось сказать всего несколько слов, и надо довести свое дело до конца.

Близилось освобождение Парижа, и я уговорил ЦБРД (Центральное бюро разведки и действия), чтобы меня сбросили на парашюте в Приморских Альпах для поддержания связи с Сопротивлением.

Я страшно боялся, что не успею.

Настолько, что в моей жизни произошло одно необычное событие, дополнив воистину неожиданным образом странный путь, который я совершил со времени своего ухода из дому. Я получил из Министерства иностранных дел официальное письмо, в котором мне предлагалось выставить свою кандидатуру на должность секретаря посольства. Однако я никого не знал ни в этом Министерстве, ни в любом другом гражданском госучреждении; собственно, я и ни одного штатского-то не знал. И никогда ни с кем не делился, какие амбиции мать питала на мой счет. Хотя «Европейское воспитание» и произвело некоторый шум в Англии и в кругах Свободной Франции, но этого было недостаточно, чтобы объяснить внезапное предложение поступить на дипломатическую службу без всякого экзамена, за одни только «чрезвычайные заслуги в деле Освобождения». Я долго смотрел на письмо с недоверием, вертел его так и сяк. Оно было написано вовсе не в безличном тоне, свойственном чиновничьей переписке; наоборот, там чувствовалась даже какая-то симпатия, что-то дружеское: это было новое, глубоко смутившее меня ощущение — что я известен, или, точнее, будто кто-то воображает меня себе. Я тогда пережил один из тех моментов, когда трудно не почувствовать, что тебя коснулась воля

Провидения, пекущаяся о разумности и ясности, словно некое безмятежное Средиземное море следит за нашим человеческим побережьем, за чашами весов; за справедливым распределением света и тени, за нашими жертвами и радостями. Судьба моей матери начала проясняться. Тем не менее к моим самым лазурным восторгам в конце концов всегда примешивалась крупинка земной соли с чуть горьковатым привкусом опыта и осторожности, побуждая меня пристальнее вглядываться в чудеса, поэтому за маской провидения я без всякого труда различил чуть виноватую и так хорошо знакомую мне улыбку. Снова моя матушка напроказила. Хлопотала, как обычно, за кулисами, стучала в двери, дергала за ниточки, расхваливала меня где надо, короче, постаралась. Вот откуда, конечно, эта чуть смущенная, чуть виноватая нотка, сквозившая в ее последних письмах, вот отчего мне казалось, будто она просит у меня прощения: опять она проталкивала меня вперед, хотя отлично знала, что не должна этого делать, что никогда ничего не надо просить.

Высадка на Юге отменила мой план с парашютом. Я немедленно исхлопотал себе новое задание, заручившись грозным и непререкаемым приказом генерала Корнильон-Молинье, и с помощью американцев — в моем документе значилась удачно найденная самим генералом формула: «Срочное задание по восстановлению контроля», — меня доставили, пересаживая с джипа на джип, аж до самого Тулона; дальше было немного сложнее. Но, тем не менее, мой категоричный приказ открывал все пути, и я помнил о замечании Корнильон-Молинье, когда он со своей неизменной, слегка сардонической любезностью подписал мне документ, а я его поблагодарил:

— Но ведь ваше задание очень важно для нас. Что может быть важнее победы...

И сам воздух победно пьянил. Небо, казалось, стало ближе, покладистее, каждая олива была знаком дружбы, и Средиземное море тянулось ко мне из-за кипарисов и сосен, поверх колючей проволки, исковерканных пушек и танков, словно кормилица после долгой разлуки. Я по десяти разным каналам предупредил мать, что возвращаюсь, и эти сообщения должны были обрушиться на нее со всех сторон уже через несколько часов после вступления в Ниццу союзных войск. Неделю назад ЦБРА даже передало шифровку для партизан. Капитан Ванюрьен, который парашютировался в регион за две недели до высадки, должен был немедленно связаться с ней и сказать, что я вот-вот прибуду. Английские товарищи из сети «Бакмастер» обещали мне присмотреть за ней во время боев. У меня было много друзей, и они понимали. Они прекрасно знали, что речь идет не о ней и не обо мне, но о нашем извечном человеческом братстве, о нашем дружном, плечо к плечу, отстаивании общего дела — справедливости и разума. Мое сердце полнилось молодостью, верой, благодарностью, приметы которых так хорошо знакомы древнему морю, нашему самому верному свидетелю еще с тех времен, когда первый из его сыновей вернулся домой с победой. Черно-зеленая ленточка креста «За Освобождение», самая заметная на моей груди, — выше знаков Почетного легиона, Военного креста и пяти-шести других медалей, из которых я ни одну не забыл, капитанские нашивки на плечах черной форменной куртки, фуражка набекрень, вид еще более крутой, чем когда-либо, из-за лицевого паралича, мой роман на французском и английском в вещмешке, набитом газетными вырезками, а в кармане письмо, открывавшее двери дипломатической карьеры, да немножко свинца в теле, как раз сколько надо для придания веса, опьяненный надеждой, молодостью, уверенностью и Средиземным морем, — после всего этого, встав наконец во весь рост на залитом солнцем благословенном берегу, где никакое страдание, никакая жертва, никакая любовь никогда не были выброшены на ветер, где все учитывалось, исполнялось, значило, задумывалось и осуществлялось по счастливым законам искусства, я возвращался домой, доказав честность мира, придав форму и смысл судьбе любимого существа.

Чернокожие американские солдаты, рассевшись на камнях с широченными и такими сияющими улыбками, будто светились изнутри идущим от сердца светом, при нашем появлении вскидывали вверх свои автоматы, и в их дружеском смехе звучала вся радость, все счастье сдержанных обещаний:

—*Victory, man, victory!*

Победа, парень, победа! Мы опять стали хозяевами нашего мира, и каждый опрокинутый танк походил на костяк поверженного бога. Желтокожие, востролицые всадники верблюжьей кавалерии в тюрбанах, усевшись на корточках вокруг костра, жарили целого быка; из развороченного виноградника, словно сломанный меч, торчал хвост самолета, а среди оливковых деревьев, под кипарисами, из подслеповатых бетонных казематов то тут то там таращились круглым, тупым глазом побежденного стволы мертвых пушек.

Стоя в джипе среди этого пейзажа, где виноградники, оливковые и апельсиновые деревья словно сбежались встречать меня, где перевернутые поезда, обрушенные мосты, перекрученные и спутанные, как сама издохшая ненависть, заграждения из колючей

333

проволоки были на каждом повороте сметены солнечным светом, я только на понтонах Вара перестал видеть руки и лица, уже не пытался узнать знакомые уголки, перестал отвечать на веселые приветствия женщин и детей и застыл, стоя во весь рост, вцепившись в ветровое стекло, весь целиком устремленный к приближавшемуся городу, кварталу, дому, к фигурке с раскрытыми объятиями, наверняка уже поджидавшей меня под победным флагом.

Здесь мне бы надо прервать свой рассказ. Я ведь пишу не для того, чтобы отбросить на землю тень побольше. Мне и так нелегко продолжать, и я хочу сделать это как можно скорее, быстро добавив несколько слов, чтобы со всем покончить и опять уронить голову на песок пустынного Биг Сура, на берегу Океана, куда я напрасно пытался бежать от обещания закончить свою повесть.

У отеля-пансиона «Мермон», где я велел остановить джип, меня никто встретил. Там что-то смутно слышали о моей матери, но знать — не знали. Моих друзей разбросало по свету. Я потратил не один час, чтобы узнать правду. Моя мать умерла три с половиной года назад, через несколько месяцев после моей отправки в Англию.

Но она прекрасно знала, что я не смогу выстоять без ощущения ее поддержки, поэтому приняла меры предосторожности.

За несколько дней до смерти она написала около двухсот пятидесяти писем, которые сумела переправить к своей подруге в Швейцарию. Я ни о чем не должен был догадаться — письма предполагалось отсылать мне регулярно — наверняка именно это она и замышляла с любовью, когда я, в последний раз навестив ее в клинике Сент-Антуан, уловил хитринку в ее взгляде.

Так что я продолжал впитывать материнские силу и мужество, необходимые мне, чтобы не сдаваться, когда ее уже больше трех лет не было в живых.

Пуповина делала свое дело.

Вот и все. Пляж Биг Сура пуст на сотню километров, но когда я временами поднимаю голову, то на одной из двух скал перед собой вижу тюленей, а на другой — тысячи бакланов, чаек и пеликанов; вижу порой и фонтаны китов, проплывающих в открытом море, и, стоит мне пролежать на песке без движения час или два, надо мной начинает медленно кружить какой-нибудь стервятник.

Теперь уже много лет прошло с тех пор, как совершилось мое падение, и мне кажется, что я упал именно здесь, на эти береговые скалы Биг Сура, и уже целую вечность слушаю и пытаюсь понять, что шепчет Океан.

Я не был побежден честно.

У меня теперь седеют волосы, но за ними не спрячешься, и на самом деле я не постарел, хотя мне скоро восемь. Главное, мне бы не хотелось, чтобы думали, будто все это для меня важно, я отказываюсь придавать своему падению общемировое значение, и, хотя факел вырван из моей руки, я улыбаюсь с надеждой и предвкушением, думая обо всех тех руках, которые готовы его подхватить, и обо всех наших потаенных, нарождающихся, будущих, еще не проявившихся силах. В моем конце нет никакого урока, никакого смирения, я отказался только от самого себя, так что, в общем, невелика потеря.

Наверняка мне не хватало братских чувств. Вряд ли позволительно до такой степени любить одно-единственное существо, пусть даже собственную мать.

Я ошибался, веря в личные победы. Сегодня, когда меня уж нет, мне возвращено все. Люди, народы, все наши легионы стали моими союзниками, и мне не удается примкнуть к их междоусобным распрям; я стою, обратившись вовне, у подножия неба, как забытый часовой. Я по-прежнему вижу себя во всякой живой и обижаемой твари и стал полностью непригоден для братоубийственных войн.

Но что касается остального, то соблаговолите внимательнее взглянуть на небосвод после моей смерти: вы увидите там рядом с Орионом, Плеядами или Большой Медведицей новое созвездие: отродье человеческое, вцепившееся всеми зубами в какой-нибудь небесный нос.

Я порой еще бываю даже счастлив, как сегодня вечером, здесь, лежа на пляже Биг Сура, в серых, подернутых дымкой сумерках, когда со скал доносится далекий тюлений крик и мне довольно чуть приподнять голову, чтобы увидеть Океан. Я слушаю его очень внимательно, и меня по-прежнему не оставляет впечатление, будто я вот-вот пойму, что он пытается поверить мне, будто разгадаю наконец шифр и выясню, что же такое настойчивый, беспрестанный шепот прибоя чуть ли не рвется мне сказать, объяснить.

А иногда перестаю слушать и просто лежу, дышу воздухом. Это вполне заслуженный отдых. Я действительно старался изо всех сил, делал все, что смог.

В левой руке я сжимаю отлитую из серебра медаль чемпионата по пинг-понгу, которую выиграл в Ницце в 1932 году.

Еще нередко можно увидеть, как я снимаю пиджак и вдруг бросаюсь на ковер — сгибаюсь, разгибаюсь и вновь сгибаюсь, кручусь и выворачиваюсь, но мое тело еще крепко держит меня, и мне никак от него не освободиться, не раздвинуть свои стены. Люди обычно думают, что это я всего лишь занимаюсь гимнастикой, и как-то раз американский еженедельник опубликовал на целый разворот фото моей зарядки — как пример, достойный подражания.

Я не подкачал — сдержал свое обещание и все еще держу. Я служил Франции от всего сердца, потому что это все, что мне осталось от матери, кроме маленькой фотографии с удостоверения личности. Я также писал книги, сделал дипломатическую карьеру и одеваюсь в Лондоне, как и обещал, хотя терпеть не могу английский покрой. Я даже оказывал человечеству большие услуги. Однажды, например, в Лос-Анджелесе, где я был тогда генеральным консулом Франции, что, очевидно, налагает некоторые обязательства, войдя как-то утром в гостиную, я обнаружил птичку колибри, которая влетела туда совершенно доверчиво, зная, что это мой дом, но из-за порыва ветра, захлопнувшего дверь, оказалась пленницей в четырех стенах на целую ночь. Она сидела на подушке, крохотная и сраженная непониманием, может, даже отчаявшаяся и теряющая мужество, она плакала самым жалобным голоском, какой мне только дано было когда-либо слышать, — ведь свой-то собственный не слышишь. Я открыл окно, и она упорхнула; я редко бывал так счастлив, как в тот миг, и у меня появилась уверенность, что я прожил жизнь не зря. В другой раз, в Африке, я смог вовремя дать пинка охотнику, который целился в неподвижно застывшую посреди дороги газель. Есть и другие похожие случаи, но не хочу, чтобы показалось, будто я слишком хвастаюсь тем, что смог совершить на земле. Я рассказываю об этом, просто чтобы доказать, что я действительно старался изо всех сил, как уже было сказано. Я так и не стал ни циником, ни даже пессимистом, наоборот, меня часто посещают великие надежды и предчувствия. В 1951 году, в пустыне Нью-Мексико, когда я присел на лавовой скале, по мне вскарабкались две маленькие, совершенно белые ящерки. Они уверенно, без малейшего страха обследовали меня со всех сторон, а одна из них, преспокойно оперевшись передними лапками о мое лицо, приблизила свою мордочку к моему уху и сидела так довольно долго. Можете представить, с какой потрясающей надеждой, с каким пылким предвкушением я замер и ждал. Но она ничего мне не сказала, по крайней мере я ничего не расслышал.

Все ж таки странно думать, будто человек полностью видим, полностью открыт своим друзьям. Я бы не хотел также, чтобы показалось, будто я все еще жду какого-то послания или объяснения: это не так. Впрочем, я не верю в реинкарнацию и во все эти наивности. Но признаюсь, что на какой-то миг не смог удержаться от надежды на что-то в этом роде. Я был довольно болен после войны, потому что не мог наступить на муравья или видеть упавшего в воду майского жука, и в в конце концов написал толстенную книгу, где требовал, чтобы человек взял защиту природы в собственные руки. Сам не знаю, что я, собственно, вижу в глазах животных, но в их взгляде заключен какой-то немой вопрос, какое-то недоумение, и это мне что-то напоминает и все во мне переворачивает. Впрочем, у меня дома нет животных, потому что я слишком легко привязываюсь, так что, все взвесив, предпочитаю привязаться к Океану, который не умрет так скоро. Друзья утверждают, что у меня есть странная привычка останавливаться посреди улицы и, подняв глаза к свету, картинно замирать, довольно надолго, будто я еще пытаюсь кому-то понравиться.

Ну вот. Вскоре придется покинуть берег, где я лежал так долго, слушая море. На Биг Суре сегодня вечером будет немного туманно и свежо, а я так и не научился разводить огонь и сам себя согревать. Попробую побыть тут еще какое-то время и послушать, потому что мне всегда казалось, будто вот-вот пойму, что говорит мне Океан. Я закрываю глаза, улыбаюсь, слушаю... Со мной еще случаются эти странности. Чем больше пустеет берег, тем он кажется мне многолюднее. Тюлени умолкли на скалах, а я лежу, закрыв глаза, улыбаясь, и воображаю себе, что один из них вот-вот подползет ко мне тихонько и я вдруг почувствую, как тычется в мою щеку или в ямку возле плеча его ласковая мордашка... Все-таки я жил.

ПРИМЕЧАНИЯ

С. 7. *Биг Сур* — мыс на тихоокеанском побережье США, в Калифорнии, близ Сан-Франциско.

С. 9. *Гинемер Жорж* (1894—1917) — французский летчик-ас, герой Первой мировой войны.

Д'Аннунцио Габриэль (1863—1938) — итальянский поэт, писатель, драматург.

С. 16. *Пантеон* — построенный в Париже в конце XVIII в. архитектором Суффло как храм св. Женевьевы, с 1885 г. стал усыпальницей знаменитых людей Франции. Там похоронены Вольтер, Руссо, В. Гюго, Э. Золя и др.

С. 17. *Роллан Ромен* (1866—1944) — французский романист и драматург, историк музыки и культуры, автор знаменитого романа «Жан-Кристоф», лауреат Нобелевской премии (1915).

С. 18. *Хейфец Яша* (1901—1987) — американский скрипач, один из величайших виртуозов XX в.

Менухин Иегуди (1916—1999) — американский скрипач, начинал как вундеркинд, впоследствии стал одним из самых значительных исполнителей и музыкальных деятелей XX в.

С. 20. *Нижинский Вацлав Фомич* (1889—1950) — выдающийся русский танцовщик и хореограф. С 1909 г. звезда Русских балетных сезонов С. Дягилева.

С. 22. *Ван Гог Винсент* (1853—1890) — голландский художник. В конце жизни он страдал психическим расстройством, покончил жизнь самоубийством. К этому времени из его более чем 800 полотен (по некоторым данным, общее число картин и набросков приблизительно 1700) было продано только одно.

Гоген Поль (1848—1903) — французский художник. В 1891 г. уезжает на Таити. После кратковременного возвращения во Францию из-за болезни и отсутствия средств он навсегда уезжает в Океанию — сначала на Таити, а с 1901 г. на Маркизские острова, где болезни, бедность и депрессия довели его до попытки самоубийства.

...*образы «Богемы»*... — Речь идет о романе П. Мюрже «Сцены из жизни богемы» и одноименной опере (1896) Дж. Пуччини.

С. 24. *Рашель* (наст. имя — Элиза Рашель Феликс; 1821—1858) — французская актриса, в творчестве которой возродились лучшие традиции классицизма.

Дузе Элеонора (1858—1924) — итальянская актриса, покорившая Париж исполнением главной роли в пьесе А. Дюма-сына «Дама с камелиями». Дузе по праву считалась наряду с Сарой Бернар величайшей актрисой своего времени.

Гарбо Грета (наст. имя — Грета Луиза Густафсон; 1905—1990) — знаменитая американская и шведская киноактриса.

С. 27. *Голль Шарль де* (1890—1970) — генерал, президент Франции.

С. 33. *«На дне»* (1902) — пьеса М. Горького.

«Бурлаки на Волге» (1873) — картина И. Репина.

«Собака на сене» — комедия испанского драматурга Лопе де Веги.

С. 34. *Мозжухин Иван Ильич* (1889—1939) — русский киноактер, после 1920 г. снимался главным образом во Франции.

С. 36. *Золя Эмиль* (1840—1902) — французский писатель, автор романной эпопеи о семье Ругон-Маккаров.

Рыцарь Баярд — Пьер дю Терайль Баярд (1476—?) поступил на службу пажом к королю Франции Карлу VIII. При дворе он прославился неукротимой отвагой и блестящим воинским искусством. В 1503 г. (при короле Людовике XII) в одном из ожесточенных сражений по защите важного моста Баярд дрался в одиночку против 200 испанских всадников. Через 12 лет, сопровождая в Италию Франциска I, он подготовил дерзкий переход через Альпы и сражался с таким геройством, что французский король пожелал быть посвященным в рыцари рукою Баярда. За свои подвиги доблестный воин получил прозвище «Рыцарь без страха и упрека».

Сара Бернар (1844—1923) — французская актриса, первая из театральных звезд, обратившихся к нарождавшемуся кинематографу. Снялась в частности в фильме «Дама с камелиями».

С. 53. *«Орленок»* (1900) — поэтическая драма Э. Ростана (1858—1918), посвященная судьбе сына Наполеона Бонапарта.

С. 60. *Шимми* — безумно популярный в 1910—1920-е гг. танец, в основе которого лежат движения нигерийского танца Shika, попавшего в Соединенные Штаты из Африки.

С. 65. *Гарри Бор* (1880—1943) — выдающийся французский актер, сыгравший в период между двумя войнами в 50 фильмах.

С. 66. *Паккард* — модель легковых автомобилей, производившихся с 1899 г. компанией «Паккард мотор кар» в Соединенных Штатах.

С. 67. *Эдипов комплекс* — термин фрейдистской психологии, означающий подсознательное влечение мальчика к матери.

С. 68. *Либидо* — психическая энергия, по происхождению связанная с сексуальным влечением.

С. 69. *Некрофилия* — неодолимое сексуальное влечение к трупам.

С. 70. *...знаменитого физика, рекомендующего продолжить ядерные взрывы.* — Имеется в виду Ф. Жолио-Кюри, давший в начале 1939 г. заключение, подтолкнувшее к созданию ядерного оружия.

Сфинктер — круговая мышца, сжимающая какое-либо отверстие (например, анальный сфинктер).

С. 73. *Мессалина Валерия* — жена римского императора Клавдия, которому родила дочь Октавию и сына Британика; властолюбивая и жестокая, она прославилась как одна из самых развратных женщин Древнего Рима.

Феодора (?—1056) — императрица византийская в 1028—1030 и 1042—1056 гг., младшая дочь императора Константина VIII и Елены, супруга императора Юстиниана.

С. 74. *Серсо* — распространенная в XIX в. игра, заключающаяся в том, чтобы набросить на палочку кольцо, закрепленное на бечевке.

С. 79. *...боев между польскими и литовскими войсками...* — Речь идет о событиях, связанных с германской интервенцией в Прибалтику в 1919 г., когда немецкие части совместно с латвийскими, польскими, литовскими и русскими белогвардейскими войсками осуществили захват части прибалтийских территорий.

С. 81. *Лурс Марина* — знаменитая атлетка, ученица энтузиаста тяжелой атлетики А. И. Андрушкевича, первого тренера, знаменитого Георга Гаккеншмидта, считалась сильнейшей женщиной России. Начав тренироваться в 1903 г., она уже через четыре года приняла участие в чемпионатах по борьбе. Обычно Марина Лурс пользовалась не столько борцовской техникой, сколько недюжинной физической силой и умением проводить силовые трюки. Она не любила возни в партере и старалась победить чисто из стойки.

С. 82. *«Флориан»* — кафе в Венеции на площади Сан-Марко; это первая итальянская кофейня, открывшаяся в 1644 г. Основателем этого заведения, существующего и поныне, был некто Флориано Франческони. Одним из тех, кто часто сюда захаживал, был английский поэт-романтик Джордж Байрон.

С. 85. *Христов Борис Кирилов* (1914—1993) — болгарский певец, бас, один из известнейших оперных исполнителей; в его репертуар входили, в частности, песни и романсы М. Мусоргского.

«Блоха» — знаменитый романс М. П. Мусоргского, входивший в репертуар Ф. Шаляпина.

С. 86. *Бинг Рудольф* (1902—1997) — уроженец Вены, известный деятель культуры, организатор фестивалей в Глайдборне, в течение многих лет был директором Метрополитен-опера в Нью-Йорке.

С. 88. *...с высоты пирамид на них глядят сорок веков...* — Восходит к фразе «Сорок веков смотрят на вас с высоты этих пирамид». С этими словами генерал Бонапарт будто бы обратился к солдатам перед сражением при египетских пирамидах 21 июля 1798 г.

88. *Призыв 18 июня* — Шарль де Голль в Лондоне на радио Би-би-си 18 июня 1940 г. произнес свой призыв к французам бороться за свободную Францию, давший толчок к объединению нации.

С. 90. *«Дама с камелиями»* — роман и пьеса Александра Дюма-сына.

Дерулед Поль (1846—1914) — французский политический деятель, литератор. Участвовал в франко-прусской войне 1870—1871 гг.; в битве под Седаном был ранен и взят в плен, но вскоре бежал. Принимал участие в подавлении Парижской коммуны. В 1882 г. основал «Лигу патриотов», ставившую себе главной целью подготовку новой войны с Германией.

Беранже Пьер-Жан (1780—1857) — французский поэт-песенник.

С. 92. *Издательство Н.Р.Ф. (NRF)* — Nouvelle Revue Française — издательство и литературный журнал, организованные в 1908 г.

Камю Альбер (1913—1960) — французский писатель, один из крупнейших прозаиков XX в.

С. 93. *«Поль и Виргиния»* (1777) — роман Жак-Анри Бернардена де Сен-Пьера. В романе повествуется о счастливой жизни и печальном конце двух юных людей, которые живут на лоне тропической природы.

Пастер Луи (1822—1895) — французский химик и микробиолог, создатель вакцины от бешенства.

Роланд Ронсевальский (?—778) — французский рыцарь, участник похода Карла Великого в Испанию. Погиб в битве в ущелье Ронсеваль.

Людовик IX Святой (1215—1270) — король Франции из рода Капетингов, правивший в 1226—1270 гг. Сын Людовика VIII и Бланки Кастильской.

С. 94. *Мария-Антуанетта* (1755—1793) — королева Франции, дочь австрийского императора Франца I и Марии Терезии, жена короля Франции Людовика XVI.

Робеспьер Максимильен Мари Изидор де (1758—1794) — деятель Великой французской революции.

Корде д'Армон Мария-Анна-Шарлотта де (1768—1793) — французская дворянка, совершившая покушение на Марата и смертельно ранившая его.

Марат Жан-Поль (1743—1793) — политический деятель, один из вождей якобинцев.

Герцог Энгиенский Луи Антуан Анри де Бурбон-Конде (1772—1804) — французский принц, последний представитель дома Конде (боковой ветви Бурбонов).

Мюнхенский сговор — заключенное 29 сентября 1938 г. соглашение между Германией, Великобританией, Францией и Чехией, в результате которого западными странами было санкционировано начало захвата Чехословакии фашистской Германией.

«Дама от Максима» (1899) — нашумевшая пьеса французского драматурга Ж. Фейдо, за которым был постоянно зарезервирован столик в этом известном парижском ресторане.

С. 95. *«Максим»* — прославленный парижский ресторан, основанный в 1899 г. барменом по имени Максим Гайар; в начале XX в. там бывали знаменитые кокотки, звезды немого кино, Мата Хари, Саша Гитри и др.

Клео де Мерод — французская балерина, роковая красавица; бельгийский король Леопольд II намеревался отречься от престола и вступить в морганатический брак с ней.

Иветта Жильбер — знаменитая певица ночного кабаре в Париже, которую рисовал А. Тулуз-Лотрек.

С. 96. *Рекамье Жюли* (1777—1849) — жена парижского банкира, салон которой был модным политическим и литературным центром, постепенно объединившим людей, оппозиционно настроенных по отношению к Наполеону I.

С. 98. *Май Карл* (1842—1912) — немецкий писатель, автор приключенческих романов и киносценариев.

Арсен Люпен — литературный персонаж, весьма характерный для «прекрасной эпохи», благородный разбойник, персонаж серии романов французского писателя Мориса Леблана (1864—1941). Один из критиков назвал его Дон Кихотом, «движимым то жаждой развлечений, то состраданием».

С. 102. *...занятие для Дон Жуана в аду...* — отсылка к известному стихотворению Ш. Бодлера «Don Juan aux Enfers».

С. 105. Дата рождения Короля-Солнце — 1638 г.

Рультабий (Рультабийль) — молодой газетный репортер, персонаж цикла романов Гастона Леру (1868—1927) «Тайна желтой комнаты», «Духи дамы в черном» и др.

С. 108. *Переводные векселя* — ценная бумага, удостоверяющая безусловное денежное обязательство векселедателя (того, кто выдает вексель) уплатить определенную сумму владельцу векселя при наступлении определенного срока (погашения векселя).

С. 114. *Мицкевич Адам* (1798—1855) — польский поэт. В 1824 г. за активное участие в польских патриотических организациях был выслан в Россию; жил в Одессе, Москве и Санкт-Петербурге. В России Мицкевич написал «Крымские сонеты» и эпическую поэму в байроновском духе «Конрад Валленрод», свидетельствовавшие о поэтической зрелости. В 1829—1831 гг. жил преимущественно в Риме, где, испытав духовный кризис, увлекся мистицизмом. С 1832 г. поселился в Париже, где провел большую часть оставшейся жизни. В 1832—1834 гг. написаны две его величайшие поэмы: III часть «Дзядов» и «Пан Тадеуш».

С. 115. *Растелли Энрико* — итальянский жонглер, успешно гастролировавший в Европе в начале XX в. В «Воспоминаниях» виолончелиста Григория Пятигорского о нем говорится так: «Молодой, элегантный, он подбрасывал мячики в воздух, заставляя их, словно живых, совершать чудеса. Очарованный, я недоверчиво наблюдал, как они летали в разных комбинациях, в разном ритме, замирая перед тем, как опуститься на кончик его носа; как они путешествовали, словно побуждаемые какой-то невидимой силой, вокруг его неподвижной изящной фигуры. Когда же он двигался, то был похож на прекраснейшего классического танцора».

С. 118. *«Конрад Валленрод»* — см. примеч. к с. 114.

С. 121. *Руже де Лиль Клод Жозеф* (1760—1836) — французский поэт и композитор, автор песни «Марсельеза», одно время являвшейся гимном Франции.

С. 124. *Луи Жуве* (1887—1951) — один из крупнейших актеров Франции, режиссер.

С. 127. *Бандерильерос* — в бое быков подручные тореадора, которые готовят быка к основной схватке, всаживая ему в холку небольшие пики с мишурой (бандерильи).

С. 136. *Малларме Стефан* (1842—1898) — французский поэт-символист.

Монтерлан Анри де (1896—1972) — французский писатель и драматург, автор драм «Мертвая королева», «Малатеста», «Пор-Руаяль».

Аполлинер Гийом (1880—1918) — французский поэт, выдающийся новатор в области поэтического языка.

С. 145. *Английский променад* (Promenad des Anglais) — знаменитая морская набережная в Ницце.

С. 146. *...ничему не научился и ничего не забыл...* — Гари использует крылатую фразу Наполеона Бонапарта.

С. 147. *«Мадам Баттерфляй»* («Чио-Чио-Сан») — опера Дж. Пуччини.

С. 150. *Четырехсильные «рено»* — малолитражный автомобиль в четыре лошадиные силы, запущенный в производство после Второй мировой войны на заводах «Рено», пользовался огромной популярностью.

С. 158. *Линдберг Чарльз Август* (1902—1974) — американский летчик, совершивший в одиночку беспосадочный перелет через Атлантический океан в 1927 г. на моноплане собственной конструкции.

С. 162. *Деноэль Робер* (?—1945) — французский издатель.

С. 167. *«Так говорил Заратустра»* — трактат Ф. Ницше.

С. 168. *«Приключения Пье Никле»* — популярный в 1930-х гг. комикс.

С. 185. *Римская премия* — премия Французской академии, предназначенная молодым художникам и музыкантам для совершенствования в избранной специальности.

С. 186. *Битники* — молодежное движение 1950-х — первой половины 1960-х гг., провозглашавшее отказ от культа богатства, бродяжничество, гедонизм и эротическую раскрепощенность.

С. 191. *Линия Мажино* — система французских военных укреплений длиной 400 км, выстроенная на границе с Германией в 1929—1934 гг. Во французском генштабе полагали, что взять ее штурмом невозможно, но в 1940 г. немецкие войска, обойдя эти укрепления с тыла, легко справились с этой задачей.

С. 198. *Мартен дю Гар Роже* (1881—1958) — французский писатель, автор многотомной эпопеи «Семья Тибо».

С. 203. *Рефлекс Павлова* — Речь идет об учении И. П. Павлова об условных рефлексах, связанных с функциями 2-й сигнальной системы.

С. 204. *Сен-Сирское училище* — высшее военное учебное заведение Франции.

С. 213. *Альпийн* — невысокие горные отроги в устье Роны (*примеч. перев.*).

С. 231. *Робер Юбер* (1733—1808) — французский живописец.

С. 243. *Чудо на Марне* — сражение в сентябре 1914 г., изменившее ход Первой мировой войны, когда потерпели поражение семь немецких армий.

Верден — десятимесячная битва за Верден (1916) в ходе Первой мировой войны, сопровождавшаяся огромными потерями в немецких и французских войсках.

С. 275. *Мерс-эль-Кебир* — бухта на африканском побережье Средиземного моря. 3 июля 1940 г. английская эскадра, вышедшая из Гибралтара, подошла к бухте Мерс-эль-Кебир, в которой находились корабли военно-морских сил Франции. Ультиматум, переданный английским командованием, требовал от французов передачи (или затопления, или интернирования) кораблей для продолжения войны против Германии и Италии. Ультиматум был отклонен. Англичане открыли артиллерийский огонь и нанесли тяжелые повреждения французским кораблям.

С. 322. *Будберг Мария Игнатьевна (Закревская)* (1892—1974) — одна из самых колоритных женщин XX в., она была связана с Р. Локкартом, М. Горьким, Г. Уэллсом.

П. Росси

СОДЕРЖАНИЕ

Литературно-художественное издание

РОМЕН ГАРИ

ОБЕЩАНИЕ НА ЗАРЕ

Ответственная за выпуск Галина Соловьева
Редактор Лина Белозерова
Художественный редактор Валерий Гореликов
Технический редактор Мария Антипова
Корректоры Фаина Флейтман, Елена Орлова
Верстка Александра Савастени

Директор издательства Максим Крютченко

Подписано в печать 14.12.2004. Формат издания 76×100 $^1/_{32}$.
Печать высокая. Гарнитура «Петербург». Тираж 7 000 экз.
Усл. печ. л. 15,51. Изд. № 1213. Заказ №2793.

Издательство «Азбука-классика».
196105, Санкт-Петербург, а/я 192. www.azbooka.ru

Отпечатано в ОАО ордена Трудового Красного Знамени
«Чеховский полиграфический комбинат»
142300 г. Чехов Московской области
Тел. (272) 71-336. Факс (272) 62-536

ПО ВОПРОСАМ ПРИОБРЕТЕНИЯ
КНИГ ИЗДАТЕЛЬСТВА «АЗБУКА» ОБРАЩАТЬСЯ:

Санкт-Петербург: *издательство «Азбука»*
тел. (812) 327-04-56, факс 327-01-60
«Книжный клуб «Снарк»
тел. (812) 103-06-07
ООО «Русич-Сан», тел. (812) 589-29-75

Москва: *ООО «Азбука-М»*
тел. (095) 150-52-11, 792-50-68, 792-50-69
ООО «ИКТФ Книжный клуб 36,6»
тел. (095) 540-45-44
www.club366.ru, club366@aha.ru

Екатеринбург: *ООО «Валео Книга»*
тел. (3432) 42-07-75

Новосибирск: *ООО «Топ-книга»*
тел. (3832) 36-10-28
www.opt-kniga.ru

Калининград: *Сеть магазинов «Книги и книжечки»*
тел. (0112) 56-65-68, 35-38-38

Хабаровск: *ООО «МИРС»*
тел. (4212) 29-25-65, 29-25-67
sale_book@bookmirs.khv.ru

Челябинск: *ООО «ИнтерСервис ЛТД»*
тел. (3512) 21-33-74, 21-26-52

Казань: *ООО «Таис»*
тел. (8432) 72-34-55, 72-27-82
tais@bancorp.ru

ЗАРУБЕЖНЫЕ ПАРТНЕРЫ

Украина: *ООО «Азбука-Украина», 04073 г. Киев*
Московский пр., 6 (2 этаж, офис 19)
тел. (+38044) 490-35-67
sale@azbooka.net

Израиль: *«Спутник» (Тель-Авив)*
тел. (03) 6872261, 056-479931
sputnic@zahav.net.il

Германия: *Каталог «Аврора», Франкфурт-на-Майне*
тел. (069) 37564252; avrora@telros.net

INTERNET-МАГАЗИН

Все книги издательства в Internet-магазине «ОЗОН»
http://www.ozon.ru/

КНИГА — ПОЧТОЙ

ЗАО «Ареал», СПб., 192242, а/я 300; тел.: (812) 174-40-63;
www.areal.com.ru; e-mail: postbook@areal.com.ru